国家出版基金项目
NATIONAL PUBLICATION FOUNDATION

『十四五』时期国家重点图书出版专项规划

中国考古发掘报告提要

索引

刘庆柱◎总主编
丁晓山◎主编

中国文史出版社

目 录

史前卷……1
夏商西周卷……45
春秋战国卷……85
汉代卷……131
魏晋南北朝卷……187
隋唐五代卷……219
宋·西夏卷……255
辽金元卷……285
明清卷……315
综合卷……337

史前卷

考古详报书名首字索引

一、本索引包括本卷上编所收考古详报；

二、本索引依考古详报首字笔画为序；

三、每一条目后的数字，为该考古详报在本卷中的页数。

二画

丁村旧石器时代遗址群：丁村遗址群 1976 ~ 1978 年发掘报告........10
七里亭与银锭岗........34

三画

三门峡南交口........52
大汶口：新石器时代墓葬发掘报告........46
大汶口续集：大汶口遗址第二、三次发掘报告........48
大荔—蒲城旧石器：大荔人遗址及其附近旧石器地点群调查发掘报告........86
小孤山：辽宁海城史前洞穴遗址综合研究........17
小兜里........37
小黑石沟：夏家店上层文化遗址发掘报告........14
山东王因：新石器时代遗址发掘报告........49
山西旧石器........9
山西襄汾县丁村旧石器时代遗址发掘报告........8
广西田东么会洞早更新世遗址........74
广西百色盆地枫树岛旧石器遗址........75

四画

天门龙嘴........66
元君庙仰韶墓地........83
元谋古猿........80
水洞沟：2003 ~ 2007 年度考古发掘与研究报告........100
水洞沟——1980 年发掘报告........99
牛河梁：红山文化遗址发掘报告........18
反山........33
文家山........36
邓家湾：天门石家河考古发掘报告之二........60

五画

正定南杨庄——新石器时代遗址发掘报告........5
甘肃考古记........91
龙虬庄：江淮东部新石器时代遗址发掘报告........21
龙岗寺：新石器时代遗址发掘报告........85
北城村——冀中平原的新石器时代文化........6
北福地——易水流域史前遗址........5
仙人洞与吊桶环........45
白河流域史前遗址调查报告........57
白音长汗——新石器时代遗址发掘报告........13
兰州红古下海石：新石器时代遗址发掘报告........93
宁夏菜园：新石器时代遗址、墓葬发掘报告........99

民和阳山……98
民和核桃庄……98
辽东半岛石棚……16
台湾新石器时代垦丁寮遗址墓葬研究报告……102

六画

老虎山文化遗址报告集……12
西安半坡：原始氏族公社聚落遗址……82
西安米家崖：新石器时代遗址 2004 ~ 2005 年考古发掘报告……89
西阴村史前的遗存……8
西侯度：山西更新世早期古文化遗址……10
百色旧石器……72
百色革新桥……74
师赵村与西山坪……91
华县泉护村……86
伊川考古报告……54
交河沟西：1994 ~ 1996 年度考古发掘报告……101
安乡汤家岗：新石器时代遗址发掘报告……68
安徽繁昌人字洞：早期人类活动遗址……41
祁头山……23
好川墓地……29
观音洞——贵州黔西旧石器时代初期文化遗址……79

七画

赤峰上机房营子与西梁……15
花厅——新石器时代墓地发掘报告……22
花石浪（Ⅰ）：洛南盆地旷野类型旧石器地点群研究……88
花石浪（Ⅱ）：洛南花石浪龙牙洞遗址发掘报告……89
巫山猿人遗址……77
肖家屋脊：天门石家河考古发掘报告之一……59
邱承墩——太湖西北部新石器时代遗址发掘报告……24
佛山河宕遗址：1977 年冬至 1978 年夏发掘报告……71
邹县野店……47
良渚——杭县第二区黑陶文化遗址初步报告……28
良渚遗址群……31
良渚遗址群考古报告：卞家山……37
灵宝西坡墓地……53

八画

奉天锦西县沙锅屯石穴层遗址……16
武功发掘报告——浒西庄与赵家来遗址……84
武穴鼓山：新石器时代墓地发掘报告……60

青龙泉与大寺……58
英德牛栏洞遗址——稻作起源与环境综合研究……71
英德史前考古报告……70
杭县良渚镇之石器与黑陶……28
枣庄建新：新石器时代发掘报告……48
枣阳雕龙碑……61
昌都卡若……81
和县人遗址……39
周口店：北京人遗址……3
周口店发掘记……3
周口店洞穴层采掘记……3
京山屈家岭……58
庙子沟与大坝沟……13
庙后山——辽宁本溪市旧石器文化遗址……16
庙底沟与三里桥……54
庙前……32
匼河……9
河北省第三次全国文物普查主要新发现：史前遗址……7
河西走廊史前考古调查报告……93
河姆渡：新石器时代遗址考古发掘报告……29
泥河湾……5
宝鸡北首岭……83
宝鸡关桃园……88
宝鸡福临堡——新石器时代遗址发掘报告……85
宜都城背溪……59
房县七里河……62
建始人遗址……61

九画

城子崖……46
赵陵山：1990 ~ 1995 年度发掘报告……24
南京人化石地点：1993 ~ 1994……21
南京直立人……22
南京驼子洞早更新世哺乳动物群……23
南河浜——崧泽文化遗址发掘报告……31
查海：新石器时代聚落遗址发掘报告……17
柳州白莲洞……73
柳城巨猿洞的发掘和广西其他山洞的探查……72
临潼白家村……85
临潼零口村……87
昆山……33
郧西人——黄龙洞遗址发掘报告……62

哈克遗址：2003 ～ 2008 年考古发掘报告 …… 14
科尔沁文明：南宝力皋吐墓地 …… 15
顺山集：泗洪县新石器时代遗址考古发掘报告 …… 27
保山史前考古 …… 80
禹州瓦店 …… 52
闽侯昙石山遗址第八次发掘报告 …… 43
姜寨：新石器时代遗址发掘报告 …… 84
神木新华 …… 87

十画

秦安大地湾——新石器时代遗址发掘报告 …… 92
珠海宝镜湾海岛史前文化遗址发掘报告 …… 70
敖汉赵宝沟：新石器时代聚落 …… 12
莲花池山遗址：福建漳州旧石器遗址发掘报告（1990 ～ 2007） …… 44
桂林甑皮岩 …… 72
蚌埠双墩：新石器时代遗址发掘报告 …… 41
蚌埠禹会村 …… 42
胶东半岛贝丘遗址环境考古 …… 48
胶县三里河 …… 47
凌家滩：田野考古发掘报告之一 …… 39
高城墩 …… 24
高陵东营——新石器时代遗址发掘报告 …… 89
资阳人 …… 78
浙北崧泽文化考古报告集（1996 ～ 2014） …… 37
海南岛凤鸣村新石器时代遗迹调查 …… 76

十一画

黄河小浪底水库考古报告（一） …… 51
黄河小浪底水库考古报告（二） …… 51
黄河小浪底水库考古报告集（三） …… 52
黄梅塞墩 …… 63
郾城郝家台 …… 56
常州新岗：新石器时代文化遗址发掘报告 …… 25
崧泽——新石器时代遗址发掘报告 …… 20
阎家岗：旧石器时代晚期古营地遗址 …… 19
深圳咸头岭——2006 年发掘报告 …… 71
梁王城遗址发掘报告 · 史前卷 …… 26
随州金鸡岭 …… 65

十二画

彭头山与八十垱 …… 67
傅家山——新石器时代遗址发掘报告 …… 36
湖北史前城址 …… 66

湘阴青山：新石器时代遗址发掘报告……69

十三画

蒙城尉迟寺（第二部）……40
蒙城尉迟寺：皖北新石器时代聚落遗存的发掘与研究……40
楼家桥、萱塘山背、尖山湾……35
跨湖桥：新石器时代遗址考古报告……30
新地里……34
新绛孝陵陶窑山址……11
福建三明万寿岩旧石器时代遗址 1999 ~ 2000、2004 年考古发掘报告……43
福建第四纪哺乳动物化石考古发现与研究……44
福泉山——新石器时代遗址发掘报告……20

十四画

瑶山……29
舞阳贾湖……50
谭家山：天门石家河考古发掘报告之三……64

十五画及以上

鹤壁刘庄：下七垣文化墓地发掘报告……55
澧县城头山：新石器时代遗址发掘报告……67
襄汾陶寺：1978 ~ 1985 年发掘报告……11
翼城枣园……10
藤花落：连云港市新石器时代遗址发掘报告……26

考古简报篇名首字索引

一、本索引包括本卷下编所收考古简报；

二、本索引依考古简报首字笔画为序；

三、每一条目后的数字，为该考古简报在本卷中的页数。

一画

1971 年半坡遗址发掘简报 …… 796
1972 年春临潼姜寨遗址发掘简报 …… 796
1979 年安阳后冈遗址发掘报告 …… 545
1979 年裴李岗遗址发掘报告 …… 480
1979 年裴李岗遗址发掘简报 …… 476
1980 年水洞沟遗址发掘报告 …… 906
1981 ~ 1982 年陕西武功县赵家来遗址发掘的主要收获 …… 824
1982 ~ 1984 年山西垣曲古城东关遗址发掘简报 …… 164
1982 年江苏常州武进寺墩遗址的发掘 …… 318
1982 年秭归县柳林溪发掘的新石器早期文化遗存 …… 637
1982 年商县紫荆新石器时代遗址的发掘 …… 853
1984 年河南巩县考古调查与试掘 …… 482
1985 ~ 1986 年宜昌白庙遗址发掘简报 …… 638
1985 年江苏常州圩墩遗址的发掘 …… 319
1986 ~ 1987 年西樵山发掘简报 …… 707
1987 ~ 1989 年陕西安康地区新石器时代遗址调查 …… 850
1987 年上海青浦县崧泽遗址的发掘 …… 298
1987 年江苏新沂花厅遗址的发掘 …… 315
1987 年河南南召小空山旧石器遗址发掘报告 …… 576
1991 年唐白河流域及淮源史前遗址的考古调查 …… 579
1996 年广西石器时代考古调查简报 …… 716
1997 年河北徐水南庄头遗址发掘报告 …… 122
1998 年江夏潘柳村遗址发掘报告 …… 596
2000 ~ 2001 年随州厉山佘家老湾遗址试掘报告 …… 661
2002 ~ 2003 年河南偃师灰嘴遗址的发掘 …… 519
2002 年内蒙古林西县井沟子遗址西区墓葬发掘纪要 …… 197
2005 年安康郭家湾新石器时代遗址发掘简报 …… 851
2005 年陕西扶风美阳河流域考古调查 …… 821
一九七七年宝鸡北首岭遗址发掘简报 …… 811
一九七九年蔚县新石器时代考古的主要收获 …… 124
一九七五年东海峪遗址的发掘 …… 447
一九七五年洛阳考古调查 …… 509
一九八〇年秦安大地湾一期文化遗存发掘简报 …… 866
一九五八至一九六一年湖北郧县和均县发掘简报 …… 605
一九六一年江西万年遗址的调查和墓葬清理 …… 402
一九六二年江西万年新石器遗址墓葬的调查与试掘 …… 403

二画

丁村旧石器时代文化遗址范围内的新石器文化遗存 …… 147
十堰市犟河沿岸两处古遗址调查 …… 612

三画

三峡地区发现原始社会腰坑墓葬……639
下川文化——山西下川遗址调查报告……143
大地湾遗址仰韶晚期地画的发现……871
大同市小站王龙沟的旧石器……133
大庆市沙家窑新石器时代遗址调查……281
大庆地区新石器时代遗址调查……282
大连市北吴屯新石器时代遗址……232
大连市郭家村新石器时代遗址……230
大邑县韩场乡三墩村发现穿孔石斧……745
大洪山南麓史前聚落调查——以石家河为中心……594
大悟县土城古遗址探掘简报……648
上海马桥遗址第一、二次发掘……294
上海市闵行区马桥遗址 1993 ~ 1995 年发掘报告……299
上海市青浦县崧泽遗址的试掘……293
上海市松江县姚家圈遗址发掘简报……300
上海出土新石器时代稻谷和农具……304
上海考古发现的新石器时代水井……304
上海县发现新石器时代遗址……292
上海奉贤县江海遗址 1996 年发掘简报……302
上海青浦区寺前史前遗址的发掘……302
上海青浦县发现千步村遗址……294
上海青浦县金山坟遗址试掘……297
上海青浦福泉山良渚文化墓地……296
上海松江区广富林遗址 2001 ~ 2005 年发掘简报……303
上海松江县汤庙村遗址……296
上海金山区亭林遗址 1988、1990 年良渚文化墓葬的发掘……301
上海福泉山良渚文化墓葬……295
上海澱山湖发现的新石器时代遗物……292
上蔡发现五处新石器时代文化遗址……590
山东广饶县傅家遗址的发掘……420
山东广饶新石器时代遗址调查……420
山东历城柳埠发现大汶口文化遗物……409
山东日照龙山文化遗址调查……448
山东日照市两城镇遗址 1998 ~ 2001 年发掘简报……450
山东日照苏家村遗址调查勘探简报……451
山东日照两城镇遗址勘察纪要……447
山东日照秦家官庄发现旧石器……448
山东长岛北庄遗址发掘简报……426
山东平阴县周河遗址大汶口文化墓葬的发掘……413
山东东阿县古文化遗址调查……465

山东曲阜西夏侯遗址第一次发掘报告……439
山东曲阜南兴埠遗址的发掘……441
山东曲阜新石器时代遗址调查……438
山东安丘老峒峪遗址再调查……434
山东安丘峒峪、胡峪新石器时代遗址调查……429
山东安丘景芝镇新石器时代墓葬发掘……428
山东阳谷县景阳岗龙山文化城址调查与试掘……463
山东牟平照格庄遗址……425
山东寿光火山埠遗址出土一件黑陶罍……431
山东寿光市后胡营遗址试掘简报……436
山东苍山县发现的石器……458
山东苍山县新石器时代墓葬清理简报……455
山东邹平丁公遗址第四、五次发掘简报……466
山东邹平县苑城早期新石器文化遗址调查……465
山东邹平苑城西南庄遗址勘探、试掘简报……466
山东邹县县城附近发现石锯……440
山东沂水县杨庄新石器时代遗址……460
山东沂水县城北郊新石器时代遗址发掘……461
山东沂水县晚期旧石器、细石器调查……454
山东沂水县新石器时代遗址调查……458
山东沂南县发现一组玉、石器……460
山东汶、泗流域发现的一批细石器……444
山东汶上县东贾柏村新石器时代遗址发掘简报……443
山东即墨县新石器时代遗址调查……416
山东即墨县新石器时代遗址调查简报……416
山东青州市发现一件刻纹陶器……435
山东青州市发现龙山文化器物坑……435
山东茌平县尚庄遗址第一次发掘简报……462
山东茌平教场铺遗址龙山文化城墙的发现与发掘……464
山东枣庄市建新遗址第一、二次发掘简报……419
山东昌乐县邹家庄遗址发掘简报……432
山东昌乐县原始文化遗址调查……433
山东乳山县史前遗址调查……437
山东肥城市北坦遗址的大汶口文化遗存……446
山东兖州市龙湾店遗址的试掘……445
山东泗水县戈山发现一组龙山文化石器……445
山东莒南化家村遗址试掘……456
山东临沂大范庄新石器时代墓葬的发掘……452
山东临沂王家三岗新石器时代遗址……456
山东临沂市后明坡遗址试掘简报……457
山东临沂县凤凰岭发现细石器……453
山东临沂新石器时代遗址调查……452

山东临沂新石器时代遗址调查简报……459
山东临朐朱封龙山文化墓葬……433
山东省长岛县砣矶岛大口遗址……424
山东省平邑县新石器时代遗址调查……460
山东省沂水县南洼洞发现旧石器……453
山东省泗水县柘沟镇快轮制陶技术调查……442
山东省海阳、莱阳、莱西、黄县原始文化遗址调查……406
山东省海阳县史前遗址调查……424
山东省蓬莱、烟台、威海、荣成市贝丘遗址调查简报……407
山东禹城县邢寨汪遗址的调查与试掘……461
山东济宁琵琶山新石器时代遗址……438
山东济南市发现一批新石器时代早期遗址……410
山东费县古遗址调查纪要……455
山东栖霞下渔稼沟发现新石器时代遗址……422
山东栖霞市古镇都新石器时代遗址发掘简报……428
山东胶东地区新石器时代遗址的调查……405
山东胶县三里河出土一件陶鬶……415
山东胶县三里河遗址发掘简报……414
山东烟台白石村新石器时代遗址发掘简报……427
山东烟台市白石村遗址调查简报……423
山东烟台市郊丘家庄发现新石器时代遗址……421
山东烟台毓璜顶新石器时代遗址发掘简报……427
山东郯城望海楼发现旧石器地点……457
山东郯城黑龙潭细石器遗址……454
山东诸城市六吉庄子新石器时代遗址调查……437
山东诸城呈子遗址发掘报告……430
山东曹县莘冢集遗址试掘简报……467
山东野店新石器时代墓葬遗址试掘简报……440
山东章丘龙山三村窑厂遗址调查简报……409
山东章丘市大康遗址发掘简报……413
山东章丘市小荆山后李文化环壕聚落勘探报告……412
山东章丘市小荆山遗址调查发掘报告……411
山东章丘市西河新石器时代遗址 1997 年的发掘……412
山东章丘县小荆山遗址调查简报……410
山东博兴县利戴遗址清理简报……467
山东蓬莱县发现打制石器……424
山东蓬莱紫荆山遗址试掘简报……422
山东新石器时代早期考古新收获……407
山东嘉祥发现一座新石器时代墓葬……443
山东潍坊姚官庄遗址发掘简报……429
山东潍县狮子行遗址发掘简报……430
山东滕州市西康留遗址调查、发掘简报……419

山东滕县北辛遗址发掘报告……417
山东滕县岗上村新石器时代墓葬试掘报告……417
山西大同及偏关县新石器时代遗址调查简报……132
山西大同青磁窑旧石器时代遗址出土新资料……134
山西大同青磁窑旧石器遗址的新发现……133
山西天镇县楼子町发现细石器……133
山西五台县阳白遗址发掘简报……137
山西太谷白燕遗址第二、三、四地点发掘简报……140
山西右玉丁家村新石器时代遗存……135
山西石楼岔沟原始文化遗存……141
山西平陆县西侯新石器时代遗址调查……166
山西平陆县庙后、罗家岭、枣树埋等地的旧石器……162
山西平陆新石器时代遗址复查试掘简报……161
山西吉县柿子滩中石器文化遗址……148
山西吉县柿子滩旧石器时代遗址 S14 地点……154
山西吉县柿子滩旧石器时代遗址 S14 地点 2000 ~ 2005 年发掘简报……159
山西吉县柿子滩旧石器遗址试掘记……148
山西吉县柿子滩遗址 S12G 地点发掘简报……160
山西吉县柿子滩遗址第九地点发掘简报……159
山西曲沃县方城遗址发掘简报……147
山西曲沃里村西沟旧石器时代文化遗址……144
山西芮城东庄村和西王村遗址的发掘……163
山西芮城匼河旧石器时代初期文化遗址……161
山西芮城南礼教村遗址发掘简报……163
山西芮城清凉寺史前墓地……171
山西芮城清凉寺墓地玉器……170
山西芮城清凉寺新石器时代墓地……171
山西汾阳县峪道河遗址调查……140
山西怀仁鹅毛口石器制造场遗址……135
山西岢岚县乔家湾龙山文化晚期遗址……138
山西岢岚县窑子坡遗址发掘……138
山西河曲县坪头遗址新石器时代房址发掘简报……139
山西定襄县西社村龙山文化遗址调查……136
山西垣曲下马村发现新石器时代陶器……162
山西垣曲小赵遗址 1996 年发掘报告……169
山西垣曲古文化遗址的调查……164
山西垣曲发现的石器……169
山西垣曲县小赵新石器时代遗址的试掘……168
山西垣曲县古城东关遗址出土新石器时代的细石器……168
山西临汾下靳村陶寺文化墓地发掘报告……153
山西临汾下靳墓地发掘简报……152
山西省垣曲县古城东关遗址Ⅳ区仰韶早期遗存的新发现……166

山西省侯马市上北平望遗址调查简报……151
山西省襄汾县丁村新石器时代遗址发掘简报……150
山西峙峪旧石器时代遗址发掘报告……135
山西侯马东呈王新石器时代遗址……150
山西闻喜古文化遗址调查简报……165
山西闻喜县发现龙山时期大石磬……165
山西洪洞县耿壁、侯村新石器时代遗址的调查……146
山西原平市辛章遗址 2012 年发掘简报……139
山西陵川县大泉头发现细石器……144
山西襄汾县丁村曲舌头新石器时代遗址发掘简报……154
山西襄汾县大崮堆山石器制造场遗址 1988 ～ 1989 年的发掘……160
山西襄汾县大崮堆山史前石器制造场新材料及其再研究……149
山西襄汾县陶寺中期城址大型建筑 IIFJT1 基址 2004 ～ 2005 年发掘简报……158
山西襄汾县陶寺城址发现陶寺文化大型建筑基址……156
山西襄汾县陶寺城址发现陶寺文化中期大型夯土建筑基址……158
山西襄汾县陶寺城址祭祀区大型建筑基址 2003 年发掘简报……156
山西襄汾县陶寺遗址Ⅱ区居住址 1999 ～ 2000 年发掘简报……155
山西襄汾县陶寺遗址发掘简报……144
山西襄汾陈郭村新石器时代遗址与墓葬发掘简报……151
山西襄汾陶寺城址 2002 年发掘报告……157
山西襄汾陶寺遗址首次发现铜器……145
川东长江沿岸新石器时代遗址调查简报……734
广元市鲁家坟新石器时代遗址调查记……753
广东中部低地区新石器时代遗存……700
广东东兴新石器时代贝丘遗址……729
广东东莞市蚝岗贝丘遗址调查……713
广东东莞市圆洲贝丘遗址的发掘……714
广东发现第四纪更新世中期人类头骨化石……704
广东曲江石峡墓葬发掘简报……704
广东阳春独石仔新石器时代洞穴遗址发掘……711
广东英德九龙礼堂山动物群的发现……713
广东英德沙口狗了冲古文化遗存调查与试掘……712
广东英德宝晶宫的旧石器……712
广东始兴县马市、陆源发现新石器晚期遗址……705
广东封开黄岩洞洞穴遗址……708
广东封开簕竹口遗址发掘简报……710
广东南海县西樵山遗址的复查……706
广东南澳县象山新石器时代遗址……703
广东珠海市淇澳岛沙丘遗址调查……703
广东高要县蚬壳洲发现新石器时代贝丘遗址……708
广东海南岛原始文化遗址……732
广东深圳市大黄沙沙丘遗址发掘简报……701

广东深圳市咸头岭新石器时代遗址……702
广东紫金县在光顶遗址的试掘……710
广东普宁虎头埔古窑发掘简报……715
广西田阳县新洞村发现四件大石铲……726
广西百色市百谷屯发现的旧石器……726
广西百色市革新桥新石器时代遗址……727
广西百色地区新石器时代文化遗存……725
广西灵山县新石器时代遗址调查简报……728
广西南宁市豹子头贝丘遗址的发掘……719
广西南宁地区新石器时代贝丘遗址……717
广西柳州新石器时代遗址调查与试掘……721
广西柳江发现新石器……720
广西柳城发现新石器……720
广西贵港市上江口新石器时代遗址的发掘……731
广西钦州独料新石器时代遗址……727
广西桂平县石器时代文化遗存……730
广西桂林甑皮岩洞穴遗址的试掘……722
广西资源县晓锦新石器时代遗址发掘简报……723
广西宾阳发现十万年前的花生化石……717
广西邕宁县顶蛳山遗址的发掘……718
广西隆安大龙潭新石器时代遗址发掘简报……718
广西新州打制石器地点的调查……724
广西横县江口新石器时代遗址的发掘……719
广州东部发现的旧石器……700
广河地巴坪半山类型墓地……891

四画

天门邓家湾遗址 1987 年春发掘简报……671
天门石家河出土的一批红陶小动物……666
天门县新石器时代遗址调查……667
天门张家山新石器时代遗址考古发掘取得重要成果……671
天门谭家岭遗址发掘简讯……667
天津市北郊和宝坻县发现石器……109
天津蓟县小平安旧石器地点调查简报……110
天津蓟县北台旧石器地点调查简报……109
天津蓟县青池遗址发掘报告……110
元谋大墩子新石器时代遗址……779
云南个旧市倘甸新石器时代遗址……778
云南云县曼干遗址的发掘……777
云南龙陵县新石器时代遗址调查……775
云南永仁永定镇石板墓清理简报……780
云南永仁菜园子、磨盘地遗址 2001 年发掘报告……781

云南永平新光遗址发掘报告 782
云南发现的有段石锛 769
云南曲靖发现炭化古稻 772
云南宜良的旧石器 770
云南孟连老鹰山的新石器时代岩穴遗址 776
云南南华县孙家屯墓地发掘简报 780
云南保山二台坡新石器时代遗址调查 775
云南保山塘子沟旧石器时代遗址发掘简报 774
云南剑川县海门口遗址 783
云南宣威县尖角洞新石器遗址调查 773
云南宾川白羊村遗址 782
云南麻栗坡县小河洞新石器时代洞穴遗址 777
云南景洪附近的新石器时代遗址 778
云南禄丰发现新石器时代遗址 780
云南禄丰新石器时代遗址 779
云南禄劝县营盘山新石器时代洞穴遗址调查 771
云南腾冲县发现石器 774
云南滇池东岸新石器时代遗址调查记 769
云南滇池周围新石器时代遗址调查简报 770
云南澄江县学山遗址试掘简报 773
五寨峰台梁发现一处新石器时代遗址 136
太山庙新石器时代遗址第一次发掘简报 613
太原义井村遗址清理简报 131
日照两城镇龙山文化遗址调查 446
内乡县香花寨遗址新出土陶器 576
内蒙古大青山西段新石器时代遗址 183
内蒙古扎鲁特旗南宝力皋吐新石器时代墓地 207
内蒙古扎鲁特旗南宝力皋吐新石器时代墓地 C 地点发掘简报 208
内蒙古扎鲁特旗榆毛沟遗址调查 206
内蒙古中南部三处古遗址调查 180
内蒙古中南部考古调查 176
内蒙古中南部黄河沿岸新石器时代遗址调查 173
内蒙古乌兰察布盟北部地区新石器时代遗址调查 219
内蒙古巴林左旗富河沟门遗址发掘简报 186
内蒙古巴林右旗那斯台遗址调查 189
内蒙古巴林右旗查日斯台嘎查遗址的调查 194
内蒙古巴林右旗塔布敖包新石器时代遗址 2009 年发掘简报 204
内蒙古巴林右旗锡本包楞出土玉器 191
内蒙古巴彦浩特的细石器 224
内蒙古东乌珠穆沁旗霍尔赤根河新石器时代的遗物 222
内蒙古包头市西园新石器时代遗址发掘简报 184
内蒙古包头市阿善遗址发掘简报 182

内蒙古托克托县发现的几件磨制石器……179
内蒙古托克托县新石器时代遗址调查……178
内蒙古自治区发现的细石器文化遗址……173
内蒙古伊金霍洛旗朱开沟遗址Ⅶ区考古纪略……212
内蒙古伊盟杭锦旗锡尼镇附近的新石器时代遗址……211
内蒙古伊盟南部旧石器时代文化的新收获……211
内蒙古赤峰大南沟新石器时代墓地的发掘……192
内蒙古赤峰市二道井子遗址的发掘……203
内蒙古赤峰市三座店夏家店下层文化石城遗址……198
内蒙古赤峰市上机房营子遗址发掘简报……199
内蒙古赤峰市兴隆沟聚落遗址 2002 ~ 2003 年的发掘……195
内蒙古赤峰市阴河中下游古代岩画的调查……197
内蒙古赤峰市哈啦海沟新石器时代墓地发掘简报……203
内蒙古赤峰市康家湾遗址 2006 年发掘简报……200
内蒙古赤峰红山考古调查报告……185
内蒙古苏尼特右旗吉日嘎郎图新石器时代遗存……222
内蒙古阿拉善左旗发现原始文化遗存……223
内蒙古林西考古调查……175
内蒙古林西县井沟子西梁新石器时代遗址……181
内蒙古林西县水泉遗址发掘简报……181
内蒙古林西县白音长汗新石器时代遗址 1991 年发掘简报……194
内蒙古林西县白音长汗新石器时代遗址发掘简报……191
内蒙古呼伦贝尔辉河水坝细石器遗址发掘报告……215
内蒙古和林格尔县浑河沿岸新石器时代遗址调查……180
内蒙古昭乌达盟石羊石虎山新石器时代墓葬……185
内蒙古科左中旗玻璃山新石器时代遗址调查……207
内蒙古科左中旗哈民忙哈新石器时代遗址 2010 年发掘简报……209
内蒙古科左中旗哈民忙哈新石器时代遗址 2011 年的发掘……209
内蒙古科右中旗嘎查营子遗址调查……221
内蒙古科尔沁右翼中旗嘎查石器时代遗址的调查……221
内蒙古敖汉旗小山遗址……188
内蒙古敖汉旗小河西遗址简述……201
内蒙古敖汉旗兴隆沟新石器时代遗址调查……193
内蒙古敖汉旗兴隆洼遗址发掘简报……188
内蒙古敖汉旗兴隆洼聚落遗址 1992 年发掘简报……193
内蒙古敖汉旗红山文化西台类型遗址简述……202
内蒙古敖汉旗赵宝沟一号遗址发掘简报……190
内蒙古敖汉旗蚌河、老虎山河流域新石器时代遗址调查简报……198
内蒙古敖汉旗榆树山、西梁遗址出土遗物综述……202
内蒙古敖汉旗榆树山、西梁遗址房址和墓葬综述……201
内蒙古哲盟科左中旗新艾力的新石器时代遗址……206
内蒙古翁牛特旗三星他拉村发现玉龙……187

内蒙古凉城县王墓山坡上遗址发掘纪要……220
内蒙古海拉尔市团结遗址的调查……214
内蒙古鄂尔多斯市乌兰木伦旧石器时代中期遗址……212
内蒙古商都县两处新石器时代遗址的调查与试掘……219
内蒙古商都县新石器时代遗址调查……218
内蒙古清水河白泥窑子 C、J 点发掘简报……179
内蒙古清水河县白泥窑子村的新石器时代遗址……176
内蒙古清水河县白泥窑子遗址复查……177
内蒙古喀喇沁旗红山文化积石冢调查简报……204
内蒙古腾格里沙漠中的一处原始文化遗存……224
内蒙古察右前旗庙子沟遗址考古纪略……217
水洞沟村的旧石器文化遗址……906
牛坪坡旧石器材料的发现和初步研究……725
牛河梁女神庙平台东坡筒形器群遗存发掘简报……244
牛河梁红山文化第二地点一号冢石棺墓的发掘……247
牛河梁第十六地点红山文化积石冢中心大墓发掘简报……246
长治小常乡小神遗址……142
长春附近发现的石制农业工具……249
长荆铁路应城、钟祥段调查简报……594
长海县广鹿岛大长山岛贝丘遗址……229
长葛县裴李岗文化遗址调查简报……554
介绍闽西出土的两件石器……395
丹江口市石鼓后山坡旧石器地点调查简报……610
乌苏里江流域考古调查……268
户县兆伦新石器时代遗址调查简报……804
巴林右旗出土石雕人像……195

五画

正定南杨庄遗址试掘记……112
甘肃山丹四壩滩新石器时代遗址……880
甘肃天水地区考古调查纪要……869
甘肃天水师赵村史前文化遗址发掘……873
甘肃正宁县宫家川新石器时代遗址调查记……885
甘肃古浪县老城新石器时代遗址试掘简报……878
甘肃兰州西坡岻遗址发掘简报……859
甘肃兰州青岗岔遗址试掘简报……859
甘肃兰州焦家庄和十里店的半山陶器……861
甘肃礼县高寺头新石器时代遗址发掘报告……888
甘肃永昌鸳鸯池新石器时代墓地……877
甘肃永靖马家湾新石器时代遗址的发掘……890
甘肃永靖张家咀与姬家川遗址的发掘……892
甘肃永靖秦魏家齐家文化墓地……891

甘肃民乐五坝史前墓地发掘简报……881
甘肃西和县宁家庄发现彩陶权杖头……887
甘肃灰地儿及青岗岔新石器时代遗址的调查……865
甘肃庆阳地区南四县新石器时代文化遗址调查与试掘简报……885
甘肃安西县发现一处新石器时代遗址……882
甘肃安西潘家庄遗址调查试掘……882
甘肃环县刘家岔旧石器时代遗址……884
甘肃武山傅家门史前文化遗址发掘简报……874
甘肃武威皇娘娘台遗址发掘报告……876
甘肃武威郭家庄和磨咀子遗址调查记……875
甘肃卓尼苊儿遗址试掘简报……895
甘肃岷县山那新石器时代遗址调查简报……886
甘肃迭部县新出土的彩陶壶……894
甘肃泾川南峪沟与桃山嘴旧石器时代遗址的发现……881
甘肃临夏马家湾遗址发掘简报……890
甘肃临潭县出土鱼嘴彩陶壶……894
甘肃临潭磨沟齐家文化墓地发掘简报……895
甘肃省天水市西山坪早期新石器时代遗址发掘简报……872
甘肃省甘谷县大石乡麻坪村陈家河老村出土珍稀文物——陶铃……874
甘肃省宁县阳坬遗址试掘简报……884
甘肃省民乐县东灰山新石器遗址古农业遗存新发现……880
甘肃洮河上游发现的几处新石器时代遗址……894
甘肃秦安大地湾 901 号房址发掘简报……870
甘肃秦安大地湾第九区发掘简报……867
甘肃秦安大地湾遗址 1978 年至 1982 年发掘的主要收获……868
甘肃秦安大地湾新石器时代早期遗存……866
甘肃秦安王家阴洼仰韶文化遗址的发掘……870
甘肃秦安县大地湾遗址仰韶文化早期聚落发掘简报……875
甘肃皋兰阳洼窑“马厂”墓葬清理简报……862
甘肃海石湾下海石半山、马厂类型遗址调查简报……864
甘肃康乐县边家林新石器时代墓地清理简报……893
甘肃康乐县张寨出土新石器时代陶器……893
甘肃景泰张家台新石器时代的墓葬……865
甘肃敦煌西土沟遗址调查试掘简报……883
甘肃漳县出土一件双颈红陶壶……886
甘肃镇原黑土梁发现的晚期旧石器……868
甘南出土的人头形器口彩陶瓶……895
古浪县高家滩新石器时代遗址试掘简报……878
古蔺发现人类化石……747
石河遗址群 1987 年考古发掘的主要收获……670
石器时代遗址调查……408
东秦岭山地商洛市和山阳县新发现的两处旧石器地点……855

北京平谷上宅新石器时代遗址发掘简报 …… 106
北京平谷北埝头新石器时代遗址调查与发掘 …… 105
北京东胡林村的新石器时代墓葬 …… 105
北京市门头沟区东胡林史前遗址 …… 107
北京市王府井东方广场旧石器时代遗址发掘简报 …… 106
四川广元市中子铺细石器遗存 …… 751
四川广元市古文化遗址调查 …… 753
四川广元市张家坡新石器时代遗址的调查与试掘 …… 752
四川广汉市三星堆遗址仁胜村土坑墓 …… 748
四川马尔康县哈休遗址调查简报 …… 759
四川乡城县卡心坝遗址调查简报 …… 761
四川什邡桂圆桥新石器时代遗址发掘简报 …… 749
四川北川县烟云洞旧石器时代遗址发掘简报 …… 751
四川汉源大地头新石器时代遗址 …… 756
四川汉源县麦坪新石器时代遗址 2007 年的发掘 …… 756
四川西昌市横栏山新石器时代遗址调查 …… 764
四川西昌礼州新石器时代遗址 …… 762
四川江油市大水洞新石器时代遗址发掘简报 …… 750
四川巫山大溪新石器时代遗址发掘记略 …… 735
四川巫山县魏家梁子遗址的发掘 …… 738
四川汶川县姜维城新石器时代遗址发掘简报 …… 758
四川茂县下关子遗址试掘简报 …… 760
四川茂县白水寨和沙乌都遗址 2006 年调查简报 …… 759
四川金川县刘家寨遗址调查简报 …… 760
四川宜宾南部首次发现新石器时代遗物 …… 754
四川省汉源县大树公社狮子山发现新石器时代遗址 …… 755
四川省郫县古城遗址调查与试掘 …… 743
四川省新津县修觉山首次发现新石器时代石器 …… 742
四川盐源县轿顶山发现新石器时代遗址 …… 763
四川都江堰市芒城遗址调查与试掘 …… 744
四川资阳等县石器时代文化 …… 757
四川资阳鲤鱼桥旧石器地点发掘报告 …… 758
四川凉山彝族自治州喜德县的新石器时代遗址 …… 762
四川崇州市双河史前城址试掘简报 …… 745
四川绵阳市边堆山新石器时代遗址调查简报 …… 750
四川普格县新石器时代遗址调查简报 …… 763
四川新津县宝墩遗址调查与试掘 …… 743
四川嘉陵江中下游新石器时代遗址调查 …… 736
四川德昌县毛家坎新石器时代遗址发掘简报 …… 764
四平市郊发现新石器时代遗址 …… 252
兰州土谷台半山—马厂文化墓地 …… 862
兰州马家窑和马厂类型墓葬清理简报 …… 860

兰州市几处新石器时代遗址调查……858
兰州市徐家山东大梁马厂类型墓葬……863
兰州花寨子“半山类型”墓葬……861
兰州曹家咀遗址的试掘……860
兰州新石器时代的文化遗存……858
汉中地区新石器时代遗址调查简报……841
汉江上游的几处新石器时代遗址……792
宁夏青铜峡市广武新田北的细石器文化遗址……908
宁夏固原出土新石器时代鸡首壶……909
宁夏固原县红圈子新石器时代墓地调查简报……909
宁夏海原县菜园村遗址、墓地发掘简报……911
宁夏海原县菜园村遗址切刀把墓地……911
宁夏海原曹洼遗址发掘简报……912
宁夏海源龚弯新石器时代遗址……910
宁夏陶乐县细石器遗址调查……907
宁夏隆德李世选村发现新石器文化遗物……908
宁夏隆德县页河子新石器时代遗址发掘简报……909
宁镇山脉及秦淮河地区新石器时代遗址普查报告……306
礼泉县烽火村发现新石器时代遗址……825
记两城镇遗址发现的两件石器……447
记韩城矿区黄土地层中发现的几件旧石器……833
永吉星星哨水库石棺墓及遗址调查……251
永登团庄、长阳山出土的一批新石器时代器物……863
民和县阳窪坡发现了仰韶文化遗址……898
辽宁大连大潘家村新石器时代遗址……231
辽宁大凌河上游流域考古调查简报……248
辽宁牛河梁红山文化“女神庙”与积石冢群发掘简报……243
辽宁牛河梁第二地点一号冢 21 号墓发掘简报……244
辽宁牛河梁第二地点四号冢筒形器墓的发掘……245
辽宁牛河梁第五地点一号冢中心大墓（M1）发掘简报……245
辽宁长海县小珠山新石器时代遗址发掘简报……233
辽宁丹东地区鸭绿江右岸及其支流的新石器时代遗存……237
辽宁东沟大岗新石器时代遗址……236
辽宁东沟县石佛山新石器时代晚期遗址发掘简报……238
辽宁东沟县后洼遗址发掘概要……237
辽宁北镇县发现新石器时代遗址……238
辽宁沈阳新乐遗址抢救清理发掘简报……226
辽宁岫岩北沟西山遗址发掘简报……235
辽宁阜新地区区域性考古调查阶段性报告（2012 ~ 2013）……240
辽宁阜新县胡头沟红山文化玉器墓的发现……239
辽宁阜新县胡头沟红山文化积石冢的再一次调查与发掘……240
辽宁阜新县查海遗址 1987 ~ 1990 年三次发掘……239

辽宁建平县红山文化考古调查……242
辽宁省瓦房店市长兴岛三堂村新石器时代遗址……231
辽宁省喀左县东山嘴红山文化建筑群址发掘简报……241
辽宁敖汉旗小河沿三种原始文化的发现……186
辽宁凌源市牛河梁遗址第五地点 1998 ～ 1999 年度的发掘……246
辽宁凌源县三官甸子城子山遗址试掘报告……242
辽宁普兰店市孙屯村发现一件大型石矛……233
辽宁鞍山发现旧石器时代天文图……235
发掘裴李岗遗址又有新收获……474

六画

圩墩新石器时代遗址发掘简报……316
吉林大安东山头细石器文化遗址……260
吉林长岭县腰井子村发现鱼形玉佩……259
吉林长岭县腰井子新石器时代遗址……257
吉林东丰县西断梁山新石器时代遗址发掘……254
吉林白城靶山墓地发掘简报……262
吉林西团山石棺墓发掘报告……252
吉林江北土城子古文化遗址及石棺墓……251
吉林安广县永合屯细石器遗址调查简报……259
吉林农安田家坨子遗址试掘简报……249
吉林农安县元宝沟新石器时代遗址发掘……250
吉林扶余北长岗子遗址试掘简报……257
吉林怀德县发现新石器时代遗址……253
吉林和龙青头旧石器遗址的新发现及初步研究……266
吉林省龙井县金谷新石器时代遗址清理简报……265
吉林省白山市老道洞遗址试掘报告……256
吉林省伊通河上游考古调查……253
吉林省和龙西沟发现的旧石器……266
吉林省乾安县新石器时代遗址调查……258
吉林省镇赉县乌兰吐北岗遗址发掘简报……264
吉林省镇赉县白沙滩旧石器遗址出土的石器和动物化石……264
吉林省镇赉县出土人面头像饰……263
吉林前郭县青山头发现一座古墓……258
吉林通榆新石器时代遗址调查……261
吉林辉南邵家店发现的旧石器……255
吉林集安大朱仙沟新石器时代遗址……255
吉林辑安浑江中游的三处新石器时代遗址……254
吉林镇赉丹岱大坎子发现的旧石器……263
吉林镇赉县马场北山遗址调查……262
吉林镇赉县细石器文化遗址……260
吉林镇赉县聚宝山新石器时代遗址……263

巩义市瓦窑嘴遗址第三次发掘报告……492
巩义市坞罗河流域仰韶文化遗址调查……486
巩义市坞罗河流域河南龙山文化遗址调查……487
巩义市坞罗河流域裴李岗文化遗存调查……485
巩县米北遗址调查……483
巩县铁生沟发现裴李岗文化遗址……475
西水坡45号墓·古天球·大荔人……550
西汉水上游新石器时代遗址调查简报……887
西安鱼化寨遗址发掘简报……807
西安鱼化寨遗址仰韶文化土坑墓发掘简报……805
西安鱼化寨遗址仰韶文化瓮棺葬墓发掘简报……807
西夏侯遗址第二次发掘报告……442
西樵山古代石器……706
西樵山东麓的细石器……707
西藏乃东县发现新石器时代遗存……788
西藏小恩达新石器时代遗址试掘简报……787
西藏仲巴县城北石器地点……789
西藏自治区林芝县发现的新石器时代遗址……790
西藏贡嘎县昌果沟新石器时代遗址……788
西藏拉萨市曲贡村新石器时代遗址第一次发掘简报……786
西藏昌都卡若遗址试掘简报……787
西藏高原多格则与扎布地点的旧石器——兼论高原古环境对石器文化分布的影响……785
西藏墨脱县又发现一批新石器时代遗物……791
西藏墨脱县马尼翁发现磨制石锛……791
成都市西郊金沙村龙山时代遗址试掘……746
成都市新都区忠义遗址发掘简报……746
当阳冯山、杨木岗遗址试掘简报……630
当阳罗家山新石器时代遗址调查简报……635
当阳季家湖考古试掘的主要收获……628
竹山县霍山遗址采集精致石器……615
延边珲春县凉水泉子石棺墓……265
华县、渭南古代遗址调查与试掘……829
伊川土门、水寨新石器时代遗址调查简报……512
伊克昭盟郡王旗发现新石器时代遗物……210
伊金霍洛旗新庙子村附近的细石器文化遗址……210
伊河下游几处新石器遗址的调查……506
伊春市发现大型硅化木群……284
伊春铁力小龙山旧石器时代遗址调查与试掘简报……285
舟山群岛发现新石器时代遗址……362
齐齐哈尔北湖遗址出土的陶祖……273
齐齐哈尔市碾子山区发现的石器……273
江汉平原东北发现两座新石器时代城址……595

江汉地区新石器时代考古收获（1955 ~ 1965 年）........ 632
江西万年大源仙人洞洞穴遗址试掘........ 403
江西万年大源仙人洞洞穴遗址第二次发掘报告........ 404
江西永丰县尹家坪遗址试掘简报........ 399
江西临川新石器时代遗址调查简报........ 402
江西清江县新石器时代遗址的调查与分析........ 400
江西清江的新石器时代遗址........ 399
江西瑞昌县良田寺遗址调查........ 398
江西靖安老虎墩史前遗址发掘简报........ 401
江阴高城墩遗址发掘简报........ 310
江苏上海县马桥俞塘新石器时代遗址调查........ 293
江苏无锡鸿山邱承墩新石器时代遗址发掘简报........ 312
江苏丹阳西沟居新石器时代遗址试掘........ 335
江苏东台市开庄新石器时代遗址........ 334
江苏句容丁沙地遗址第二次发掘简报........ 336
江苏江宁元山镇遗址的试掘与调查........ 306
江苏江阴祁头山遗址 2000 年度发掘简报........ 311
江苏江阴县发现原始社会的鹿角镐........ 309
江苏江阴南楼新石器时代遗址发掘简报........ 312
江苏江阴高城墩出土良渚文化玉器........ 309
江苏兴化戴家舍南荡遗址........ 337
江苏邳县四户镇大墩子遗址探掘报告........ 313
江苏邳县刘林新石器时代遗址第一次发掘........ 313
江苏邳县刘林新石器时代遗址第二次发掘........ 314
江苏连云港市二涧村遗址第二次发掘........ 331
江苏连云港藤花落发现龙山文化稻田遗迹........ 332
江苏吴江广福村遗址发掘简报........ 328
江苏吴江县首次出土玉琮........ 324
江苏吴江梅堰新石器时代遗址........ 321
江苏吴县出土的石犁........ 323
江苏吴县出土新石器时代稻谷........ 321
江苏吴县光福镇发现一批新石器时代的石犁........ 321
江苏吴县张陵山东山遗址........ 323
江苏吴县高景山、茶店头新石器时代遗址........ 324
江苏沙洲县新石器时代遗址调查简报........ 325
江苏张家港市东山村新石器时代遗址........ 329
江苏张家港许庄新石器时代遗址调查与试掘........ 326
江苏张家港徐家湾新石器时代遗址........ 326
江苏武进寺墩遗址的试掘........ 317
江苏武进寺墩遗址的新石器时代遗物........ 317
江苏武进潘家塘新石器时代遗址调查与试掘........ 316
江苏昆山市少卿山遗址的发掘........ 328

江苏昆山陈墓镇新石器时代遗址 320
江苏昆山荣庄新石器时代遗址 320
江苏昆山姜里新石器时代遗址2011年发掘简报 329
江苏昆山绰墩遗址的调查与发掘 322
江苏阜宁县东园新石器时代遗址 334
江苏金坛三星村新石器时代遗址 319
江苏泗洪县顺山集新石器时代遗址 338
江苏泗洪顺山集新石器时代遗址发掘报告 339
江苏宜兴市骆驼墩新石器时代遗址的发掘 310
江苏省昆山县少卿山遗址 325
江苏高淳县薛城新石器时代遗址发掘简报 308
江苏海安青墩遗址 330
江苏常州圩墩村新石器时代遗址的调查和试掘 315
江苏常熟良渚文化遗址 322
江苏常熟罗墩遗址发掘简报 327
江苏新海连市锦屏山地区考古考查和试掘简报 331
江苏镇江市左湖遗址发掘简报 336
江苏镇江市戴家山遗址清理报告 335
江苏灌云大伊山遗址1986年的发掘 332
江夏区锣鼓包遗址发掘简报 597
江陵朱家台遗址调查简报 621
汤阴白营发现一处龙山文化晚期聚落遗址 543
安乡划城岗新石器时代遗址 679
安阳八里庄龙山文化遗址发掘情况 543
安阳八里庄龙山遗址发掘简报 544
安阳后冈新石器时代遗址的发掘 544
安阳县北楼顶山发现旧石器时代遗址 541
安阳鲍家堂仰韶文化遗址 546
安康关庙旧石器地点 850
安康花园柏树岭新石器时代遗址调查试掘记 849
安徽东至县华龙洞旧石器时代遗址发掘简报 385
安徽安庆市夫子城新石器时代遗址的发掘 375
安徽芜湖月堰遗址新石器时代墓葬发掘简报 369
安徽含山出土一批新石器时代玉石器 379
安徽含山县凌家滩遗址第三次发掘简报 380
安徽含山县凌家滩遗址第五次发掘的新发现 381
安徽含山凌家滩新石器时代墓地发掘简报 380
安徽怀宁孙家城新石器时代遗址发掘简报 376
安徽青阳县中平遗址调查 384
安徽枞阳、庐江古遗址调查 365
安徽肥西县古埂新石器时代遗址 368
安徽蚌埠双墩新石器时代遗址发掘 370

安徽黄山蒋家山新石器时代遗址调查……376
安徽萧县花家寺新石器时代遗址……377
安徽望江县新石器时代遗址的调查……375
安徽望江县新石器时代遗址调查……374
安徽望江汪家山发现新石器时代遗址……374
安徽淮北地区新石器时代遗址调查……366
安徽宿县小山口和古台寺遗址试掘简报……379
安徽宿县发现新石器时代遗址……378
安徽蒙城县尉迟寺遗址 2003 年发掘简报……383
安徽蒙城县尉迟寺遗址 2003 年度发掘的新收获……382
安徽蒙城尉迟寺遗址发掘简报……382
安徽新石器时代遗址的调查……365
安徽潜山县天宁寨新石器时代遗址……373
安徽濉溪石山子新石器时代遗址……371
许昌灵井旧石器时代遗址 2006 年发掘报告……555
农安左家山新石器时代遗址……250
阳高许家窑旧石器时代文化遗址……131
阴山格尔敖包沟岩画新发现……216
红山文化发现的石农具……225

七画

扶风发现新石器时代大型袋足瓮……812
孝感市大台子新石器时代遗址调查……650
孝感市古文化遗址调查简报……651
芜湖蒋公山遗址调查小记……369
杜尔伯特蒙古族自治县敖林西伯乡庄头村发现新石器时代墓葬……284
巫山大溪遗址第三次发掘……735
连云港将军崖岩画遗迹调查……332
吴兴钱山漾遗址第一、二次发掘报告……359
余杭市余杭区良渚古城遗址 2006 ~ 2007 年的发掘……346
余杭良渚遗址群调查简报……345
余杭莫角山遗址 1992 ~ 1993 年的发掘……344
余杭瑶山良渚文化祭坛遗址发掘简报……341
邹县野店原始社会晚期的遗址和墓葬……440
应城市新石器时代遗址调查……649
沅江县漉湖石君山遗址……691
沔阳月洲湖遗址调查……665
沙窝李新石器时代遗址调查……477
沈阳新乐遗址第二次发掘报告……226
沈阳新民县高台山遗址……225
怀化高坎垅新石器时代遗址……695
怀化高坎垅新石器时代遗址调查简报……695

良渚文化汇观山遗址第二次发掘简报……343
灵宝北万回头遗址出土的彩陶盆……564
灵宝发现东方剑齿象化石……562
陇东镇原常山遗址发掘简报……883

八画

武汉市郊发现打制石器……595
武汉市黄陂区张西湾新石器时代城址发掘简报……598
武当山下发现古象牙化石……608
武威皇娘娘台遗址第四次发掘……876
武威塔儿湾新石器时代遗址及五坝山墓葬发掘简报……879
青台仰韶文化遗址 1981 年上半年发掘简报……483
青岛市郊区的三处龙山文化遗址……414
青浦县崧泽遗址第二次发掘……295
青浦福泉山遗址崧泽文化遗存……298
青海大通县上孙家寨出土的舞蹈纹彩陶盆……897
青海互助县发现新石器时代遗址……898
青海龙羊峡达玉台遗址的打制石器……904
青海乐都县脑庄发现马家窑类型墓……899
青海乐都柳湾原始社会墓葬第一次发掘的初步收获……899
青海民和阳洼坡遗址试掘简报……900
青海民和县阳山墓地发掘简报……900
青海民和县胡李家遗址的发掘……902
青海民和核桃庄山家头墓地清理简报……901
青海民和核桃庄马家窑类型第一号墓葬……899
青海民和喇家史前遗址的发掘……903
青海同德县宗日遗址发掘简报……904
青海柴达木盆地诺木洪、巴隆和香日德三处古代文化遗址调查简报……897
青海循化苏呼撒墓地……902
拉萨曲贡村遗址调查试掘简报……785
英德云岭牛栏洞遗址试掘简报……711
茌平尚庄新石器时代遗址……462
杭州老和山遗址 1953 年第一次的发掘……340
枣庄山亭发现大汶口文化聚落遗址……418
枣阳县雕龙碑遗址调查简报……599
昂昂溪胜利三队一号遗址清理简报……273
忠县㽏井沟新石器时代遗址试掘简况……734
呼兰河畔早期细石器遗址考察……269
呼和浩特东郊二十家子村的新石器文化遗址……177
呼和浩特市东郊旧石器时代石器制造场发掘报告……178
岷江下游宜宾河段再次发现新石器时代遗物……755
金坛北渚荡发现马家浜文化遗址……323

金沙江中游地区两处新石器时代石棺葬的发掘 771
周口市大汶口文化墓葬清理简报 588
郑州大河村仰韶文化的房基遗址 471
郑州大河村遗址 1983、1987 年发掘报告 490
郑州大河村遗址 1983、1987 年仰韶文化遗存发掘报告 489
郑州大河村遗址发掘报告 473
郑州马庄龙山文化遗址发掘简报 478
郑州牛砦龙山文化遗址发掘报告 470
郑州市西山村新石器时代遗址调查简报 482
郑州市西史赵村仰韶文化遗址发掘简报 503
郑州市岔河遗址 1988 年试掘简报 499
郑州市站马屯西遗址新石器时代遗存 502
郑州市站马屯遗址仰韶文化遗存 2009 ~ 2010 年的发掘 501
郑州西山发现黄帝时代古城 491
郑州西山仰韶时代城址的发掘 494
郑州后庄王遗址的发掘 484
郑州宋庄出土的石磨盘 476
郑州阎庄龙山文化遗址发掘简报 479
河北三河县刘白塔新石器时代遗址试掘 129
河北三河县刘白塔新石器时代遗址第二次试掘简报 130
河北三河县孟各庄遗址 129
河北永年县台口村遗址发掘简报 115
河北邢台柴庄遗址调查 118
河北迁西县西寨遗址调查 114
河北安新县梁庄、留村新石器时代遗址试掘简报 119
河北阳原县姜家梁新石器时代遗址的发掘 125
河北阳原桑干河南岸考古调查简报 125
河北邯郸百家村新石器时代遗址 116
河北怀来小古城发现新石器时代遗址 124
河北张北县一带的细石器遗存 126
河北张家口地区新石器时代遗址调查 123
河北武安磁山遗址 117
河北易县北福地史前遗址的发掘 120
河北易县北福地新石器时代遗址发掘简报 121
河北承德附近的新石器时代遗址 126
河北临城县仰韶文化遗址调查 118
河北省承德县新石器时代遗址调查 127
河北徐水县南庄头遗址试掘简报 119
河北唐山市大城山遗址发掘报告 113
河北唐山地区史前遗址调查 114
河北黄骅发现的细石器 128
河北滦平县药王庙梁遗址调查 128

河北磁山新石器遗址试掘……116
河西走廊史前考古调查报告……857
河姆渡遗址第一期发掘报告……349
河南三门峡市庙底沟遗址仰韶文化 H9 发掘简报……572
河南卫辉市倪湾遗址发掘简报……540
河南卫辉市倪湾遗址发掘简报……541
河南开封地区新石器时代遗址调查简报……504
河南中牟县宋庄遗址发现裴李岗文化遗存……503
河南内乡县部分新石器时代遗址调查简报……578
河南内乡新石器时代遗址调查……582
河南方城县大张庄新石器时代遗址……575
河南邓州八里岗遗址发掘简报……579
河南邓州八里岗遗址的调查与试掘……578
河南平顶山市发现一座大汶口类型墓葬……523
河南平顶山蒲城店遗址发掘简报……531
河南民权县牛牧岗遗址发掘简报……584
河南巩义市瓦窑嘴新石器时代遗址的发掘……514
河南巩义市瓦窑嘴新石器时代遗址试掘简报……490
河南巩义市里沟遗址 1994 年度发掘简报……497
河南巩义市里沟遗址发掘简报……490
河南巩义市洪沟旧石器遗址试掘简报……493
河南巩义市塌坡仰韶文化遗址调查……493
河南巩义市滩小关遗址发掘报告……498
河南巩县水地河新石器遗址调查……484
河南巩县铁生沟新石器早期遗址试掘简报……475
河南西峡小洞发现旧石器……578
河南伊川马迴营遗址试掘简报……510
河南伊川发现两件彩陶缸……512
河南伊川县伊阙城遗址仰韶文化遗存发掘简报……513
河南汝州中山寨遗址……528
河南汝州市李楼遗址出土的石制品……531
河南汝州市煤山龙山文化墓葬发掘简报……532
河南汝州李楼遗址的发掘……529
河南汝州洪山庙遗址发掘……530
河南汤阴白营龙山文化遗址……543
河南安阳小南海旧石器时代洞穴堆积的试掘……542
河南安阳市孝民屯新石器时代窑址发掘简报……547
河南许昌丁庄遗址试掘……554
河南许昌灵井的石器时代遗存……552
河南灵宝市北阳平遗址试掘简报……566
河南灵宝市北阳平遗址调查……564
河南灵宝市西坡遗址 2001 年春发掘简报……567

河南灵宝市西坡遗址 2006 年发现的仰韶文化中期大型墓葬……569
河南灵宝市西坡遗址发现一座仰韶文化中期特大房址……568
河南灵宝市西坡遗址试掘简报……566
河南灵宝市西坡遗址墓地 2005 年发掘简报……570
河南灵宝市晓坞遗址仰韶文化遗存的试掘……571
河南灵宝西坡遗址 105 号仰韶文化遗址……567
河南灵宝营里旧石器地点调查简报……563
河南灵宝铸鼎塬及其周围考古调查报告……565
河南郏县水泉发现的新石器时代遗址……524
河南郏县水泉新石器时代遗址发掘简报……529
河南郏县水泉裴李岗文化遗址……530
河南罗山县李上湾新石器时代遗址……585
河南泌阳板桥新石器时代遗址的调查和试掘……590
河南孟县西后津遗址发掘简报……533
河南孟县许村新石器时代遗址……535
河南陕县七里铺第一、二区发掘概要……561
河南驻马店市党楼遗址的发掘……591
河南荥阳县楚湾新石器时代遗址调查报告……489
河南荥阳河王新石器时代遗址……470
河南南召二郎岗新石器时代遗址……573
河南临汝大张新石器时代遗址发掘简报……522
河南临汝中山寨遗址试掘……526
河南临汝中山寨遗址调查简报……526
河南临汝中山寨新石器时代遗址……524
河南临汝北刘庄遗址发掘报告……527
河南临汝煤山遗址发掘报告……525
河南省巩义市里沟遗址调查……488
河南省孟州市义井遗址调查简报……534
河南省禹县谷水河遗址发掘简报……553
河南省登封矿区铁路登封伊川段古遗址调查发掘报告……494
河南省新发现的旧石器和人类化石……469
河南省新密市发现龙山时代重要城址……496
河南省濮阳市铁丘遗址 2012 年发掘简报……551
河南省濮阳市铁丘遗址 2014 年发掘简报……551
河南信阳南山咀新石器时代遗址试掘简报……585
河南禹州市瓦店龙山文化遗址 1997 年的发掘……555
河南禹县谷水河遗址发掘简报……553
河南济源市王屋山地区石器时代地点调查……592
河南济源发现四千年前锅巴……593
河南济源苗店遗址发掘简报……592
河南夏邑县清凉山遗址 1988 年发掘简报……583
河南栾川合峪的龙山遗址……507

河南栾川蝙蝠洞洞穴遗址考古调查简报 521
河南唐河茅草寺新石器时代遗址 574
河南唐河寨茨岗新石器时代遗址 574
河南郸城段砦出土大汶口文化遗物 586
河南偃师二里头遗址发现龙山文化早期遗存 509
河南偃师市二里头遗址4号夯土基址发掘简报 516
河南偃师市二里头遗址中心区的考古新发现 517
河南偃师市二里头遗址宫城及宫殿区外围道路的勘察与发掘 515
河南偃师市灰嘴遗址2006年发掘简报 520
河南偃师市灰嘴遗址西址2004年发掘简报 518
河南偃师汤泉沟新石器时代遗址的试掘 506
河南偃师酒流沟新石器时代遗址的调查 507
河南鹿邑县武庄遗址的发掘 589
河南商水县发现一处大汶口文化墓地 586
河南商丘县坞墙遗址试掘简报 583
河南淇县王庄龙山文化遗址发掘简报 537
河南淇县花窝遗址试掘 536
河南淅川吴营遗址屈家岭文化遗存发掘简报 581
河南淅川县下寨遗址2009～2010年发掘简报 581
河南淅川县龙山岗遗址2008～2009年发掘简报 582
河南淅川县沟湾遗址仰韶文化遗存发掘简报 580
河南淅川黄楝树遗址发掘报告 577
河南渑池西河庵村新石器时代遗址发掘简报 562
河南渑池县考古调查 561
河南渑池县西湾遗址发掘简报 571
河南渑池笃忠遗址2006年发掘简报 571
河南淮阳平粮台龙山文化城址试掘简报 587
河南淮滨发现新石器时代墓葬 584
河南密县马良沟遗址调查和试掘 476
河南密县莪沟北岗新石器时代遗址 474
河南密县莪沟北岗新石器时代遗址发掘简报 472
河南尉氏县椅圈马遗址发掘简报 504
河南博爱县西金城龙山文化城址发掘简报 536
河南辉县市孟庄龙山文化遗址发掘简报 539
河南焦作陨城寨遗址的发掘 535
河南鲁山邱公城古遗址的发掘 523
河南温县仰韶文化遗址调查简报 534
河南登封县几处新石器时代遗址的调查 488
河南新乡龙山文化遗址调查 537
河南新乡刘庄营新石器时代遗址 538
河南新乡李大召遗址试掘简报 540
河南新乡县洛丝潭遗址试掘简报 538

河南新安县西沃遗址发掘简报 514
河南新安县槐林遗址仰韶文化陶窑的清理 515
河南新郑又发现一颗古象化石 487
河南新郑市唐户遗址裴李岗文化遗存发掘简报 499
河南新郑发现一颗大象牙齿化石 485
河南新郑沙窝李新石器时代遗址 478
河南新郑唐户新石器时代遗址试掘简报 479
河南新郑裴李岗新石器时代遗址 471
河南新密市古城寨龙山文化城址发掘简报 497
河南新密市李家沟遗址发掘简报 500
河南新密市新砦遗址 1999 年试掘简报 496
河南舞阳的几处新石器时代遗址 557
河南舞阳贾湖遗址 2001 年春发掘简报 560
河南舞阳贾湖新石器时代遗址第二至六次发掘简报 559
河南镇平赵湾新石器时代遗址的发掘 573
河南襄城县发现一处龙山文化遗址 552
河南濮阳西水坡遗址发掘简报 548
宝鸡石嘴头东区发掘报告 814
宝鸡石嘴头遗址 1999 年发掘简报 821
宝鸡市福临堡遗址 1984 年发掘简报 814
宝鸡出土百万年前河龟化石 818
宝鸡发现龙山文化时期建筑构件 822
宝鸡发现辛店文化陶器 812
宝鸡晁峪出土石器 819
宝鸡新石器时代遗址第二、三次发掘的主要收获 811
定西地区出土的陶质乐器 886
宜昌中堡岛新石器时代遗址 633
宜昌发现新石器时代文化堆积 639
宜昌扬家湾在新石器时代陶器上发现刻划符号 633
宜昌伍相庙新石器时代遗址发掘简报 634
宜昌县杨家湾新石器时代遗址 631
宜昌县清水滩新石器时代遗址的发掘 630
宜昌覃家沱两处周代遗址的发掘 632
宜城下姜家边子遗址发掘简报 605
房县七里河遗址发掘的主要收获 607
房县发现新石器时代遗址和古城址 608
房县羊鼻岭遗址调查简报 606
房县樟脑洞发现的旧石器 609
建始巨猿洞新发现巨猿牙齿 662
建始县又发现巨猿牙化石 661
屈家岭遗址周围又新发现一批屈家岭文化遗址 626
屈家岭遗址第三次发掘 642

孟津小潘沟遗址试掘简报……508
孟津平乐新石器时代遗址调查……510
陕北神府煤田考古调查简报……846
陕西大荔县发现的早期旧石器文化遗存……833
陕西大荔育红河村旧石器地点……832
陕西山阳县古文化遗址普查简报……852
陕西子长县栾家坪遗址试掘简报……837
陕西长安花楼子客省庄二期文化遗址发掘……801
陕西龙山文化遗址出土小麦（秆）……824
陕西白水县下河遗址仰韶文化遗址发掘简报……834
陕西汉中专区考古调查简报……840
陕西汉中地区梁山龙岗首次发现旧石器……841
陕西西乡红岩坝遗址的调查和试掘……842
陕西西乡李家村新石器时代遗址……839
陕西西乡李家村新石器时代遗址一九六一年发掘简报……839
陕西西乡何家湾新石器时代遗址首次发掘……842
陕西华阴兴乐坊遗址发掘简报……835
陕西华阴南城子遗址的发掘……831
陕西华阴横阵发掘简报……828
陕西华县柳子镇第二次发掘的主要收获……827
陕西华县梓里遗址发掘纪要……834
陕西合阳吴家营仰韶文化遗址清理简报……832
陕西邠县下孟村仰韶文化遗址续掘简报……823
陕西旬邑下魏洛遗址发掘简报……826
陕西安康地区新石器时代遗址调查……849
陕西扶风县案板遗址第二次发掘……813
陕西扶风县案板遗址第三、四次发掘……815
陕西扶风案板遗址（下河区）发掘简报……820
陕西陇县出土马家窑文化彩陶罐……815
陕西武功发现新石器时代遗址……823
陕西庞崖马陵两遗址的出土文物……831
陕西宝鸡北首岭又发现仰韶文化墓葬……816
陕西宝鸡市关桃园遗址发掘简报……820
陕西宝鸡新石器时代遗址发掘纪要……810
陕西宜川县龙王辿旧石器时代遗址……837
陕西城固县莲花池新石器时代遗址……840
陕西南郑龙岗寺发现的旧石器……843
陕西南洛河流域古文化遗址调查简报……851
陕西临潼白家村新石器时代遗址发掘简报……798
陕西临潼县骊山西麓的新石器时代遗址……802
陕西临潼姜寨遗址第二、三次发掘的主要收获……797
陕西临潼康桥义和村新石器时代遗址调查记……795

陕西临潼康家遗址发掘简报 800
陕西临潼零口北牛遗址发掘简报 805
陕西临潼零口遗址 M21 发掘简报 804
陕西临潼零口遗址第二期遗存发掘简报 803
陕西省白水县南山峁遗址 F2 调查简报 835
陕西省宝鸡市福临堡遗址 1985 年发掘简报 816
陕西省临潼县康家遗址 1987 年发掘简报 802
陕西省蒲城县马坡遗址 H1 发掘简报 836
陕西洛河上游两种遗址的试掘 852
陕西洛南河口洞穴遗址的初步调查 853
陕西神木县石峁遗址 848
陕西神木县石峁遗址发现细石器 844
陕西神木县寨峁遗址发掘简报 846
陕西高陵杨官寨遗址发掘简报 806
陕西高陵县马家湾遗址发掘简报 806
陕西绥德小官道龙山文化遗址的发掘 843
陕西黄陵县黄帝陵扩建工程发掘简报 838
陕西乾县河里范遗址发掘简报 826
陕西铜川吕家崖新石器时代遗址试掘简报 810
陕西商州市庚原遗址调查 854
陕西商洛市东龙山遗址仰韶与龙山时代遗存发掘简报 855
陕西朝邑大荔沙苑地区的石器时代遗存 827
陕西渭水流域龙山文化遗址调查 794
陕西渭水流域新石器时代遗址调查 800
陕西渭南史家新石器时代遗址 828
陕西蓝田泄湖新石器时代遗址发掘简报 801
陕西蓝田新街遗址发掘简报 808
陕西靖边五庄果墚遗址发掘简报 856
陕西靖边县安子梁、榆林县白兴庄等遗址调查简报 843
陕西横山杨界沙遗址发掘简报 856
陕西横山县瓦窑渠寨山遗址发掘简报 847
陕西潼关南寨子遗址发掘简报 836
陕西麟游县蔡家河遗址龙山遗存发掘报告 818

九画

封开县乌骚岭新石器时代墓葬群发掘简报 709
垣曲宁家坡陶窑址发掘简报 167
荆门叉堰冲新石器时代遗址第二次发掘简报 645
荆门马家院屈家岭文化城址调查 644
荆门市荆家城新石器时代遗址调查 640
荆门市新石器时代遗址调查简报 641
荆门团林叉堰冲遗址发掘简报 644

草鞋山遗址发现史前稻田遗迹……327
莒县大朱家村大汶口文化墓葬……449
荥阳方靳寨新石器时代遗址发掘简报……492
荥阳青台遗址出土纺织物的报告……495
荥阳点军台遗址 1980 年发掘报告……477
南水北调工程丹江口水库郧县淹没区新石器时代考古调查……611
南召县发现猿人牙齿化石……575
南阳黄山遗址独山玉制品调查简报……580
南昌莲塘新石器遗址调查……397
南京汤山葫芦洞直立人化石地点考古发掘的主要收获……307
柳州市大龙潭鲤鱼嘴新石器时代贝丘遗址……721
咸阳市、高陵县古遗址调查简报……793
临汝县张湾发现旧石器……527
临汝县裴李岗文化遗址调查简报……525
临汝阎村新石器时代遗址调查……524
临夏范家村马家窑文化遗址试掘……889
临潼白家和渭南白庙遗址的调查……793
临潼任留出土的新石器时代陶器……799
临潼姜寨遗址第四至十一次发掘纪要……797
昭乌达盟巴林左旗细石器文化遗址……185
昭乌达盟石棚山考古新发现……187
贵州威宁中河发现新石器时代遗物……767
贵州清镇、平壩发现的石器……766
贵州榕江发现石器……767
郧县梅子园遗址调查简报……612
哈尔滨市东郊黄山南北城遗址调查……269
哈尔滨阎家岗旧石器时代晚期地点（1982 ~ 1983 年发掘报告）……270
钟祥左家坡遗址调查……643
香港马湾岛东湾仔北史前遗址发掘简报……921
香港元朗下白泥吴家园沙丘遗址的发掘……920
重庆九龙坡区发现新、旧石器时代遗物……736
重庆九龙坡区发现新、旧石器时代遗物……737
重庆丰都玉溪遗址北部新石器时代遗存 2004 年度发掘简报……740
重庆市长江河段新石器时代遗址调查与试掘……738
重庆市北碚区大土遗址新石器时代遗存发掘简报……740
重庆市巫山县锁龙遗址 1997 年发掘简报……739
重庆奉节县老关庙新石器时代遗址土坑墓的发掘……739
重庆奉节藕塘新石器时代遗址……740
禹县吴湾遗址试掘简报……554
饶河小南山遗址出土的几件玉器……280
饶河小南山新发现的旧石器地点……279
闽侯庄边山新石器时代遗址试掘简报……386

闽侯溪头遗址第二次发掘报告……388
洛宁县发现黄土石器工业……521
洛阳王湾遗址发掘简报……505
洛阳市南陈遗址仰韶文化遗存的发掘……518
洛阳发现水牛化石……511
洛阳地区首次发现中国犀化石……513
洛阳西吕庙龙山文化遗址发掘简报……510
洛阳新安高平寨遗址试掘简报……517
洛河岸边首次发现旧石器文化遗存……508
济南东郊出土的龙山陶器……408
浐灞两河沿岸的古文化遗址……792
浑江流域（2007 年）发现的石器研究……256
神木县新石器时代遗址调查简报……845
神农架发现石斧……673
贺兰山西麓的旧石器……174

十画

秦安大地湾 405 号新石器时代房屋遗址……867
桐乡新桥遗址试掘报告……356
桦川万里霍通原始社会遗址调查……285
监利狮子山遗址调查与试掘……623
胶东半岛发现的打制石器……425
高要县龙一乡蚬壳洲贝丘遗址……709
唐山地区发现的旧石器文化……115
凉城崞县窑子墓地……218
旅大市长海县新石器时代贝丘遗址调查……228
旅大市的三处新石器时代遗址……227
旅大市金县发现新石器时代遗址……228
旅顺老铁山积石墓……229
益阳市沙关镇丝茅岭新石器时代遗址调查报告……692
益阳泽群村古遗址调查……692
郸城发现大汶口文化晚期刻符陶片……589
郸城段寨遗址试掘……587
烟台白石村新石器时代遗址出土的鱼类……428
烟台郊区发现新石器时代遗址……422
浙江平湖市庄桥坟良渚文化遗址及墓地……358
浙江平湖戴墓墩良渚文化遗址发掘简报……359
浙江仙居下汤遗址调查简报……364
浙江宁波市八字桥发现新石器时代遗址……350
浙江舟山地区出土的青铜农具和破土器……363
浙江余杭上口山遗址发掘简报……345
浙江余杭反山发现良渚文化重要墓地……340

浙江余杭反山良渚墓地发掘简报……342
浙江余杭汇观山良渚文化祭坛与墓地发掘简报……342
浙江余杭钵衣山遗址发掘简报……346
浙江余姚田螺山新石器时代遗址 2004 年发掘简报……352
浙江余姚市鲞架山新石器时代遗址调查……351
浙江余姚市鲻山遗址发掘简报……351
浙江良渚庙前遗址第五、六次发掘简报……344
浙江河姆渡遗址第二期发掘的主要收获……350
浙江定海县唐家墩新石器时代遗址……362
浙江定海唐家墩又发现一批石器……363
浙江建德市久山湖新石器时代遗址的发掘……346
浙江省平湖县出土二件大型破土器……354
浙江桐乡普安桥遗址发掘简报……355
浙江桐乡新地里遗址发掘简报……358
浙江桐庐小青龙新石器时代遗址发掘简报……348
浙江浦江县上山遗址发掘简报……361
浙江海盐县龙潭港良渚文化墓地……356
浙江湖州钱山漾遗址第三次发掘简报……360
浙江嘉兴大坟遗址的清理……355
浙江嘉兴马家浜新石器时代遗址的发掘……353
浙江嘉兴市雀幕桥遗址试掘简报……354
浙江嘉兴吴家浜遗址发掘简报……357
浙江嘉兴南河浜遗址发掘简报……357
浙江嘉兴雀幕桥发现一批黑陶……353
浙江嘉善新港发现良渚文化木筒水井……354
浦北出土新石器时代玉铲……728
海拉尔的中石器遗存——兼论细石器的起源和传统……213
海岫铁路工程沿线考古调查和发掘情况简报……234
海南省清理三亚落笔洞遗址……733
海原县西安乡田野调查简报……912
案板遗址仰韶时期大型房址的发掘——陕西扶风案板遗址第六次发掘纪要……817
陶寺城址发现陶寺文化中期墓葬……155
陶寺遗址 1983 ~ 1984 年 Ⅲ 区居住址发掘的主要收获……146

十一画

黄河寺沟峡水库新石器时代遗址调查报告……889
黄河流域新石器时代早期文化的新发现……117
黄家湾旧石器遗址发掘简报……616
黄梅龙感湖三处遗址调查……652
萧县金寨村发现一批新石器时代玉器……378
郾城郝家台遗址的发掘……559
鄂东南首次试掘新石器时代遗址……657

铜川李家沟新石器时代遗址发掘报告……809
铜川前峁新石器时代遗址调查简报……809
偃师二里头遗址发现仰韶文化遗存……511
麻城罗家墩遗址调查简报……656
麻城金罗家遗址调查简报……656
望江汪洋庙新石器时代遗址……372
清水河县台子梁的仰韶文化遗址……176
清水滩遗址 1984 年发掘简报……635
淅川下集新石器时代遗址发掘报告……577
渑池仰韶村新石器时代遗址……562
渑池县又发现旧石器……563
淮安县青莲岗新石器时代遗址调查报告……333
淮阳平粮台龙山文化城址出土的陶甗和陶水管……588
深圳市大鹏咸头岭沙丘遗址发掘简报……702
宿松黄鳝嘴新石器时代遗址……373
密山县新开流遗址……276
密县古文化遗址概述……480
随州西花园遗址发掘简报……659
随枣走廊儿处新石器时代遗址调查……602

十二画

黑龙江宁安牛场新石器时代遗址清理……286
黑龙江宁安市牛场遗址发现的几件石器……288
黑龙江宁安县东昇新石器时代遗址调查……287
黑龙江安达县青肯泡遗址调查记……289
黑龙江尚志县亚布力新石器时代遗址清理简报……270
黑龙江省刀背山新石器时代遗存……277
黑龙江省大兴安岭大子杨山遗址调查简报……291
黑龙江省龙江县缸窑地点的细石器遗存……274
黑龙江省旧石器考古又有新收获……271
黑龙江省齐齐哈尔市滕家岗子遗址采集的几件细石器……276
黑龙江省齐齐哈尔市滕家岗遗址三座新石器时代墓葬的清理……276
黑龙江省讷河杨树林发现的古代遗址……275
黑龙江省杜尔伯特李家岗新石器时代墓葬清理简报……282
黑龙江省呼玛老卡遗址调查简报……291
黑龙江省泰来县嫩江沿岸细石器文化遗址调查报告……275
黑龙江省海林市杨林南山旧石器遗址石器研究……289
黑龙江省海林县牡丹江右岸的古代摩崖壁画……287
黑龙江省海浪河中下游考古调查简报……286
黑龙江省宾县三宝乡新石器时代遗址考古调查简报……271
黑龙江省肇东县后七棵树遗址发掘简报……290
黑龙江饶河小南山遗址试掘简报……278

黑龙江饶河县小南山新石器时代墓葬......279
黑龙江海林锦山遗址调查......288
黑龙江新巴尔虎左旗细石器文化遗址调查......213
黑龙江肇源县小拉哈遗址发掘报告......283
黑龙江肇源望海屯新石器时代遗址......281
皖北大汶口文化晚期聚落遗址群的初步考察......366
皖北地区史前遗存中农业经济的考古调查......367
鲁山县发现 60 处旧石器时代古人类洞穴......533
湖北王家岗新石器时代遗址......619
湖北天门市邓家湾遗址 1992 年发掘简报......668
湖北天门市石家河古城三房湾遗址 2011 年发掘简报......673
湖北天门县石家河遗址出土的泥塑小动物......667
湖北云梦新石器时代遗址调查简报......648
湖北长阳清江沿岸遗址调查......634
湖北公安鸡鸣城遗址的调查......624
湖北丹江口水库旧石器调查简报......612
湖北丹江口市毛家洼旧石器遗址调查......614
湖北丹江口市杜店旧石器时代遗址发掘简报......617
湖北丹江口市连沟旧石器遗址调查......614
湖北巴东县李家湾遗址考古新发现......663
湖北巴东县楠木园遗址发掘简报......664
湖北石首市走马岭新石器时代遗址发掘简报......625
湖北石家河罗家柏岭新石器时代遗址......669
湖北江陵朱家台遗址 1991 年的发掘......622
湖北江陵朱家台遗址发掘简报......622
湖北安陆市新石器时代遗址调查......650
湖北孝感市叶家庙新石器时代城址发掘简报......651
湖北孝感地区新石器时代遗址调查试掘......649
湖北均县乱石滩遗址发掘报告......609
湖北应城陶家湖古城址调查......651
湖北沙市市新石器时代遗址调查......621
湖北武汉地区发现的红陶系史前文化遗存......596
湖北枝江关庙山遗址第二次发掘......629
湖北枝江县关庙山新石器时代遗址发掘简报......629
湖北枝江新石器时代遗址调查......636
湖北枝城九道河旧石器时代遗址发掘报告......636
湖北松滋县桂花树新石器时代遗址......618
湖北枣阳市雕龙碑遗址 15 号房址......603
湖北枣阳市雕龙碑新石器时代遗址试掘简报......600
湖北枣阳雕龙碑遗址的考古收获......602
湖北京山朱家咀新石器遗址第一次发掘......640
湖北京山油子岭新石器时代遗址的试掘......643

湖北京山屈家岭遗址群 2007 年调查报告……627
湖北宜城老鸹仓遗址试掘报告……604
湖北宜城曹家楼新石器时代遗址……600
湖北宜都甘家河新石器时代遗址……628
湖北宜都石板巷子新石器时代遗址……631
湖北房县古人类活动遗迹的初步调查报告……606
湖北建始杨家坡洞发掘简报……664
湖北建始新发现的巨猿化石地点……662
湖北荆门龙王山新石器时代墓地发掘简报……647
湖北荆门市后港城河城址调查报告……646
湖北荆门市新石器时代遗址调查……641
湖北荆州市阴湘城遗址 1995 年发掘简报……625
湖北荆州市阴湘城遗址东城墙发掘简报……624
湖北荆州观音垱汪家屋场遗址的调查……626
湖北省天门市龙嘴遗址 2005 年发掘简报……672
湖北省天门市张家山新石器时代遗址发掘简报……672
湖北省石河遗址群 1987 年发掘简报……668
湖北省武汉市江夏豹澥槎山遗址 2001 年发掘简报……597
湖北省京山县青树岭新石器时代遗址发掘简报……645
湖北省建始县岩风洞遗址发掘简报……665
湖北省郧县曲远河口化石地点调查与试掘……610
湖北郧西归仙河遗址 2009 年度发掘简报……657
湖北郧县大寺遗址 2006 年发掘简报……615
湖北郧县曲远河口发现的猴类化石……611
湖北郧县后房旧石器遗址发掘简报……618
湖北郧县刘湾旧石器时代遗址发掘简报……617
湖北郧县青龙泉遗址 2008 年度发掘简报……616
湖北钟祥崔家台新石器时代遗址调查简报……647
湖北洪湖乌林矶新石器时代遗址……620
湖北洪湖圆山新石器时代遗址……621
湖北监利县柳关和福田新石器时代遗址试掘简报……619
湖北通城尧家林遗址的试掘……658
湖北黄冈螺蛳山遗址的探掘……652
湖北黄冈螺蛳山遗址墓葬……653
湖北黄梅陆墩新石器时代墓葬……654
湖北麻城栗山岗新石器时代遗址……654
湖北清江香炉石遗址的发掘……638
湖北随州市黄土岗遗址新石器时代环壕的发掘……659
湖北随州新石器时代遗址调查……660
湖北随县发现旧石器……658
湖北蕲春坳上湾新石器时代遗址……655
湖南石门县皂市下层新石器遗存……680

湖南华容县车轱山遗址的原始农业遗存……678
湖南华容县时家岗发现新石器时代遗址……677
湖南安乡划城岗遗址第二次发掘报告……690
湖南安乡县划城岗遗址第二次发掘简报……689
湖南安乡县汤家岗新石器时代遗址……679
湖南安仁新石器时代遗址试掘简报……693
湖南辰溪县松溪口贝丘遗址发掘简报……697
湖南怀化市仙人桥旧石器地点的发掘……698
湖南怀化发现的旧石器……696
湖南南岳新石器时代遗址……676
湖南临澧县太山庙遗址发掘……681
湖南临澧县早期新石器文化遗存调查报告……680
湖南临澧县胡家屋场新石器时代遗址……685
湖南省津市市新石器时代遗址普查简报……683
湖南省澧县新石器时代早期遗址调查报告……681
湖南洪江市高庙新石器时代遗址……698
湖南浏阳城西樟树塘遗址发掘的主要收获……674
湖南浏阳樟树潭新石器时代遗址调查……674
湖南益阳鹿角山发现新石器时代遗址……691
湖南湘潭县堆子岭新石器时代遗址……675
湖南靖州水酿塘电站淹没区发现的旧石器……696
湖南新宁地区新石器时代遗址调查与试掘……677
湖南新晃石器时代文化遗存调查……694
湖南黔阳高庙遗址发掘简报……697
湖南澧水下游三处旧石器遗址调查报告……684
湖南澧县张家滩、仙公旧石器地点调查简报……683
湖南澧县皇山岗旧石器遗址调查……687
湖南澧县梦溪八十垱新石器时代早期遗址发掘简报……687
湖南澧县彭山东麓旧石器地点调查报告……684
湖南澧县彭头山新石器时代早期遗址发掘简报……682
湖南澧县猴儿坡、多宝寺旧石器遗址再调查……687
湘北澧阳平原旧石器地点调查报告……686
渭水流域仰韶文化遗址调查……794
渭北三原、长武等地考古调查……825
渭南北刘新石器时代早期遗址调查与试掘简报……830
登封八方、双庙仰韶文化遗址的试掘……487
登封告成北沟遗址发掘简报……481

十三画

蓝田猿人的发现……795
简述丹江上游新石器时代遗址……853
靖边县收藏的一批新石器时代遗物……844

靖安郑家坳墓地第二次发掘……400
新乡市郊区发现大量动物骨化石……538
新乡市博物馆藏一件石祖……539
新郑沙窝李遗址发现碳化粟粒……481
新津县首次发现新石器时代有孔石斧……742
新密李家沟遗址发掘的主要收获……502
新蔡又发现一颗古象牙齿化石……591
新疆木垒县出土的石制农具……917
新疆奇台县半截沟新石器时代遗址……916
新疆罗布泊小河墓地 2003 年发掘简报……916
新疆和硕新塔拉遗址发掘简报……916
新疆柴窝堡湖畔细石器遗存调查报告……914
新疆准噶尔盆地东部两处细石器遗址……918
新疆疏附县阿克塔拉等新石器时代遗址的调查……915
漠河出土的打制石器……290
福建长汀河田新石器时代遗址的调查……394
福建龙溪县发现新石器时代遗址……390
福建平潭壳坵头遗址发掘简报……388
福建东山县大帽山贝丘遗址的发掘……393
福建东山县大帽山发现新石器贝丘遗址……391
福建东山县坑北发现新石器时代遗址……391
福建省长汀县河田镇乌石岽发现石犁……395
福建闽侯白沙溪头新石器时代遗址第一次发掘简报……387
福建闽侯庄边山遗址发掘报告……389
福建闽清永泰新石器遗址调查……386
福建浦城县牛鼻山新石器时代遗址第一、二次发掘……393
福建浦城县黑岩头新石器时代墓地发掘简报……394
福建漳平市奇和洞史前遗址发掘简报……395
福建漳州市史前文化遗址调查……392
福建漳浦新石器时代遗址调查……391

十四画

蔚县发现彩陶和黑陶文化……122
裴李岗遗址一九七八年发掘简报……472
舞阳贾湖遗址的试掘……558
舞阳贾湖遗址调查简报……558
潢川县发现裴李岗文化类型的石磨盘……547
潍县鲁家口新石器时代遗址……432
察右中旗大义发泉村细石器文化遗址调查和试掘……217
嫩江沿岸细石器文化遗址调查……272

十五画及以上

潜山薛家岗新石器时代遗址……372
鹤岗市郊梧桐河下游右岸的几处原始社会遗址……278
燕山南麓发现细石器遗址……113
雕龙碑新石器时代遗址发掘收获……601
澧县鸡叫城古城址试掘简报……689
澧县城头山古城址 1997 ～ 1998 年度发掘简报……688
澧县城头山屈家岭文化城址调查与试掘……685
澧县梦溪三元宫遗址……678
澧县梦溪新石器时代遗址试掘简报……678
藏北申扎、双湖的旧石器和细石器……790
襄阳三步两道桥遗址调查……599
襄阳山湾发现几件打制石器……598
襄阳县三处旧石器时代遗址调查……603
襄樊市牌坊岗新石器时代遗址发掘简报……604
濮阳西水坡遗址发掘简报……549
濮阳西水坡遗址试掘简报……549
濮阳戚城遗址龙山文化灰坑清理简报……551
攀枝花市发现旧石器时代晚期洞穴遗址……747

夏商西周卷

考古详报书名首字索引

一、本索引包括本卷上编所收考古详报；

二、本索引依考古详报首字笔画为序；

三、每一条目后的数字，为该考古详报在本卷中的页数。

二画

二里头：1999 ~ 2006 41

三画

三星堆祭祀抗 49
大司空村：第二次发掘报告 36
大甸子——夏家店下层文化遗址与墓地发掘报告 10
大嘴子：青铜时代遗址 1987 年发掘报告 12
小屯 28
马城子——太子河上游洞穴遗存 12
马桥：1993 ~ 1997 年发掘报告 16

四画

少陵原西周墓地 56

五画

东苕溪流域夏商时期原始瓷窑址 19
代海墓地 12
北吕周人墓地 53
平顶山应国墓地 I 39
民乐东灰山考古：四坝文化墓地的揭示与研究 59
乌仑尾与狗头山：福建省商周遗址考古发掘报告 22

六画

安阳——殷商古都发现、发掘、复原记 30
安阳大司空：2004 年发掘报告 42
安阳小屯 34
安阳发掘报告 37
安阳殷墟小屯建筑遗存 38
安阳殷墟花园庄东地商代墓葬 35
安阳殷墟徐家桥郭家庄商代墓葬——2004 ~ 2008 年殷墟考古报告 37
安阳殷墟郭家庄商代墓葬：1982 ~ 1992 年考古发掘报告 30
朱开沟：青铜时代早期遗址发掘报告 10
老牛坡 54
西王母文化研究集成：考古报告卷 61
西团山文化考古报告集 14
邢台商周遗址 6
邢台粮库遗址 5

七画

吴城：1973 ~ 2002 年考古发掘报告 23

坐果山与望子岗——潇湘上游商周遗址发掘报告……45
张家坡西周玉器……55
张家坡西周墓地……54
扶风齐家村青铜器群……52
灵石旌介商墓……8
酉阳清源……47

八画

阜南考古发掘 1980 ~ 1982：遗址概况、堆积层次及生活层出土遗物分析……62
周原——2002 年度齐家制玦作坊和礼村遗址考古发掘报告……57
宝鸡強国墓地……52
拉萨曲贡……51
昌平张营——燕山南麓地区早期青铜文化遗址发掘报告……3
枣阳郭家庙曾国墓地……43
泗水尹家城……25
虎林山遗址……22
郑州二里岗……28
郑州大师姑（2002 ~ 2003）……33
郑州小双桥：1990 ~ 2000 年考古发掘报告……39
郑州商代铜器窖藏……31
郑州商城：1953 ~ 1985 年考古发掘报告……32

九画

临淄商王墓地……26
侯家庄……28
南邠州 · 碾子坡……56
垣曲商城：1985 ~ 1986 年度勘察报告……7
垣曲商城：1987 ~ 2003 年度考古发掘报告……8
城坝遗址出土文物……49
城洋青铜器……55
洛阳北窑西周墓……31
洛阳皂角树：1992 ~ 1993 年洛阳皂角树二里头文化聚落遗址发掘报告……33
独仓山与南王山——土墩墓发掘报告……18

十画

夏县东下冯……7
徐家碾寺洼墓地——1980 年甘肃省庄浪县徐家碾发掘资料……59
殷墟发掘报告（1958 ~ 1961）……29
殷墟妇好墓……29
浙南石棚墓调查发掘报告……18
海阳嘴子前……25

十一画

琉璃河西周燕国墓地：1973～1977 3
高家堡戈国墓 53
偃师二里头：1959～1978年考古发掘报告 32
偃师商城（第一卷） 40
崇信于家湾周墓 60
淹城：1958～2000年考古发掘报告 17
盘龙城：1963～1994年考古发掘报告 43
鹿邑太清宫长子口墓 32
随州叶家山：西周早期曾国墓地 44

十二画

博罗横岭山：商周时期墓地2000年发掘报告 46
颍河文明：颍河上游考古调查试掘与研究 36

十三画

新干商代大墓 23
新郑望京楼：2010～2012年田野考古发掘报告 42
新密新砦：1999～2000年田野考古发掘报告 35

十四画

肇源白金宝：嫩江下游一处青铜时代遗址的揭示 15

十五画及以上

滕州前掌大墓地 26
镐京西周宫室 53
豫东杞县发掘报告 32
穆穆曾侯：枣阳郭家庙曾国墓地 44
霍邱堰台——淮河流域周代聚落发掘报告 20
藁城台西商代遗址 5

考古简报篇名首字索引

一、本索引包括本卷下编所收考古简报；

二、本索引依考古简报首字笔画为序；

三、每一条目后的数字，为该考古简报在本卷中的页数。

一画

1955～1957年陕西长安沣西发掘简报……596
1957年秋安阳高楼庄殷代遗址发掘……392
1958～1959年殷墟发掘简报……392
1958年洛阳东干沟遗址发掘简报……339
1959年河南偃师二里头试掘简报……340
1959年侯马“牛村古城”南东周遗址发掘简报……109
1960年秋陕西长安张家坡发掘简报……596
1961～1962年沣西发掘简报……605
1961～1962年陕西长安沣东试掘简报……597
1962年安阳大司空村发掘简报……393
1967年长安张家坡西周墓葬的发掘……601
1969～1977年殷墟西区墓葬发掘报告……401
1972年春安阳后冈发掘简报……395
1973年安阳小屯南地发掘简报……395
1975～1979年洛阳北窑西周铸铜遗址的发掘……349
1975年安阳殷墟的新发现……397
1976～1978年长安沣西发掘简报……602
1976年安阳小屯西北地发掘简报……409
1977年河南永城王油坊遗址发掘概况……461
1978～1980年山西襄汾陶寺墓地发掘简报……111
1979～1981年长安沣西、沣东发掘简报……607
1980～1982年安阳苗圃北地遗址发掘简报……405
1980年秋河南偃师二里头遗址发掘简报……348
1981～1983年琉璃河西周燕国墓地发掘简报……67
1981年河南偃师二里头墓葬发掘简报……350
1982～1984年安阳苗圃北地殷代遗址的发掘……420
1982年秋偃师二里头遗址九区发掘简报……353
1983～1986年安阳刘家庄殷代墓葬发掘报告……427
1983年秋季河南偃师商城发掘简报……351
1984～1985年沣西西周遗址、墓葬发掘报告……609
1984～1988年安阳大司空村北地殷代墓葬发掘报告……426
1984年长安普渡村西周墓葬发掘简报……612
1984年沣西大原村西周墓地发掘简报……608
1984年春偃师尸乡沟商城宫殿遗址发掘简报……352
1984年秋安阳苗圃北地殷墓发掘简报……414
1984年秋河南偃师二里头遗址发现的几座墓葬……353
1986～1987年安阳花园庄南地发掘报告……422
1986年安阳大司空村南地的两座殷墓……414
1987、1991年陕西长安张家坡的发掘……617
1987年安阳小屯村东北地的发掘……415

1987 年秋安阳梅园庄南地殷墓的发掘 417
1987 年夏安阳郭家庄东南殷墓的发掘 413
1987 年偃师二里头遗址墓葬发掘简报 357
1988 ～ 1989 年山西垣曲古城南关商代城址发掘简报 120
1991 ～ 1992 年山西垣曲商城发掘简报 120
1991 年安阳后冈殷墓的发掘 424
1991 年安阳花园庄东地、南地发掘简报 424
1992 年沣西发掘简报 617
1995 ～ 1996 年安阳刘家庄殷代遗址发掘报告 428
1995 年扶风黄堆老堡子西周墓清理简报 684
1995 年郑州小双桥遗址的发掘 319
1995 年琉璃河周代居址发掘简报 70
1995 年琉璃河遗址墓葬区发掘简报 69
1996 年扶风黄堆老堡子西周墓清理简报 684
1997 ～ 1998 年盘龙城发掘简报 477
1997 年沣西发掘报告 619
1998 年鹤壁市、淇县晚商遗址考古调查报告 387
2000 ～ 2001 年安阳孝民屯东南地殷代铸铜遗址发掘报告 434
2002 年周原遗址（齐家村）发掘简报 682
2004 ～ 2005 年殷墟小屯宫殿宗庙区的勘探和发掘 443
2004 年广汉烟堆子遗址商周时期遗迹发掘简报 571
2005 年雅安沙溪遗址发掘简报 576
2006 年赤峰上机房营子石城址考古发掘简报 131
一九七七年上半年告成遗址的调查发掘 305
一九八一年湖北省秭归县柳林溪遗址的发掘 494
一九五五年秋安阳小屯殷墟的发掘 391
一九六二年陕西扶风齐家村发掘简报 638
一九六三年湖北黄陂盘龙城商代遗址的发掘 474
一件精美的晚商铜爵 334

二画

二里头遗址出土的铜器和玉器 346

三画

三千多年前的古都——安阳殷墟 400
三门峡上村岭虢国墓地 M2001 发掘简报 453
三门峡市花园北街发现一座西周墓葬 454
三门峡市李家窑四十四号墓的发掘 456
三门峡虢国墓地 M2010 的发掘清理 455
三门峡虢国墓地 M2013 的发掘清理 455
三门峡虢国墓地出土的青铜器 457
三峡库区长府沱遗址试掘简报 497

土寨子遗址发掘简报……522
大连于家村砣头积石墓地……140
大连庄河平顶山青铜时代遗址发掘简报……145
大冶古文化遗址考古调查……480
大悟发现编钟等铜器……504
大悟县城关镇双河村李家湾遗址发掘简报……509
上村岭虢国墓地 M2006 的清理……454
上海松江区广富林遗址 1999 ~ 2000 年发掘简报……177
山东广饶县草桥遗址发现西周陶器……268
山东日照崮河崖出土一批青铜器……291
山东长清、桓台发现商代青铜器……251
山东长清石都庄出土周代铜器……257
山东长清县北黄崖发现的周代遗物……259
山东平阴县朱家桥殷代遗址……253
山东平阴洪范商墓清理简报……256
山东东营市南河崖西周煮盐遗址……268
山东乐陵、庆云古遗址调查简报……295
山东宁阳县堡头遗址清理简报……289
山东曲阜发现两处周代遗址……280
山东曲阜考古调查试掘简报……281
山东安丘发现两件青铜器……274
山东安丘老峒峪出土一件商代青铜戈……274
山东阳信县古文化遗址调查……298
山东阳信县李屋遗址商代遗存发掘简报……299
山东寿光市大荒北央西周遗址的发掘……276
山东寿光市双王城盐业遗址 2008 年的发掘……277
山东寿光市北部沿海环境考古报告……277
山东苍山县出土青铜器……292
山东邹平丁公遗址试掘简报……297
山东邹平县古文化遗址调查……297
山东邹县七家峪村出土的西周铜器……281
山东邹县南关遗址发掘简报……286
山东邹城市西丁村发现一座商代墓葬……288
山东邹城市商周遗址调查简报……288
山东沂水发现一座西周墓葬……293
山东沂水发现商代青铜器……293
山东沂水县出土商代铜器……294
山东沂水新发现一件带鸟形象形文字的铜戈……294
山东沂源县姑子坪遗址的发掘……262
山东青州市发现“鱼伯己”铜觚……276
山东青州市发现商代铜爵……275
山东青州市苏埠屯墓群出土的青铜器……275

山东招远出土西周青铜器……271
山东乳山市寨山商代遗址调查……279
山东乳山县南黄庄西周石板墓发掘简报……278
山东泗水尹家城第一次试掘……282
山东泗水尹家城遗址第五次发掘简报……285
山东泗水尹家城遗址第四次发掘简报……284
山东泗水发现一批商代铜器……283
山东泗水发现商代青铜器……284
山东莒县西大庄西周墓葬……291
山东荣城市学福村商周墓葬的清理……280
山东威海市发现周代墓葬……279
山东临沂中洽沟发现三座周墓……293
山东临朐发现齐、鄩、曾诸国铜器……273
山东临淄齐国故城西周墓……262
山东省龙口市出土西周铜鼎……271
山东省邹县又发现商代铜器……282
山东省茌平县南陈庄遗址发掘简报……296
山东省济宁市出土一批西周青铜器……287
山东禹城、齐河县古遗址调查简报……295
山东济宁凤凰台遗址发掘简报……286
山东济宁市南赵庄商代遗址调查……287
山东济宁潘庙遗址发掘简报……285
山东济阳刘台子西周六号墓清理报告……256
山东济阳刘台子西周早期墓发掘简报……254
山东济阳刘台子西周墓地第二次发掘……255
山东济阳刘台出土的陶文等商代铭刻……255
山东莱阳县出土己国铜器……269
山东莱芜西上崮出土青铜器及双凤牙梳……292
山东栖霞县松山乡吕家埠西周墓……270
山东高青县陈庄西周遗存发掘简报……263
山东高青县陈庄西周遗址……263
山东益都苏埠屯第一号奴隶殉葬墓……273
山东海阳市上尚都出土西周青铜器……272
山东黄县出土一件青铜甗……270
山东黄县庄头西周墓清理简报……269
山东淄博南阳村发现一座周墓……261
山东惠民县发现商代青铜器……297
山东新泰出土商周青铜器……289
山东新泰雁岭关遗址调查……290
山东潍坊地区商周遗址调查……274
山东滕州市前掌大商周墓地 1998 年发掘简报……267
山东滕州市薛河下游出土的商代青铜器……267

山东滕州出土商代青铜器……266
山东滕县井亭煤矿等地发现商代铜器及古遗址、墓葬……264
山东滕县出土西周滕国铜器……265
山西太谷白燕遗址第一地点发掘简报……103
山西屯留县上村出土商代青铜器……109
山西屯留县城郊出土西周早期青铜器……108
山西长子县发现西周铜器……108
山西长子的殷周文化遗存……107
山西右玉县发现青铜簋……101
山西石楼义牒发现商代铜器……105
山西石楼义牒会坪发现商代兵器……105
山西石楼新征集到的几件商代青铜器……106
山西石楼褚家峪、曹家垣发现商代铜器……106
山西平陆枣园村出土一批西周车马器……119
山西北赵晋侯墓地一号车马坑发掘简报……116
山西永和发现殷代铜器……110
山西吉县出土商代青铜器……112
山西曲沃羊舌晋侯墓地发掘简报……115
山西吕梁县石楼镇又发现铜器……104
山西芮城柴村出土的西周铜器……119
山西忻州市游邀遗址发掘简报……102
山西灵石旌介村商墓……103
山西武乡县上城村出土一批晚商铜器……109
山西柳林县高红发现商代铜器……107
山西洪洞永凝堡西周墓葬……113
山西洪洞县发现商代遗物……114
山西绛县柳庄夏商遗址发掘报告……123
山西绛县横水西周墓发掘简报……122
山西绛县横水西周墓地……122
山西夏县东下冯遗址东区、中区发掘简报……118
山西夏县东阴遗址调查试掘报告……121
山西隰县庞村出土商代青铜器……114
山西襄汾县大柴遗址发掘简报……113
山西翼城发现青铜器……110
山西翼城县大河口西周墓地……116
山西翼城县大河口西周墓地 M1 实验室考古简报……117
山林仔遗址的发掘……234
广东大埔县古墓葬清理简报……545
广东丰顺县先秦遗存调查……546
广东仁化覆船岭遗址发掘……542
广东平远县西周陶窑清理简报……545
广东平远县寨顶上山遗址调查……546

广东曲江鲶鱼转、马蹄坪和韶关走马冈遗址……542
广东连平县黄潭寺遗址发掘简报……547
广东南路地区原始文化遗址……543
广东珠海市淇澳岛东澳湾遗址发掘简报……540
广东翁源县青塘圩新石器时代遗址……541
广东高要县茅岗水上木构建筑遗址……544
广东清远发现周代青铜器……548
广东深圳市盐田区黄竹园遗址发掘简报……540
广东揭阳云路出土一批石器、陶器……549
广东揭阳华美沙丘遗址调查……549
广东普宁市牛伯公山遗址的发掘……550
广东普宁市池尾后山遗址发掘简报……550
广东廉江县出土新石器和青铜器……543
广东榕江中下游地区商周时期遗存调查……551
广东潮阳市先秦遗存的调查……541
广汉三星堆遗址一号祭祀坑发掘简报……569
广汉三星堆遗址二号祭祀坑发掘简报……570
广汉三星堆遗址环境考古调查……571
广汉中兴公社古遗址调查简报……567
广西武鸣马头元龙坡墓葬发掘简报……552
广西南宁邕江发现青铜兵器……552
广西贺县发现青铜镈钟……553

四画

天津蓟县围坊遗址发掘报告……72
天津蓟县张家园遗址第二次发掘……72
天津蓟县张家园遗址第三次发掘……73
云南云县忙怀新石器时代遗址调查……586
云南中甸县的石棺墓……591
云南石屏发现一件西周青铜鼎……588
云南龙陵怒江流域新石器时代遗址调查……585
云南宁蒗县大兴镇古墓葬……586
云南省临沧市那蚌遗址发掘简报……587
云南剑川海门口青铜时代早期遗址……589
云南耿马石佛洞遗址出土炭化古稻……587
云南祥云大波那发现木椁铜棺墓……589
云南鲁甸县野石山遗址发掘简报……585
云南德钦县纳古石棺墓……590
五常市小北山遗址发现西团山文化石器……171
太原市南郊许坦村发现石棺墓葬群……100
中牟出土商代铜器……307
中牟县黄店、大庄发现商代铜器……305

内蒙古巴林右旗发现绳纹陶罐……130
内蒙古白音浩特发现的齐家文化遗物……135
内蒙古宁城县小榆树林子遗址试掘简报……124
内蒙古赤峰市大甸子墓地述要……128
内蒙古赤峰市半支箭河中游1996年调查简报……130
内蒙古赤峰县四分地东山咀遗址试掘简报……127
内蒙古克什克腾旗喜鹊沟遗址发掘简报……132
内蒙古库伦旗南泡子崖夏家店下层文化遗址调查简报……132
内蒙古林东塔子沟出土的羊首铜刀……129
内蒙古敖汉旗发现一件夏家店下层文化玉斧……129
内蒙古敖汉旗周家地墓地发掘简报……128
内蒙古敖汉旗柳南墓地综述……131
内蒙古准格尔旗大口遗址的调查与试掘……134
内蒙古通辽市扎鲁特旗香山镇双龙泉与水泉沟遗址的调查……133
内蒙古清水河白泥窑子L点发掘简报……124
内蒙莫力达瓦旗尼尔基四方山发现古墓……134
长江三峡工程坝区白狮湾遗址发掘简报……498
长安县花园村西周墓葬清理简报……612
长安县新旺村出土的两件青铜器……606
长安沣东西周遗存的考古调查……608
长安沣西早周墓葬发掘记略……604
长安张家坡M170号西周墓出土一组半月形铜件的组合复原……615
长安张家坡M183西周洞室墓发掘简报……613
长安张家坡西周井叔墓发掘简报……606
长安普渡村西周墓的发掘……595
长安普渡村西周墓葬发掘记……595
什邡船棺葬出土一枚“十方雄王”印章……570
介绍一件商代青铜钺……337
介绍台湾新发现的芝山岩文化……758
丹江口市下绞遗址调查简报……487
凤翔西关新区西周墓葬考古发掘简报……693
凤翔县孙家南头周墓发掘简报……687
凤翔南指挥西村周墓的发掘……648
户县发现西周特大容器三足仓……618

五画

甘肃天水市出土西周青铜器……719
甘肃平凉发现一件商代铜镜……726
甘肃东乡崖头辛店文化墓葬清理记……734
甘肃宁县宇村出土西周青铜器……735
甘肃永靖大何庄遗址发掘报告……733
甘肃永靖县张家咀遗址发掘简报……732

甘肃永靖莲花台辛店文化遗址……733
甘肃民乐县东灰山遗址发掘纪要……720
甘肃西和栏桥寺洼文化墓葬……731
甘肃西峰市出土的西周陶贝……729
甘肃合水、庆阳县出土早周陶器……728
甘肃庄浪县出土的寺洼陶器……724
甘肃庄浪县徐家碾寺洼文化墓葬发掘纪要……724
甘肃庆阳发现商代玉戈……727
甘肃庆阳地区出土的商周青铜器……727
甘肃庆阳韩家滩庙嘴发现一座西周墓……728
甘肃灵台白草坡西周墓……722
甘肃灵台两座西周墓……723
甘肃灵台县又发现一座西周墓葬……726
甘肃灵台桥村齐家文化遗址试掘简报……723
甘肃张家川县原始文化遗址调查……718
甘肃张掖市西城驿遗址……721
甘肃卓尼县寺下川遗址发掘简报……737
甘肃卓尼县纳浪乡考古调查简报……736
甘肃岷县占旗寺洼文化遗址发掘简报……731
甘肃岷县发现四处寺洼文化遗址……730
甘肃岷县杏林齐家文化遗址调查……730
甘肃泾川发现早周铜鬲……722
甘肃临夏莲花台发现辛店文化遗物……735
甘肃临夏姬家川遗址发掘简报……732
甘肃临潭磨沟墓地齐家文化墓葬 2009 年发掘简报……738
甘肃积石山县新庄坪齐家文化遗址调查……736
甘肃崇信于家湾周墓发掘简报……725
甘肃崇信香山寺先周墓清理简报……726
甘肃镇原出土人头形陶盖纽……729
古矢国遗址、墓地调查记……644
石楼后兰家沟发现商代青铜器简报……105
石楼县发现古代铜器……104
平邑蔡庄出土一批青铜器……293
平顶山市北滍村两周墓地一号墓发掘简报……377
平顶山市出土周代青铜器……376
平顶山市新出土西周青铜器……377
平顶山应国墓地八十四号墓发掘简报……379
平顶山应国墓地九十五号墓的发掘……378
北京市平谷县发现商代墓葬……66
北京市延庆县西拨子村窖藏铜器……67
北京市顺义县牛栏山出土一组周初带铭青铜器……67
北京发现又一件伯嘉父簋……68

北京地区的又一重要考古收获——昌平白浮西周木椁墓的新启示……66
北京附近发现的西周奴隶殉葬墓……65
北京房山琉璃河遗址发现的商代遗迹……70
北京琉璃河 1193 号大墓发掘简报……69
北京琉璃河夏家店下层文化墓葬……65
北舞渡商代铜鬲……450
四川广汉出土商代玉器……568
四川乐山市考古调查简报……573
四川汉源出土商周青铜器……575
四川忠县涂井乡永兴、李园两处古遗址调查简报……556
四川忠县㽏井沟遗址的试掘……556
四川炉霍县宴尔龙石棺葬墓地发掘简报……577
四川省郫县古城遗址 1997 年发掘简报……562
四川省温江县鱼凫村遗址调查与试掘……562
四川屏山县斑竹林遗址商周时期窑址发掘简报……574
四川鸭子河流域商周时期遗址 2011 ~ 2013 年调查简报……572
四川郫县清江村遗址发掘简报……563
四川凉山州新石器时代文化调查……578
四川彭州市青龙村遗址发掘简报……565
四川彭县西周窖藏铜器……560
四川普格县瓦打洛遗址调查……577
四川新凡县水观音遗址试掘简报……559
四川新都县桂林乡商代遗址发掘简报……561
白庙子遗址第二次试掘简报……496
汉川乌龟山西周遗址试掘简报……509
汉川南河发现西周大米……505
汉阳县陈岭台遗址调查简报……476
宁乡月山铺发现商代大铜铙……526
宁夏西吉县兴隆镇的齐家文化遗址……748
宁夏固原县西周墓清理简报……749
宁夏固原店河齐家文化墓葬清理简报……749
宁夏固原海家湾齐家文化墓葬……748
记广汉出土的玉石器……568
记四川彭县竹瓦街出土的铜器……559
记辽宁喀左县后坟村发现的一组陶器……158
记成都交通巷出土的一件“蚕纹”铜戈……559
记江西近年发现的商周水井……239
记江陵岑河庙兴八姑台出土商代铜尊……491
记陕西华县一处西周遗址……704
记陕西蓝田县新出土的应侯钟……600
记旅大市的两处贝丘遗址……140
记浙江发现的铜铙、釉陶钟和越王石矛……198

辽宁大连市土龙子青铜时代积石冢群的发掘……144
辽宁大连市大嘴子青铜时代遗址的发掘……143
辽宁义县发现商周铜器窖藏……150
辽宁开原市建材村发现刻铭青铜刀……154
辽宁开原果子园等古遗址调查……153
辽宁瓦房店市长兴岛青铜文化遗址调查……143
辽宁本溪多年发现的石棺墓及其遗物……148
辽宁本溪县庙后山洞穴墓地发掘简报……147
辽宁本溪县新城子青铜时代墓地……149
辽宁东港市山西头青铜时代遗址发掘简报……150
辽宁北票市康家屯城址发掘简报……160
辽宁北票县丰下遗址1972年春发掘简报……156
辽宁西丰县新发现的几座石棺墓……154
辽宁兴城县杨河发现青铜器……161
辽宁抚顺市发现殷代青铜环首刀……146
辽宁克什克腾旗天宝同发现商9代铜甗……126
辽宁岫岩真武庙西山青铜时代遗址试掘简报……146
辽宁阜新平顶山石城址发掘报告……152
辽宁阜新县界力花青铜时代遗址发掘简报……153
辽宁法库县弯柳街遗址调查报告……137
辽宁法库县湾柳遗址发掘……137
辽宁建平县喀喇沁河东遗址试掘简报……158
辽宁省瓦房店市谢屯乡青铜时代遗址调查……142
辽宁省庄河县古遗址调查……142
辽宁省岫岩县太老坟石棚发掘简报……145
辽宁省喀左县山湾子出土殷周青铜器……157
辽宁桓仁县狍圈沟遗址……148
辽宁铁岭市银州区辽海屯北山遗址……155
辽宁凌源县三官甸子城子山遗址试掘报告……159
辽宁盖县伙家窝堡石棚发掘简报……151
辽宁朝阳魏营子西周墓和古遗址……157
辽宁喀左县北洞村发现殷代青铜器……155
辽宁喀左县高家洞商周墓……160
辽宁新民市偏堡子遗址青铜时代遗存……138
辽宁新金县双房石盖石棺墓……141
辽宁新宾满族自治县东升洞穴古文化遗存发掘整理报告……147

六画

邢台曹演庄遗址发掘报告……87
吉林双辽市后太平青铜时代墓地……165
吉林双阳万宝山石棺墓……162
吉林延边新龙青铜墓葬及对该遗存的认识……169

吉林延吉柳庭洞发现的原始文化遗存……168
吉林两半山遗址发掘报告……163
吉林省和龙县兴城遗址发掘简报……169
吉林省集安市临江墓东侧青铜时代房址考古发掘报告……166
吉林科右中旗的新石器时代遗存……135
吉林珲春市迎花南山遗址、墓葬发掘……168
吉林桦甸江西屯遗址发掘简报……164
吉林乾安县大布苏泡东岸遗址调查简报……167
吉林蛟河县石棺墓清理……163
吉林舒兰黄鱼圈珠山遗址清理简报……164
吉林德惠县出土陶器……162
巩义市坞罗河流域二里头文化、商、周文化遗存调查……317
巩县发现西周早期青铜鬲……313
西安丰镐遗址发现的车马坑及青铜器……619
西安市长安区冯村北西周时期制骨作坊……622
西安市汉唐昆明池遗址区西周遗存的重要考古发现……621
西安老牛坡出土商代早期文物……602
西安老牛坡商代墓地的发掘……611
西周建筑基址勘查……605
西周特大容器“三足仓”……618
西藏札达县格布赛鲁墓地调查简报……592
成都十二桥商代建筑遗址第一期发掘简报……560
成都市核桃村商代遗址发掘简报……564
成都市郫县波罗村遗址Ⅱ区发掘简报……566
成都市温江区柳岸村遗址商周时期遗存试掘简报……566
成都市新都区商周遗址发掘简报……565
成都市新都区褚家村遗址发掘简报……565
成都羊子山土台遗址清理报告……558
成都金沙遗址Ⅰ区“梅苑”地点发掘一期简报……564
成都金沙遗址的发现与发掘……563
光社遗址调查试掘简报……99
当阳磨盘山西周遗址试掘简报……493
延安市发现的古代玉器……706
伊川白元遗址发掘简报……347
关中漆水下游先周遗址调查简报……594
江西万年县古文化遗址调查记……249
江西进贤县寨子峡遗址……236
江西抚州市西郊商代遗址调查……248
江西余干黄金埠出土铜甗……249
江西青山湖台山咀遗址调查……235
江西南昌青云谱遗址调查……235
江西都昌出土商代铜器……237

江西铅山县曹家墩发现商周遗址……250
江西萍乡市禁山下遗址的发掘……237
江西铜岭铜矿遗址的发掘与研究……240
江西清江吴城商代遗址发掘简报……245
江西清江筑卫城遗址第二次发掘……247
江西遂川出土一件商代铜卣……244
江西湖口下石钟山发现商周时代遗址……238
江西瑞昌市求雨垴遗址的调查……239
江西瑞昌市檀树咀商周遗址发掘简报……241
江西靖安出土西周甬钟……248
江西新干大洋洲商墓发掘简报……244
江西新干县的西周墓葬……243
江西新干商墓出土一批青铜生产工具……245
江西新余市出土商代铜鬲……242
江西新余连续发现西周甬钟……241
江西鹰潭角山窑址试掘简报……242
江西赣州市竹园下遗址商周遗存的发掘……243
江苏无锡锡山彭祖墩遗址发掘报告……182
江苏丹阳出土的西周青铜器……191
江苏丹徒大港土墩墓发掘报告……194
江苏丹徒大港母子墩西周铜器墓发掘简报……192
江苏丹徒县石家墩西周墓……192
江苏东海庙墩遗址和墓葬……188
江苏句容及金坛市周代土墩墓……194
江苏句容白蟒台遗址试掘……193
江苏句容县浮山果园西周墓……190
江苏句容城头山遗址试掘简报……193
江苏句容浮山果园土墩墓……191
江苏句容鹅毛岗1号土墩墓发掘简报……195
江苏苏州上方山六号墩的发掘……185
江苏吴县何山东周墓……184
江苏吴县南部地区古遗址调查简报……186
江苏金坛市新浮遗址的试掘……184
江苏金坛鳖墩西周墓……183
江苏沭阳出土商代铜鼎……188
江苏姜堰天目山西周城址发掘报告……196
江苏盐城市龙冈商代墓葬……189
江苏常熟钱底巷遗址发掘报告……186
江苏铜山丘弯古遗址的发掘……182
江苏新海连市大村新石器时代遗址勘察记……187
江苏溧水、丹阳西周墓发掘简报……178
江苏溧水出土的几批青铜器……181

江苏溧水发现西周墓……179
江苏溧水宽广墩墓出土器物……180
江苏灌云县出土周代青铜器……188
江夏出土的周代青铜甬钟……477
江陵发现西周铜器……488
安吉发现一件西周时期铜铙……204
安阳三家庄、董王度村发现的商代青铜器及其年代推定……419
安阳三家庄发现商代窖藏青铜器……404
安阳大司空村东南的一座殷墓……411
安阳大司空村殷代杀殉坑……400
安阳大寒村南岗遗址……415
安阳小屯村北部的两座殷代墓……402
安阳市殷代墓葬发掘简报……426
安阳市梯家口村殷墓的发掘……423
安阳出土的人头范……392
安阳出土的几件商代青铜器……393
安阳武官村北地商代祭祀坑的发掘……410
安阳武官村北的一座殷墓……400
安阳洹河流域几个遗址的试掘……394
安阳铁西刘家庄南殷代墓葬发掘简报……407
安阳徐家桥村殷代遗址发掘报告……428
安阳殷墟三家庄东的发掘……403
安阳殷墟五号墓的发掘……399
安阳殷墟奴隶祭祀坑的发掘……397
安阳殷墟发现“易卦”卜甲……413
安阳殷墟西区一七一三号墓的发掘……405
安阳殷墟孝民屯的两座车马坑……398
安阳郭家庄 160 号墓……418
安阳郭家庄西南的殷代车马坑……412
安阳郭家庄的一座殷墓……406
安阳梅园庄殷代车马坑发掘简报……429
安阳新发现的殷代车马坑……394
安阳薛家庄东南殷墓发掘简报……406
安陆县晒书台商周遗址试掘……505
安徽天长县出土西周青铜匜……219
安徽屯溪西周墓葬发掘报告……217
安徽屯溪周墓第二次发掘……219
安徽屯溪奕棋又出土大批西周珍贵文物……218
安徽六安出土一件大型商代铜尊……223
安徽宁国市官山西周遗址的发掘……225
安徽含山大城墩遗址第四次发掘报告……222
安徽含山县孙家岗商代遗址调查与试掘……221

安徽枞阳出土一件青铜方彝……216
安徽枞阳县汤家墩遗址发掘简报……217
安徽郎溪县发现的西周铜鼎……225
安徽南陵千峰山土墩墓……211
安徽南陵龙头山西周土墩墓群发掘简报……213
安徽省东至县发现一件青铜罍……224
安徽省含山县出土的商周青铜器……222
安徽省繁昌县平铺土墩墓……212
安徽贵池市发现一件古代陶范……224
安徽宣州市孙埠出土周代青铜器……225
安徽宣城出土的青铜器……226
安徽蚌埠市禹会龙山文化遗址祭祀台基发掘简报……214
安徽宿县谢芦村出土周代青铜器……221
安徽舒城县城关出土一件青铜面饰……223
安徽颍上王岗、赵集发现商代文物……220
安徽颍上县出土一批商周青铜器……220
安徽嘉山县泊岗引河出土的四件商代铜器……219
安徽濉溪县先秦遗址调查……215
安徽繁昌板子矶周代遗址发掘简报……212
许昌县大路陈村发现商代墓……449
阳新县和尚垴遗址调查简报……481

七画

扶风云塘发现西周砖……642
扶风云塘西周骨器制造作坊遗址试掘简报……638
扶风云塘西周墓……640
扶风巨良海家出土大型爬龙等青铜器……670
扶风北吕周人墓地发掘简报……650
扶风白家窑水库出土的商周文物……633
扶风出土的几组商周青铜兵器……669
扶风出土的青铜兵器与生产工具……661
扶风召陈西周建筑群基址发掘简报……643
扶风发现一铜器窖藏……653
扶风庄白大队出土的一批西周铜器……629
扶风刘家姜戎墓葬发掘简报……650
扶风齐家村七、八号西周铜器窖藏清理简报……652
扶风齐家村西周石器作坊调查记……668
扶风齐家村西周墓清理简报……665
扶风县又出土了周代铜器……627
扶风县飞凤山西周墓发掘简报……676
扶风县齐家村西周甲骨发掘简报……643
扶风县官务窑出土西周铜器……655

扶风县海家村发现西周时期遗址……674
扶风近年征集的商周青铜器……660
扶风沟原发现叔赵父爯……642
扶风黄堆老堡三座西周残墓清理简报……672
扶风黄堆老堡西周残墓清理简报……673
扶风黄堆西周墓地钻探清理简报……654
赤峰药王庙、夏家店遗址试掘……125
杨凌南庄村西周遗址2009年发掘简报……702
吴城商代遗址新发现的青铜兵器……247
岐山、兰田等地发现西周铜器……629
岐山王家村出土青铜器……662
岐山凤雏村两次发现周初甲骨文……648
岐山发现西周时代大鼎……625
岐山县北郭乡樊村新出土青铜器等文物……667
岐山县北郭公社出土的西周青铜器……647
岐山县博物馆藏商周青铜器录遗……672
岐山贺家村出土的西周铜器……630
岐山贺家村周墓发掘简报……640
岐山流龙咀村发现西周陶窑遗址……662
近几年来在郑州新发现的商代青铜器……308
近年江西出土的商代青铜器……246
近年来郑州商代遗址发掘收获……312
近年黄陂出土的几件商周青铜器……478
应山县发现商代铜鼎……517
应城市孙堰村发现一座两周之际墓葬……508
应城发现殷代罍、爵……504
应城县出土商代鸮卣……505
庐江大神墩遗址发掘简报……223
沙市近郊出土的商代大型铜尊……490
沙市官堤商代遗址发掘简报……489
汶川发现西周时期蜀文化青铜罍……561
汶川发现西周时期蜀文化青铜罍……576
沈阳市千松园遗址2010年发掘简报……139
忻县连寺沟出土的青铜器……102
灵台白草坡西周墓……721
灵宝考古的新发现……452
阿尔泰山崖画调查记……757
陇县梁甫出土西周早期青铜乐器……657

八画

武功县出土的西周铜器……694
武功县出土商周青铜器……697

武安赵窑遗址发掘报告……86
武昌县发现西周甬钟……475
武威齐家文化遗址中发现卜骨……719
武陟县龙睡村北出土两件商代铜器……382
武陟县出土三件商代青铜器……383
武陟县早商墓葬清理简报……382
青岛市郊区发现新石器时代和殷周遗址……260
青海大通县黄家寨墓地发掘报告……742
青海互助土族自治县总寨马厂、齐家、辛店文化墓葬……743
青海化隆、循化两县考古调查简报……743
青海化隆县上半主洼卡约文化墓地第二次发掘……745
青海化隆县半主洼卡约文化墓葬发掘简报……745
青海民和县喇家遗址 2000 年发掘简报……746
青海民和核桃庄小旱地墓地发掘简报……745
青海西宁发现卡约文化铜鬲……739
青海省民和县古文化遗存调查……744
青海隆务河流域考古调查……746
青海湟源县大华中庄卡约文化墓地发掘简报……739
青海湟源县境内的卡约文化遗迹……740
青海湟源莫布拉卡约文化遗址发掘简报……741
林县下陶村发现一件晚商青铜斝……402
枝江赫家洼遗址出土西周卜骨……496
枣树沟脑遗址 F14 及其相关问题分析……702
昆明市西山区王家墩发现青铜器……584
昂昂溪新石器时代遗址的调查……172
固始县葛藤山六号商代墓发掘简报……466
罗山蟒张后李商周墓地第二次发掘简报……464
罗山蟒张后李商周墓地第三次发掘简报……464
郕国故城出土的两件陶量……283
和硕县新塔拉和曲惠遗址调查……755
肥西、合肥发现西周晚期铜器……211
周口出土的商周玉器……470
周公庙遗址甲骨坑 H1 发掘记……685
周原出土伯公父簠……645
周原出土的骨笄……663
周原出土陶文研究……652
周原发现师同鼎……646
周原西周建筑基址概述（上）（下）……651
周原西周遗址扶风地区出土几批青铜器……648
周原庄李西周铸铜遗址 2003 与 2004 年春季发掘报告……690
周原遗址出土“丹叔番”盂……679
周原遗址刘家墓地西周墓葬的清理……689

京九铁路（浠水一黄梅段）文物调查……512
京九铁路（麻城段）考古调查……512
京山发现曾国铜器……501
京山县发现一批西周青铜器……501
郑州二里岗发掘一座商代墓……309
郑州上街商遗址的发掘……301
郑州化工三厂考古发掘简报……319
郑州北二七路新发现三座商墓……310
郑州市木材公司商代遗址发掘简报……315
郑州市石佛乡发现商代青铜戈、刀……314
郑州市老坟岗商代遗址发掘简报……333
郑州市洼刘村西周早期墓葬（ZGW99M1）发掘简报……322
郑州市铭功路东商代遗址……324
郑州市铭功路西侧的两座商代墓……302
郑州市银基商贸城商代外夯土墙基发掘简报……321
郑州市商代制陶遗址发掘简报……316
郑州市董寨遗址发掘简报……324
郑州出土商代早期铅器座……313
郑州岔河商代遗址调查简报……314
郑州南关外商代遗址的发掘……303
郑州南关附近商代灰坑发掘简报……320
郑州南顺城街青铜器窖藏坑发掘简报……320
郑州洼刘西周贵族墓出土青铜器……323
郑州商代城内宫殿遗址区第一次发掘报告……311
郑州商代城址试掘简报……304
郑州商代遗址……305
郑州商代遗址发掘简报……312
郑州商代遗址的发掘……301
郑州商城北大街商代宫殿遗址的发掘与研究……323
郑州商城外夯土墙基的调查与试掘……315
郑州商城外郭城的调查与试掘……326
郑州商城宫殿区商代板瓦发掘简报……330
郑州商城遗址内发现商代夯土台基和奴隶头骨……303
郑州商城新发现的几座商墓……325
郑州新出土的商代前期大铜鼎……304
郑州新发现商代窖藏青铜器……310
河北丰润卢各庄出土商代铜鼎……84
河北元氏县西张村的西周遗址和墓葬……78
河北正定县曹村商周遗址发掘简报……80
河北正定县新城铺出土商代青铜器……78
河北平泉东南沟夏家店上层文化墓葬……96
河北卢龙县东阚各庄遗址……84

河北邢台东先贤村商代遗址调查……88
河北邢台市东先贤遗址 1998 年的发掘……90
河北邢台市出土一件嵌青铜兽玉戈……88
河北邢台市南小汪发现西周墓……90
河北邢台市葛家庄遗址北区 1998 年发掘简报……89
河北邢台县东先贤遗址发掘简报……89
河北迁安县小山东庄西周时期墓葬……83
河北兴隆县发现商周青铜器窖藏……97
河北邯郸薛庄遗址发掘报告……87
河北沧县倪杨屯商代遗址调查简报……98
河北怀安狮子口发现商代鹿首刀……94
河北灵寿县北宅村商代遗址调查……74
河北定州市尧方头遗址发掘简报……93
河北承德发现商代石牌饰……97
河北承德地区的古文化遗址调查……95
河北临城县补要村遗址南区发掘简报……91
河北省迁安县出土两件商代铜器……82
河北省滦平县梨树沟门山戎墓地清理简报……97
河北宣化李大人庄遗址试掘报告……94
河北宣化县小白阳墓地发掘报告……93
河北唐县出土西周归父敦……92
河北容城县上坡遗址发掘简报……92
河北崇礼石嘴子发现新石器时代遗址……95
河北蒿城县台西村商代遗址 1973 年的重要发现……76
河北滦县出土晚商青铜器……82
河北滦南县东庄店遗址调查……81
河北磁县下七垣出土殷代青铜器……85
河北滹沱河流域考古调查与试掘……79
河北遵化县发现一座商代墓葬……83
河北藁城台西村的商代遗址……75
河北藁城台西村商代遗址发掘简报……77
河北藁城县商代遗址和墓葬的调查……75
河医二附院等处商代遗址发掘简报……313
河南三门峡市李家窑遗址西周墓的清理……456
河南三门峡李家窑西周墓发掘简报……458
河南三门峡虢国墓地 M2008 发掘简报……457
河南长垣宜丘遗址发掘简报……390
河南方城县八里桥遗址 1994 年春发掘简报……459
河南邓州市穰东遗址的发掘……459
河南正阳县出土商代铜器……471
河南平顶山市又出土一件邓公簋……373
河南平顶山市出土西周应国青铜器……375

河南平顶山市出土的应国青铜器……379
河南平顶山市发现西周㲃……373
河南平顶山发现夏代古城……380
河南邢台市葛家庄遗址 1999 年发掘简报……91
河南巩义市花地嘴遗址“新砦期”遗存……327
河南巩县稍柴遗址发掘报告……318
河南西平县上坡遗址发掘简报……473
河南伊川县发现商墓……357
河南安阳市王裕口南地殷代遗址的发掘……433
河南安阳市孝民屯商代环状沟……438
河南安阳市孝民屯商代房址 2003 ~ 2004 年发掘简报……435
河南安阳市孝民屯商代铸铜遗址 2003 ~ 2004 年的发掘……436
河南安阳市孝民屯商代墓葬 2003 ~ 2004 年发掘简报……437
河南安阳市孝民屯遗址西周墓……447
河南安阳市花园庄 54 号商代墓葬……432
河南安阳市洹北花园庄遗址 1997 年发掘简报……429
河南安阳市洹北商城宫殿区二号基址发掘简报……445
河南安阳市洹北商城遗址 2005 ~ 2007 年勘察简报……444
河南安阳市洹北商域的勘察与试掘……431
河南安阳市殷越王裕口村南地 2009 年发掘简报……446
河南安阳市殷墟小屯西地商代大墓发掘简报……442
河南安阳市殷墟刘家庄北地 2008 年发掘简报……440
河南安阳市殷墟刘家庄北地 2010 ~ 2011 年发掘简报……446
河南安阳市殷墟刘家庄北地制陶作坊遗址的发掘……446
河南安阳市殷墟孝民屯东南地商代墓葬 1989 ~ 1990 年的发掘……441
河南安阳市殷墟范家庄东北地的两座商墓……441
河南安阳市殷墟郭家庄东南五号商代墓葬……438
河南安阳市郭家庄东南 26 号墓……431
河南安阳市梅园庄东南的殷代车马坑……430
河南安阳市榕树湾一号商墓……440
河南安阳县西蒋村遗址的调查与试掘……445
河南安阳殷墟大型建筑基址的发掘……417
河南安阳殷墟花园庄东地 60 号墓……433
河南安阳高楼庄南发现一座殷墓……425
河南安阳郭庄村北发现一座殷墓……419
河南安阳梅园庄西的一座殷墓……421
河南杞县牛角岗遗址试掘报告……338
河南杞县朱岗遗址试掘报告……338
河南灵宝出土一批商代青铜器……452
河南武陟大司马遗址调查简报……384
河南武陟东石寺遗址调查简报……383
河南拓城心闷寺遗址发现商代铜器……462

河南拓城孟庄商代遗址……462
河南林县下陶村发现一件晚商铜斝……403
河南固始商代墓内发现花椒……466
河南罗山县蟒张商代墓地第一次发掘简报……463
河南郑州上街商代遗址发掘报告……302
河南郑州商城宫殿区夯土墙 1998 年的发掘……321
河南宝丰收集到两件别致的青铜戈……374
河南孟县涧溪遗址发掘……380
河南陕县七里铺商代遗址的发掘……451
河南驻马店市杨庄遗址发掘简报……472
河南项城出土商代前期青铜器和刻文陶拍……467
河南荥阳大师姑遗址 2002 年度发掘简报……326
河南荥阳市关帝庙遗址商代晚期遗存发掘简报……331
河南荥阳市官庄遗址西区发掘简报……335
河南荥阳市官庄遗址西周遗存发掘简报……336
河南荥阳市薛村遗址 2005 年度发掘简报……330
河南荥阳娘娘寨城址西周墓葬发掘简报……331
河南南阳市十里庙发现商代遗址……458
河南南阳市万家园 M202 发掘简报……460
河南临汝出土一批商周青铜器……376
河南临汝县出土西周铜匜……375
河南临汝县李楼出土商青铜器……373
河南临汝柏树圪垯遗址出土的遗物……375
河南临汝煤山遗址调查与试掘……372
河南省新郑县新发现的商代铜器和玉器……317
河南省新密市新砦遗址 2000 年发掘简报……325
河南省襄县西周墓发掘简报……448
河南信阳县狮河港出土西周早期铜器群……465
河南禹县颍河两岸考古调查与试掘……450
河南洛阳市王城大道发现西周墓……365
河南洛阳市汉魏故城 M175 西周墓发掘简报……371
河南洛阳市南陈遗址西周文化遗存的发掘……369
河南洛阳市唐城花园西周墓葬的清理……368
河南洛阳吉利东杨村遗址……347
河南桐柏发现周代铜器……458
河南淅川县下王岗遗址西周遗存发掘简报……460
河南偃师二里头二号宫殿遗址……348
河南偃师二里头早商宫殿遗址发掘简报……343
河南偃师二里头遗址三、八区发掘简报……343
河南偃师二里头遗址发现新的铜器……356
河南偃师二里头遗址发掘简报……341
河南偃师尸乡沟商城第五号宫殿基址发掘简报……355

河南偃师市二里头遗址发现一件青铜钺……364
河南偃师县灰咀商遗址的调查……339
河南偃师商代和西周遗址调查简报……340
河南偃师商城Ⅳ区 1999 年发掘简报……367
河南偃师商城小城发掘简报……362
河南偃师商城东北隅发掘简报……360
河南偃师商城西城墙 2007 与 2008 年勘探发掘报告……370
河南偃师商城宫城北部"大灰沟"发掘简报……363
河南偃师商城宫城池苑遗址……366
河南偃师商城宫城第八号宫殿建筑基址的发掘……366
河南偃师商城商代早期王室祭祀遗址……363
河南鹿邑县太清宫西周墓的发掘……469
河南商水县出土周代青铜器……468
河南商丘地区殷商文明调查发掘初步报告……462
河南淇县鲍屯发现一件晚商青铜觯……386
河南淇县摘心台发现商代铜镢……387
河南渑池鹿寺商代遗址试掘简报……452
河南淮阳出土的西周铜器和陶器……466
河南淮阳县出土一批晚商文物……468
河南密县黄寨遗址的发掘……318
河南密县新砦遗址的试掘……307
河南确山出土西周晚期铜器……472
河南辉县丰城遗址调查简报……389
河南辉县出土的商代祖辛卣……389
河南辉县褚丘出土的商代铜器……389
河南焦作市府城遗址发掘简报……385
河南温县陈家沟遗址发现的西周墓……386
河南登封市王城岗遗址 2002、2004 年发掘简报……329
河南登封南洼遗址 2004 年春试掘简报……329
河南登封南洼遗址殷墟文化遗存发掘简报……334
河南登封程窑遗址试掘简报……309
河南鄢陵扶沟商水儿处古文化遗址的调查……447
河南新乡李大召遗址 2002 年秋发掘简报……390
河南新乡潞王坟商代遗址发掘报告……388
河南新郑县望京楼出土的铜器和玉器……308
河南新密市新砦城址中心区发现大型浅穴式建筑……328
河南新密市新砦遗址 2002 年发掘简报……332
河南新密市新砦遗址东城墙发掘简报……332
河南新密市新砦遗址浅穴式大型建筑基址的发掘……333
河南舞阳县陆续发现商代文物……451
河南鹤壁市刘庄遗址下七垣文化墓地发掘简报……388
泸沽湖畔出土文物调查记……578

泾阳高家堡早周墓葬发掘记……694
宝鸡下马营旭光西周墓清理简报……653
宝鸡石嘴头发现西周早期墓葬……668
宝鸡市纸坊头遗址试掘简报……661
宝鸡市郊区和凤翔发现西周早期铜镜等文物……637
宝鸡市郊出土的部分西周时期青铜器……676
宝鸡市茹家庄发现西周早期铜器……641
宝鸡地区发现几批商周青铜器……644
宝鸡西周墓出土的几件玉器……658
宝鸡竹园沟西周墓地发掘简报……649
宝鸡竹园沟等地西周墓……635
宝鸡扶风发现西周铜器……626
宝鸡县阳平镇高庙村西周墓群……675
宝鸡县贾村塬发现夨王簋盖等青铜器……649
宝鸡灵陇出土西周早期青铜器……664
宝鸡纸坊头西周墓……658
宝鸡林家村出土西周青铜器和陶器……659
宝鸡茹家庄新发现铜器窖藏……664
宝鸡贾村再次发现夨国铜器……651
宜昌大坪遗址发掘简报……497
宜昌县杨家嘴遗址简况……494
宜城市周代文化遗址调查简报（之三）……484
试论周原遗址出土的西周玺印……673
陕北发现商周青铜器……714
陕西长安、扶风出土西周铜器……627
陕西长安羊元坊商代遗址残灰坑的清理……620
陕西长安县沣西大原村西周墓葬……620
陕西长安县沣西新旺村西周制骨作坊遗址……615
陕西长安县沣西新旺村西周遗址 1982 年发掘简报……621
陕西长安县新旺村新出西周铜鼎……604
陕西长安沣西出土的遫盂……601
陕西长安沣西西周墓地出土的龟甲……614
陕西长安沣西张家坡西周遗址的发掘……598
陕西长安沣西客省庄西周夯土基址发掘报告……610
陕西长安张家坡 M170 号井叔墓发掘简报……614
陕西长安张家坡西周墓清理简报……598
陕西长安新旺村、马王村出土的西周铜器……599
陕西长武县“文化大革命”以来出土的几件西周铜器……695
陕西凤翔水沟周墓清理记……656
陕西凤翔出土的西周青铜器……651
陕西甘泉县出土晚商青铜器……708
陕西礼泉朱马嘴商代遗址试掘简报……700

陕西延川出土一批商代青铜器……707
陕西延川县文化馆收藏的几件商代青铜器……706
陕西延长出土一批西周青铜器……707
陕西延长出土一批晚商青铜器……708
陕西旬邑下魏洛西周早期墓发掘简报……701
陕西米脂张坪墓地试掘简报……715
陕西兴平、凤翔发现铜器……627
陕西安塞县西坬渠村遗址试掘简报……709
陕西扶风、岐山周代遗址和墓葬调查发掘报告……628
陕西扶风云塘、齐镇建筑基址 2002 年度发掘简报……688
陕西扶风五郡西村西周青铜器窖藏发掘简报……685
陕西扶风出土西周伯㺇诸器……632
陕西扶风发现西周厉王㝬毁……636
陕西扶风庄白一号西周青铜器窖藏发掘简报……634
陕西扶风齐家十九号西周墓……636
陕西扶风齐镇发现西周炼炉……686
陕西扶风杨家堡西周墓清理简报……641
陕西扶风县云塘、庄白二号西周铜器窖藏……635
陕西扶风县云塘、齐镇西周建筑基址 1999 ~ 2000 年度发掘简报……679
陕西扶风县北桥出土一批西周青铜器……630
陕西扶风县召李村一号周墓清理简报……632
陕西扶风县周原遗址庄李西周墓发掘简报……689
陕西扶风县案板遗址西周墓的发掘……677
陕西扶风县壹家堡遗址发掘简报……669
陕西扶风县新发现一批西周青铜器……688
陕西扶风县新发现一批商周青铜器……687
陕西扶风益家堡商代遗址的调查……662
陕西扶风案板遗址第五次发掘……667
陕西扶风强家一号西周墓……657
陕西岐山、扶风周墓清理记……626
陕西岐山王家嘴、衙里西周墓葬发掘简报……654
陕西岐山凤雏村西周青铜器窖藏简报……637
陕西岐山凤雏村西周建筑基址发掘简报……638
陕西岐山双庵一具西周晚期人头骨……670
陕西岐山近年出土的青铜器……664
陕西岐山赵家台遗址试掘简报……671
陕西岐山贺家村西周墓葬……633
陕西陇县川口河齐家文化陶器……656
陕西陇县出土周代青铜器……666
陕西陇县店子村四座周墓发掘简报……674
陕西武功岸底先周遗址发掘简报……698
陕西武功郑家坡先周遗址发掘简报……696

陕西周至县出土西周太师簋……602
陕西周原遗址发现西周墓葬与铸铜遗址……683
陕西周原遗址新出土的青铜器……692
陕西宝鸡、扶风出土的几件青铜器……628
陕西宝鸡上王公社出土三件西周铜器……644
陕西宝鸡石鼓山西周墓葬发掘简报……691
陕西宝鸡市高家村遗址发掘简报……676
陕西宝鸡纸坊头西周早期墓葬清理简报……686
陕西宝鸡戴家湾出土商周青铜器调查报告……666
陕西城固出土的商代青铜器……710
陕西城固县新出土商代青铜器……711
陕西临潼发现武王征商簋……600
陕西省永寿县、武功县出土西周铜器……693
陕西省扶风县强家村出土的西周铜器……631
陕西省岐山县发现商代铜器……634
陕西省岐山县董家村西周铜器窖穴发掘简报……631
陕西省周至县发现西周王器一件……599
陕西省宝鸡市石鼓山西周墓……691
陕西省宝鸡市石鼓山西周墓……692
陕西省宝鸡市茹家庄西周墓发掘简报……631
陕西省宝鸡市峪泉周墓……678
陕西省城固县出土殷商铜器整理简报……709
陕西省麟游县出土商周青铜器……663
陕西神木新华遗址 1999 年发掘简报……715
陕西眉县杨家村西周青铜器窖藏……681
陕西眉县杨家村西周青铜器窖藏发掘简报……680
陕西绥德墕头村发现一批窖藏商代铜器……712
陕西绥德薛家渠遗址的试掘……713
陕西彬县、淳化等县商时期遗址调查……700
陕西彬县断泾遗址发掘报告……699
陕西铜川市清理一座西周墓……624
陕西铜川发现商周青铜器……622
陕西清涧县又发现商代青铜器……713
陕西清涧县李家崖古城址发掘简报……715
陕西淳化史家塬出土西周大鼎……695
陕西淳化县出土的商周青铜器……697
陕西淳化县枣树沟脑遗址先周时期遗存……703
陕西淳化县新发现的商周青铜器……697
陕西淳化枣树沟脑遗址 2007 年发掘简报……703
陕西韩城梁带村遗址 M26 发掘简报……705
陕西韩城梁带村墓地北区 2007 年发掘简报……705
陕西渭水流域西周文化遗址调查……594

陕西蓝田县出土𫎇叔鼎……600
陕西蓝田县出土弭叔等彝器简介……596
陕西蓝田怀珍坊商代遗址试掘简报……603
陕西耀县北村商代遗址调查记……623
陕西耀县北村遗址发掘简报……624
陕西麟游古遗址调查简报……660
陕西麟游县史家塬遗址发掘报告……683
陕西麟游县蔡家河遗址商代遗存发掘报告……678

九画

项城县毛冢出土商代早期青铜器……467
荥阳县高村寺商代遗址调查简报……316
荥阳娘娘寨遗址二里头文化遗存发掘简报……337
荥经同心村发现石器……575
南京市北阴阳营第一、二次的发掘……179
南京浦口出土一批青铜器……180
南京锁金村遗址第一、二次发掘报告……178
咸阳地区出土西周青铜器……696
临汝县李楼出土商代青铜器介绍……374
临汝夏店发现商代文物遗址……372
临汝煤山遗址 1987 ~ 1988 年发掘报告……378
临潼南罗西周墓出土青铜器……603
临潼零口再次发现西周铜器……604
贵州仁怀县商周遗址的清理……579
贵州毕节瓦窑遗址发掘简报……580
贵州毕节县青场新石器遗址调查……580
贵州威宁县吴家大坪商周遗址……581
贵州威宁县鸡公山遗址 2004 年发掘简报……582
峡江北岸一处山丘遗址的调查……495
钟祥六合遗址……502
钟祥乱葬岗夏文化遗存清理简报……502
香港大屿山白芒遗址发掘简报……758
香港元朗厦村乡陈家园沙丘遗址的发掘……759
秭归县望家湾遗址发掘简报……499
重庆云阳县明月坝遗址商周遗存发掘简报……557
重庆市万州区塘房坪遗址 1998 年发掘简报……557
保德县新发现的殷代青铜器……101
信阳孙砦遗址发掘报告……465
禹县吴湾西周晚期墓葬清理简报……449
叙永出土古代铜鼎……567
勉县出土西周师𠑇父鼎……710
闽侯昙石山遗址第六次发掘报告……227

闽侯县石山新石器时代遗址第二至四次发掘简报……227
洹河流域区域考古研究初步报告……430
洛阳五女冢西周墓发掘简报……359
洛阳东马沟二里头类型墓葬……345
洛阳东关五座西周墓的发掘……352
洛阳东郊 13 号西周墓的发掘……359
洛阳东郊 C5M906 号西周墓……358
洛阳东郊西周墓……361
洛阳东郊西周墓发掘简报……339
洛阳北窑西周车马坑发掘简报……370
洛阳北窑村西周遗址 1974 年度发掘简报……346
洛阳北瑶西周墓清理记……342
洛阳白马寺三座西周晚期墓……360
洛阳市东郊发现的两座西周墓……356
洛阳市唐城花国 C2M417 西周墓发掘简报……364
洛阳老城北大街西周墓……369
洛阳老城发现四座西周车马坑……354
洛阳林校西周车马坑……361
洛阳庞家沟五座西周墓的清理……342
洛阳涧河东岸西周晚期墓……368
洛阳涧滨 AM21 西周墓……362
洛阳矬李遗址试掘简报……344
洛阳瀍水东岸西周窑址清理简报……355
洛阳瀍河东岸西周墓的发掘……365
济阳邝冢遗址出土商代蚌鱼钩……255
济南大辛庄商代遗址的调查……253
济南大辛庄商代遗址勘查纪要……252
济南大辛庄遗址 139 号商代墓葬……260
济南大辛庄遗址试掘简报……252
济南市大辛庄商代居址与墓葬……259
济南市大辛庄遗址出土商代甲骨文……258
济南市博物馆收藏的一件邿国铜簋……257
济南西郊发现古文化遗址……254
洋县出土殷商铜器简报……711
眉县车圈村出土西周青铜器……666
眉县出土“王作仲姜”宝鼎……646
眉县出土一批西周窖藏青铜乐器……657

十画

泰安城前村出土鲁侯铭文铜器……289
敖汉旗大甸子遗址 1974 年试掘简报……126
盐亭县出土古代石璧……572

晋东南地区早期文化的考古调查与初步认识……99
晋南二里头文化遗址的调查与试掘……111
峰峰矿区北羊台遗址发掘简报……86
殷墟259、260号墓发掘报告……411
殷墟大司空M303发掘报告……439
殷墟出土的陶水管和石磬……396
殷墟考古发掘的又一重要新收获——小屯发现一座保存完整的殷代王室墓葬……398
殷墟西区发现一座车马坑……404
殷墟梅园庄几座殉人墓葬的发掘……408
殷墟戚家庄269号墓发掘简报……407
殷墟戚家庄东269号墓……421
翁牛特旗大泡子青铜短剑墓……127
胶东半岛上发现的古代独木舟……278
胶县西菴遗址调查试掘简报……261
高淳发现一件西周时期铜簋形器……181
唐山石棺墓及其相关的遗物……80
唐山市古冶商代遗址……81
阆中县出土虎纹铜钺……569
益都苏埠屯商代晚期墓……272
浙江上虞县商代印纹陶窑址发掘简报……206
浙江义乌县平畴西周墓——兼论原始青瓷器的制作工艺……206
浙江长兴出土五件商周铜器……203
浙江长兴县出土一批石犁和石破土器……204
浙江长兴县出土的两件铜器……202
浙江长兴县发现西周铜鼎……203
浙江东阳六石西周土墩墓……207
浙江东苕溪中游商代原始瓷窑址群……204
浙江苍南县埔坪乡发现一座商代土墩墓……200
浙江瓯海杨府山西周土墩墓发掘简报……201
浙江省海盐县出土商周青甗……201
浙江洞头岛九亩区新石器时代遗存……200
浙江萧山杜家村出土西周甬钟……199
浙江湖州南山商代原始瓷窑址发掘简报……205
浙江温岭出土西周铜盘……210
浙江瑞安、东阳支石墓的调查……198
浙江嘉兴市雀幕桥遗址试掘简报……202
浙江磐安深泽出土一件云纹铙……207
浙江衢州市发现原始青瓷……208
浙江衢州市衢江北区古遗址调查简报……209
浙江衢州西山西周土墩墓……208
涟源市出土一件商代铜卣……538
浠水县出土西周有铭铜盘……511

浠水县发现周代青铜甬钟……514
陶寺中期墓地被盗墓葬抢救性发掘纪要……114
绥德发现两件青铜器……713

十一画

琉璃河遗址 1996 年度发掘简报……71
黄山乌石乡出土一件西周甬钟……218
黄陂出土的商代晚期青铜器……475
菏泽安邱堌堆遗址发掘简报……300
郾城县出土一批商代青铜器……354
鄂西发现一批周代巴蜀青铜器……495
鄂西发现的古文化遗存……494
崇阳县大连山出土两件西周铜甬钟……516
铜川市城关出土西周青铜器……623
偃师二里头遗址 1980 ~ 1981 年Ⅲ区发掘简报……351
偃师二里头遗址新发现的铜器和玉器……344
偃师商城的初步勘探和发掘……350
偃师商城第Ⅱ号建筑群遗址发掘简报……358
盘龙城一九七四年度田野考古纪要……475
鹿邑太清宫长子口墓出土青铜器……469
商代青铜单翼铃在三星堆遗址陆续出土……573
商代盘龙城遗址杨家湾十三号墓清理简报……479
商县紫荆遗址发现二里头文化陶文……717
清涧县又出土商代青铜器……712
渠江流域古遗址调查简报……558
渑池县郑窑遗址发掘报告……453
淮阳县发现两件西周铜器……468
淳化古窑洞遗址……701
淳化县发现西周易卦符号文字陶罐……698
深圳市南山向南村遗址的发掘……539
密县古文化遗址概述……306
随州叶家山西周墓地第二次考古发掘的主要收获……521

十二画

紫阳马家营石棺墓发掘简报……716
辉县市张雷遗址发掘简报……391
黑龙江宁安县莺歌岭遗址……175
黑龙江官地遗址发现的墓葬……173
黑龙江宾县老山头遗址探掘简报……171
黑龙江富裕县小登科出土的青铜时代遗物……172
黑龙江肇源小拉合、狼坨子青铜时代遗址调查简报……174
黑龙江肇源白金宝遗址第一次发掘……174

焦作市府城古城遗址调查报告……384
焦作南朱村发现商代墓……382
鲁北—胶东盐业考古调查记……251
湖北大悟夏家河遗址发掘简报……510
湖北云梦商、周遗址调查简报……506
湖北巴东县红庙岭遗址出土一批重要青铜兵器……523
湖北石首出土商代青铜器……492
湖北江陵万城出土西周铜器……489
湖北江陵江北农场出土商周青铜器……491
湖北江陵荆南寺遗址第一、二次发掘简报……490
湖北江陵梅槐桥遗址发掘简报……490
湖北安陆市商周遗址调查……507
湖北安陆发现商代青铜器……507
湖北阳新港下古矿井遗址发掘简报……481
湖北孝感地区商周古文化调查……506
湖北孝感聂家寨遗址发掘简报……508
湖北谷城、枣阳出土周代青铜器……482
湖北沙市周梁玉桥遗址 1987 年的发掘……492
湖北武汉磨元城周代遗址调查简报……479
湖北枣阳发现一件商代铜尊……483
湖北枣阳县又发现曾国铜器……482
湖北京山发现曾国铜器……501
湖北京山苏家垄墓地 M2 发掘简报……503
湖北宜昌白庙遗址试掘简报……493
湖北房县孙家坪遗址发掘简报……487
湖北省巴东县龙王庙遗址发掘简报……522
湖北省阳新县出土两件青铜铙……480
湖北省黄州市下窑嘴商墓发掘简报……511
湖北省麻城余家寨遗址调查简报……513
湖北郧县李营遗址二里头文化遗存发掘简报……488
湖北秭归大沙坝遗址发掘报告……500
湖北秭归县茅坪镇长府沱商代遗址……499
湖北秭归县柳林溪遗址 1998 年发掘简报……498
湖北秭归朝天嘴遗址发掘简报……496
湖北浠水发现两件铜器……511
湖北黄陂盘龙城商代遗址和墓葬……474
湖北鄂城县沙窝公社出土青铜爵……503
湖北崇阳出土一件铜鼓……515
湖北崇阳县出土一件西周铜甬钟……515
湖北麻城吊尖遗址发掘简报……514
湖北随州叶家山 M65 发掘简报……520
湖北随州叶家山西周墓地发掘简报……519

湖北随州市叶家山西周墓地……521
湖北随州出土西周青铜镈……519
湖北随县发现商代青铜器……517
湖北随县发现商周青铜器……518
湖北随县发现曾国铜器……516
湖北随县安居出土青铜器……517
湖北新洲香炉山遗址（南区）发掘……476
湖北蕲春达城新屋塆西周铜器窖藏……513
湖北蕲春易家山新石器时代遗址……510
湖北襄阳法龙王树岗遗址二里头文化灰坑清理简报……484
湖北襄阳楚王城西周城址调查简报……486
湖北襄樊市黄家村遗址周代灰坑的清理……485
湖北襄樊拣选的商周青铜器……482
湖南石门县皂市发现商殷遗址……535
湖南北部发现的商代铜器……525
湖南宁乡出土商代大铜铙……528
湖南宁乡老粮仓出土商代铜编铙……527
湖南宁乡县横市镇出土一件商代提梁卣……528
湖南宁乡炭河里西周城址与墓葬发掘简报……529
湖南宁乡黄材发现商代铜器和遗址……525
湖南宁乡新发现一批商周青铜器……526
湖南耒阳县出土西周甬钟……531
湖南安仁县豪山发现西周铜铙……537
湖南岳阳市铜鼓山遗址出土商代青铜器……534
湖南岳阳费家河商代遗址和窑址的探掘……533
湖南岳阳温家山商时期坑状遗迹发掘简报……533
湖南株洲发现二件商周青铜器……530
湖南株洲县商周遗址调查报告……530
湖南桃江县出土四马方座铜簋……536
湖南涔澹农场发现商代铜器墓……535
湖南桑植县朱家台商代遗址的调查与发掘……536
湖南望城县高砂脊商周遗址的发掘……528
湖南零陵菱角塘古遗址调查与清理……537
湖南衡阳市郊发现青铜牺尊……531
湖南衡阳出土两件西周甬钟……532
湖南衡阳发现商代铜卣……532
湖南醴陵发现商代铜象尊……530
温县出土的商代铜器……381
温县发现商代铜器……381
渭南市又出土一批商代青铜器……704
渭南县南堡村发现三件商代铜器……704
登封王城岗遗址的发掘……309

登封南洼 2004 ~ 2006 年二里头文化聚落发掘简报 335

十三画

蓝田出土一组西周早期铜器陶器 610
蓝田县出土一件西周青铜簋 613
蓝田县出土一组西周早期青铜器 606
蓝田泄湖镇发现西周车马坑 609
楚雄万家坝古墓群发掘报告 588
锦州山河营子遗址发掘报告 151
新出土的几件西周铜器 630
新郑出土西周铜方壶 303
新郑望京楼出土一批商代铜器和玉器 306
新洲县阳逻架子山铜器 477
新津县首次发现商代青铜觚 577
新疆于田县流水青铜时代墓地 754
新疆木垒县发现古代游牧民族墓葬 756
新疆巴里坤县南湾 M95 号墓 752
新疆民丰县尼雅遗址以北地区 1996 年考古调查 753
新疆托克逊县喀格恰克古墓群 751
新疆和静县莫呼查汗墓地发掘简报 755
新疆哈密市艾斯克霞尔墓地的发掘 753
新疆哈密拉甫乔克发现新石器时代晚期墓葬 752
福建尤溪县古文化遗址调查 229
福建建瓯县出土西周铜钟 233
福建南安大盈出土青铜器 229
福建闽侯黄土仑遗址发掘简报 228
福建晋江庵山青铜时代沙丘遗址 2009 年发掘简报 231
福建崇安武夷山白岩崖洞墓清理简报 233
福建惠安涂岭新发现的古文化遗址 230
福建漳州市虎林山商代遗址发掘简报 232

十四画

蔚县夏商时期考古的主要收获 93
磁县界段营发掘简报 85

十五画以及上

镇江市马迹山遗址的发掘 192
镐京西周五号大型宫室建筑基址发掘简报 616
滕州前掌大商代墓 265
鹤壁市辛村出土四件西周青铜器 387
冀东地区商时期古文化遗址综述 74
藁城北龙宫商遗址的调查 79

藁城台西商代遗址发现的陶器文字……77
襄樊邓城黄家村遗址 2005 年东区周代遗存发掘简报……486
襄樊邓城黄家村遗址 2005 年西区周代灰坑发掘简报……484
耀县丁家沟出土西周窖藏青铜器……624

春秋战国卷

考古详报书名首字索引

一、本索引包括本卷上编所收考古详报；

二、本索引依考古详报首字笔画为序；

三、每一条目后的数字，为该考古详报在本卷中的页数。

二画

九连墩：长江中游的楚国贵族大墓…………37

三画

三门峡虢国墓（第一卷）…………23
大冶五里界：春秋城址与周围遗址考古报告…………37
上村岭虢国墓地…………21
山彪镇与琉璃阁…………21
广西先秦岩洞葬…………42

四画

天门彭家山楚墓…………39
云梦睡虎地秦墓…………31
太原晋国赵卿墓…………6
屯溪土墩墓发掘报告…………16
长沙楚墓…………40
长治分水岭东周墓地…………8
什邡城关战国秦汉墓地…………43
丹凤古城楚墓…………50
丹江口牛场墓群…………39
凤阳大东关与卞庄…………17

五画

平洋墓葬…………10
印山越王陵…………14
包山楚墓…………33
永昌西岗柴湾岗—沙井文化墓葬发掘报告…………55

六画

老龙头墓地与盐源青铜器…………43
西安尤家庄秦墓…………52
西安北郊秦墓…………50
西安南郊秦墓…………48
成都商业街船棺葬…………44
当阳赵家湖楚墓…………34
曲阜鲁国故城…………19
延庆胡家营：延怀盆地东周聚落遗址发掘报告…………3
任家咀秦墓…………49
江陵九店东周墓…………34
江陵马山一号楚墓…………32
江陵雨台山楚墓…………32

江陵望山沙冢楚墓……35
军都山墓地……3

七画

寿县蔡侯墓出土遗物……16
余岗楚墓……38
沅水下游楚墓……41
陇县店子秦墓……47

八画

茂县牟托一号石棺墓……45
固始侯古堆一号墓……25

九画

荆门左冢楚墓……36
荆州天星观二号楚墓……35
战国中山国灵寿城：1975 ～ 1993 年考古发掘报告……5
临沂凤凰岭东周墓……19
临猗程村墓地……7
临淄齐墓（第一集）……19
钟离君柏墓……17
信阳楚墓……22
侯马白店铸铜遗址……8
侯马铸铜遗址……6
姜女石：秦行宫遗址发掘报告……9
洛阳王城广场东周墓……26
洛阳体育场路西东周墓发掘报告……27

十画

秦西垂陵区……48
秦直道考察……55
秦始皇帝陵园考古报告（1999）……47
秦始皇帝陵园考古报告（2000）……49
秦始皇帝陵园考古报告（2001 ～ 2003）……51
秦始皇帝陵园考古报告（2009 ～ 2010）……53
秦始皇陵二号兵马俑坑发掘报告（第一分册）……52
秦始皇陵兵马俑坑一号坑发掘报告（1974 ～ 1984）……46
秦始皇陵铜车马发掘报告……47
秦都咸阳考古报告……48
秦陵二号铜车马……46
晋国赵卿墓……7
真山东周墓地：吴楚贵族墓地的发掘与研究……11

益阳楚墓……40
浙江越墓……14

十一画

清水刘坪……55
鸿山越墓发掘报告……12
淅川下寺春秋楚墓……22
淅川和尚岭与徐家岭楚墓……25
淮安运河村战国墓……12
淮阴高庄战国墓……11
随州擂鼓墩二号墓……38
随县曾侯乙墓……31

十二画

塔尔坡秦墓……47
曾侯乙墓……33

十三画

楚都纪南城考古资料汇编……31
新郑西亚斯东周墓地……27
新郑郑国祭祀遗址……26
新泰周家庄东周墓地……20
新蔡葛陵楚墓……24

十五画及以上

德清亭子桥：战国原始瓷窑址发掘报告……15
潜江龙湾：1987 ~ 2001 年龙湾遗址发掘报告……36
燕下都……4
燕下都发掘报告……4
嚳墓：战国中山国国王之墓……5

考古简报篇名首字索引

一、本索引包括本卷下编所收考古简报；

二、本索引依考古简报首字笔画为序；

三、每一条目后的数字，为该考古简报在本卷中的页数。

一画

1959 年豫西六县调查简报 396
1971 年安阳后冈发掘简报 442
1984 ~ 1986 年洛阳市区周墓发掘简报 406
1988 年固原出土的北方系青铜器 896
1988 年楚都纪南城松柏区的勘查与发掘 547
1988 年蔡国故城发掘纪略 493
1992 年春天马—曲村遗址墓葬发掘报告 125
1992 年侯马铸铜遗址发掘简报 127
2006 年甘肃礼县大堡子山 21 号建筑基址发掘简报 887
2006 年甘肃礼县大堡子山东周墓葬发掘简报 887
2006 年甘肃礼县大堡子山祭祀遗迹发掘简报 888
2006 年度甘肃张家川回族自治县马家塬战国墓地发掘简报 874
2009 年度秦始皇帝陵园考古勘探简报 797
2009 年新疆伊吾县托背梁墓地发掘简报 907
2010 年度秦始皇帝陵园礼制建筑遗址考古勘探简报 798
51 长 · 子 · 17 号墓清理简报 625
92 云梦楚王城发掘简报 594
一九七七年下半年登封告成遗址的调查发掘 370

二画

九女墩三号墩的发掘 210

三画

三门峡市火电厂秦人墓发掘简报 450
三门峡市司法局、刚玉砂厂秦人墓发掘简报 450
三门峡市机械厂车马坑的发掘 451
三门峡市西苑小区战国车马坑的发掘 453
三门峡市西苑小区战国墓（M1）发掘简报 452
三门峡市盆景园 8 号战国墓 451
三门峡发现春秋时期陶窑遗址 449
三台县郪江镇出土战国青铜剑 709
三峡库区秭归曲溪口遗址发掘简报 577
大连市三处战国货币窖藏 155
大冶五里界春秋城址及周围遗址考古的主要收获 506
大冶五里界春秋城址勘探发掘简报 507
大冶县出土战国窖藏青铜器 506
大冶县发现一战国墓葬 505
大渡河南岸发现蜀式青铜剑 712
万县又发现虎钮錞于 686
上林苑四号建筑遗址的勘探和发掘 795

上海市嘉定县外冈古墓清理……200
上海发现一座战国—汉初时代墓葬……200
上海青浦县重固战国墓……201
上海青浦福泉山发现一座战国墓……201
上蔡县发现一座楚墓……492
上蔡砖瓦厂四号战国楚墓清理简报……459
上蔡砖瓦厂四号战国楚墓清理简报……494
上蔡砖瓦厂战国楚墓清理简报……491
山东无棣县出土齐刀币……365
山东五莲盘古城发现战国齐兵器和玺印……349
山东历城出土鲁伯大父媵季姬簋……293
山东长岛王沟东周墓群……324
山东长清岗辛战国墓……294
山东文登发现秦代铁权……336
山东龙口市归城两周城址调查简报……329
山东成武县发现春秋铜戈……366
山东曲阜东郭村发现东周遗址……337
山东齐国故城内新出土的刀币钱范……305
山东安丘出土一件战国铜鼎……332
山东安丘柘山镇东古庙村春秋墓……335
山东阳谷县景阳岗村春秋墓……363
山东阳信城关镇西北村战国墓器物陪葬坑清理简报……365
山东寿光县新发现一批纪国铜器……330
山东邹平小巩出土的战国陶器……366
山东邹平县大省村东周墓……365
山东邹县发现一件吴王夫差剑……341
山东邹县春秋邾国故城附近发现一件铜鼎……338
山东邹县滕县古城址调查……337
山东邹城市发现四枚古代铜印……342
山东沂水发现一座东周墓……357
山东沂水发现两座战国墓……356
山东沂水发现战国时期齐国器物……360
山东沂水刘家店子春秋墓发掘简报……354
山东沂水县出土一件“平堕左钺”铜戈……358
山东沂水县发现工𫊸王青铜剑……353
山东沂水县发现五座东周墓……359
山东沂水县发现战国铜器……354
山东沂水县全美官庄东周墓……361
山东沂水县纪王崮春秋墓……362
山东沂水县时密山春秋遗址调查……358
山东沂水县近年发现的儿座战国墓……362
山东沂水县埠子村战国墓……358

山东沂南阳都故城出土秦代铜斧……361
山东即墨出土一批战国刀币……299
山东即墨出土铜铧犁……300
山东即墨故城调查……300
山东青州发现二方先秦古玺……333
山东青州西辛战国陪葬墓发掘简报……334
山东青州西辛战国墓发掘简报……335
山东枣庄市两河叉出土周代铜鬲……317
山东枣庄徐楼东周墓发掘简报……318
山东乳山出土战国齐刀币……336
山东肥城市王庄镇出土战国铜器……347
山东肥城市发现一件战国有铭铜戈……347
山东沾化县发现一件战国铜戈……366
山东泗水县出土蚁鼻钱……339
山东莒县大朱家村发现战国墓……350
山东莒县大沈刘庄春秋墓……351
山东莒县出土刀币陶范……350
山东莒县西大庄西周墓葬……343
山东莒南小窑发现“左徒戈”……355
山东临沭出土的铜器……355
山东临沭县发现战国楚币……356
山东临朐县湾头河春秋墓……333
山东临朐新出武城戈……333
山东临淄出土一件有铭铜豆……306
山东临淄齐国故城北出土一批刀币……304
山东临淄齐国故城发现郾王□剑……308
山东临淄齐国故城陶窑遗址的调查……311
山东临淄齐故城试掘简报……301
山东临淄商王村一号战国墓发掘简报……308
山东临淄新发现的战国齐量……307
山东省长岛县出土一批青铜器……323
山东济宁市发现战国钱币……339
山东济宁市张山洼遗址发掘简报……344
山东济宁市张山遗址的发掘……342
山东济南市天桥战国墓的清理……296
山东济南市左家洼出土战国青铜器……295
山东费县出土“陈爰”……355
山东费县发现“郢爰”……353
山东费县发现东周铜器……353
山东泰安大河水库出土青铜兵器……346
山东泰安市黄花岭村出土青铜器……346
山东泰安康家河村战国墓……345

山东莱芜市戴鱼池战国墓……351
山东栖霞市金山东周遗址的清理……326
山东栖霞出土战国时期青铜器……326
山东栖霞县大丁家村战国墓的清理……326
山东栖霞县大北庄发现东周墓……321
山东栖霞县占疃乡杏家庄战国墓清理简报……323
山东栖霞县出土一批齐刀化……322
山东栖霞县战国墓……320
山东栖霞栾家夼村发现一座东周墓……324
山东崂山县发现战国齐刀币……298
山东胶南县发现荆公孙敦……299
山东烟台市金沟寨战国墓葬……328
山东郯城县二中战国墓的清理……360
山东海阳出土一批齐刀化……322
山东海阳县嘴子前春秋墓的发掘……327
山东海阳郭城镇出土战国青铜器……325
山东海阳嘴子前村春秋墓出土铜器……323
山东诸城出土一批齐国刀币……331
山东诸城县齐长城遗址发现一方刻石……332
山东诸城臧家庄与葛布口村战国墓……331
山东章丘小峨嵋山发现东周窖藏铜器……296
山东章丘女郎山战国墓出土乐舞陶俑及有关问题……294
山东章丘马彭北遗址调查简报……296
山东章丘市孟白战国墓……297
山东梁山县东平湖土山战国墓……343
山东淄博市临淄区出土高子戈……303
山东淄博市临淄区发现一座战国墓葬……313
山东淄博市临淄区刘家新村春秋墓……314
山东淄博市临淄区孙家徐姚战国墓地……313
山东淄博市临淄区国家村战国墓……312
山东淄博市临淄区赵家徐姚战国墓……310
山东淄博市临淄区南马坊一号战国墓……309
山东淄博市临淄区淄河店二号战国墓……309
山东淄博市临淄城区一号战国墓的发掘……312
山东淄博磁村发现四座春秋墓葬……306
山东博兴出土齐国货币……364
山东博兴县出土齐国货币……364
山东蓬莱市站马张家战国墓……329
山东蒙阴发现两件铭文铜戈……361
山东新汶县凤凰泉东周墓发掘简报……344
山东新泰出土一件战国“柴内右”铜戈……346
山东新泰周家庄东周墓发掘简报……348

山东新泰郭家泉东周墓……345
山东嘉祥焦国故城遗址出土布币……339
山东潍县发现春秋鲁、郑铜戈……330
山东滕州东康留周代墓发掘简报……318
山东滕州市北辛村发现一座战国墓……317
山东滕州庄里西战国墓……317
山东滕县出土杞薛铜器……315
山东滕县发现滕侯铜器墓……316
山西屯留出土一件“平周”戈……113
山西屯留出土一批战国布钱……112
山西屯留武家沟出土战国铜器……111
山西长子县东周墓……112
山西长治分水岭25号墓发掘简报……110
山西长治分水岭战国墓第二次发掘……110
山西文水县上贤村发现青铜器……109
山西曲沃出土青铜剑……122
山西阳高天桥出土的战国货币……102
山西寿阳县上湖村出土东周布币……109
山西运城出土战国布币……134
山西运城出土魏国布币……134
山西芮城东周墓……133
山西芮城永乐宫新址墓葬清理简报……130
山西芮城出土战国铜戈……133
山西盂县东周厹由遗址调查……107
山西临猗县程村两座东周墓……133
山西省长治市小山头春秋战国墓发掘简报……112
山西省原平县出土的战国货币……104
山西省潞城县潞河战国墓……113
山西侯马上马村东周墓葬……119
山西侯马上马村发现东周铜器……117
山西侯马上马墓地3号车马坑发掘简报……123
山西侯马牛村古城晋国祭祀建筑遗址……124
山西侯马西高东周祭祀遗址……129
山西侯马呈王古城……122
山西侯马晋国遗址牛村古城的试掘……124
山西闻喜邱家庄战国墓葬发掘简报……132
山西闻喜的“大马古城”……131
山西浑源县李峪村东周墓……103
山西夏县禹王城调查……131
山西榆次古墓发掘记……108
山西榆社出土一件吴王貼发剑……108
山西襄汾县出土一组秦代铜器……120

山西襄汾县发现的两处遗址……116
山西翼城出土战国布币……125
广东广宁县龙嘴岗战国墓……669
广东五华县棉洋墟发现一座战国墓……670
广东龙川县出土战国青铜器……671
广东四会鸟旦山战国墓……668
广东发现的几座东周墓葬……662
广东英德发现战国青铜剑……672
广东罗定出土一批战国青铜器……674
广东罗定出土战国青铜鱼叉……675
广东罗定背夫山战国墓……675
广东始兴白石坪山战国遗址……665
广东始兴县白石坪山战国晚期遗址……666
广东始兴县发现两座春秋墓……665
广东始兴战国遗址调查……666
广东首次发现齿刃铜镰……674
广东清远的东周墓葬……671
广东深圳大梅沙发现青铜兵器……664
广东深圳大梅沙遗址发掘简报……664
广东博罗出土一组青铜编钟……669
广东博罗县园洲梅花墩窑址的发掘……670
广东揭西县先秦遗存的调查……673
广东揭阳县战国墓……673
广东肇庆市北岭松山古墓发掘简报……668
广东增城、始兴的战国遗址……662
广东德庆发现战国墓……667
广东潮安梅林湖西岸新石器时代遗址……672
广西田东发现战国墓葬……682
广西壮族自治区贺县出土一批战国铜器……681
广西那坡县感驮岩遗址发掘简报……682
广西扶绥县山地崖画的调查……680
广西灵山出土青铜短剑……683
广西武鸣马头安等秧山战国墓群发掘简报……676
广西柳江县出土春秋战国青铜器……677
广西贺县龙中岩洞墓清理简报……681
广西恭城县出土的青铜器……678
广西宾阳县发现战国墓葬……676
广西象州县发现一批战国文物……680
广州东郊罗冈秦墓发掘简报……663
广州市增城县出土一件青铜甬钟……663
子长县发现的青铜器……855
马尔康孔龙村发现石棺葬墓群……725

四画

丰宁土城东沟道下山戎墓……99
天马—曲村遗址 J6、J7 区周代居址发掘简报……128
天马—曲村遗址北赵晋侯墓地第二次发掘……126
天马—曲村遗址北赵晋侯墓地第五次发掘……127
天马—曲村遗址北赵晋侯墓地第六次发掘……129
天马—曲村遗址北赵晋侯墓地第四次发掘……126
天津东郊张贵庄战国墓第二次发掘……68
天津北仓战国遗址清理简报……69
天津南郊巨葛庄战国遗址和墓葬……68
无锡庙山石室土墩墓……207
无锡鸿山越国贵族墓发掘简报……207
无锡璨山土墩墓……206
云南个旧石榴坝青铜时代墓葬……744
云南个旧市麻玉田青铜时代墓葬的发掘……744
云南元江县洼垤打篙陡青铜时代墓地……739
云南龙陵县发现青铜钺……740
云南永平县出土青铜器……749
云南永胜县发现两面铜鼓……742
云南牟定出土一套铜编钟……745
云南昌宁坟岭岗青铜时代墓地……741
云南弥渡县苴力公社出土两具早期铜鼓……746
云南弥渡苴力战国石墓……748
云南南涧县浪沧乡三岔河村出土一件古代铜鼓……749
云南省昭通市水富县张滩土坑墓地试掘简报……741
云南省楚雄县万家坝古墓群发掘简报……745
云南思茅地区新石器时代遗址调查……742
云南剑川鳌凤山墓地发掘简报……748
云南晋宁石寨山第三次发掘简记……736
云南晋宁县小平山遗址试掘简报……738
云南祥云红土坡 14 号墓清理简报……749
云南祥云检村石椁墓……746
云南蒙自县鸣鹫出土一面铜鼓……743
云南腾冲出土春秋战国时期青铜器……740
云南德钦县石底古墓……750
云梦楚王城 H11 清理简报……595
云梦睡虎地秦墓出土陶量——秦斗……591
太原市柳子峪有关柳下跖奴隶起义军遗址调查……102
日照县出土两批齐国货币……349
中卫出土春秋青铜饰牌……900
中建七局南阳设备公司材料库 M1 发掘简报……465

内蒙古土右旗发现一件战国时期青铜刀……138
内蒙古丰镇市十一窑子战国墓……148
内蒙古东胜市碾房渠发现金银器窖藏……145
内蒙古伊金霍洛旗匈奴墓……146
内蒙古赤峰地区发现的战国钱币……140
内蒙古克什克腾旗龙头山遗址第一、二次发掘简报……142
内蒙古阿鲁柴登发现的匈奴遗物……144
内蒙古林西县出土战国铜戈……142
内蒙古和林格尔县出土的铜器……136
内蒙古和林格尔县新店子墓地发掘简报……137
内蒙古昭乌达盟出土的铜器调查……138
内蒙古昭盟赤峰市发现战国墓……139
内蒙古敖汉旗四道湾子燕国“狗泽都”遗址调查……141
内蒙古准格尔旗出土一件上郡青铜戈……145
内蒙古准格尔旗宝亥社发现青铜器……145
内蒙古凉城县三道沟遗址的试掘……147
内蒙古凉城县小双古城墓地发掘简报……148
内蒙古凉城县忻州窑子墓地发掘简报……149
内蒙古海拉尔市谢尔塔拉牧场发现古墓群……146
内蒙古清水河县拐子上古城发现秦兵器……136
长平之战遗址永录1号尸骨坑发掘简报……114
长平古战场出土三十八年上郡戈及相关问题……115
长江西陵峡考古调查与试掘……562
长安县东马坊的先秦建筑遗址……769
长沙工农桥一号战国楚墓……629
长沙子弹库战国木椁墓……628
长沙太子冲文化遗存……626
长沙左家塘秦代木椁墓清理简报……625
长沙东郊发现的周代遗址……626
长沙市马益顺巷一号楚墓……631
长沙市白泥塘5号战国墓发掘简报……630
长沙市红龙山战国墓发掘简报……629
长沙市茅亭子楚墓的发掘……631
长沙仰天湖第25号木椁墓……624
长沙识字岭战国墓……629
长沙浏城桥一号墓……627
长沙浏城桥楚墓……627
长沙烈士公园3号木椁墓清理简报……624
长治分水岭269、270号东周墓……111
长清仙人台五号墓发掘简报……297
仁寿出土战国双耳铜钫……715
什邡发现新型船棺葬……708

什邡新出土虎钮錞于……708
介绍几件韩国陶量……373
介绍两件带铭文的战国铜戈……352
丹东地区出土的青铜短剑……161
乌鲁木齐市鱼儿沟遗址与阿拉沟墓地……903
乌鲁木齐市南郊发现石堆墓……902
乌鲁木齐市柴窝堡林场 II 号地点墓葬的发掘……902
凤县双石铺发现一座秦墓……817
凤翔马家庄一号建筑群遗址发掘简报……808
凤翔马家庄春秋秦一号建筑遗址第一次发掘简报……807
凤翔六道村战国秦墓发掘简报……827
凤翔邓家崖秦墓发掘简报……817
凤翔出土春秋时期文物……824
凤翔先秦宫殿试掘及其铜质建筑构件……802
凤翔县高庄战国秦墓发掘简报……805
凤翔南指挥两座小型秦墓的清理……814
凤翔秦公陵园钻探与试掘简报……807
凤翔秦公陵园第二次钻探简报……814
凤翔博物馆藏春秋早期大玉璧……815
凤翔翟家寺两座小型秦墓的清理……828
巴东县宝塔河遗址东周遗存……618

五画

邗城遗址与邗沟流经区域文化遗存的发现……223
甘肃平凉庙庄的两座战国墓……879
甘肃礼县大堡子山早期秦文化遗址……886
甘肃礼县圆顶山 98LDM2、2000LDM4 春秋秦墓……885
甘肃永昌三角城沙井文化遗址调查……871
甘肃永登榆树沟的沙井墓葬……871
甘肃庄浪县出土北方系青铜器……881
甘肃庆阳地区秦直道调查记……883
甘肃庆阳春秋战国墓葬的清理……882
甘肃庆阳城北发现战国时期葬马坑……882
甘肃灵台县景家庄春秋墓……879
甘肃张家川马家塬出土车厢侧板的实验室考古清理……878
甘肃张家川县马家塬战国墓地 M4 木棺实验室考古简报……877
甘肃张掖市龙渠乡出土一批青铜器……878
甘肃武都县东古城出土战国铜镜……884
甘肃临夏秦魏家遗址第二次发掘的主要收获……888
甘肃省华池县发现透雕金带饰……881
甘肃省靖远县吴家川发现岩画……873
甘肃秦安王洼战国墓地 2009 年发掘简报……876

甘肃崇信出土的秦戳记陶器……880
甘肃清水县刘坪近年发现的北方系青铜器及金饰片……874
甘肃镇原县富坪出土秦二十六年铜诏版……883
古丈白鹤湾楚墓……660
古魏城和禹王古城调查简报……130
石棉县龙头石水库淹没区古遗址发掘简报……723
平乐银山岭战国墓……678
平顶山应国墓地十号墓发掘简报……432
平顶山应国墓地两座战国墓发掘简报……433
东海县出土秦父子诏铜量……220
北京又发现燕饕餮纹半瓦当……64
北京丰台区出土战国铜器……63
北京外城东周晚期陶井群……63
北京市顺义县龙湾屯出土一组战国青铜器……65
北京市通县中赵甫出土一组战国青铜器……64
北京市窦店古城调查与试掘报告……67
北京发现商龟鱼纹盘及春秋宋公差戈……64
北京延庆军都山东周山戎部落墓地发掘纪略……65
北京昌平区松园村战国墓葬发掘记略……61
北京房山区出土燕国刀币……66
北京朝阳门外出土的战国货币……62
甲胄藏千年　一出天地惊——秦始皇陵园发现大型铠甲坑……781
四川大邑五龙战国巴蜀墓葬……697
四川大邑县五龙乡土坑墓清理简报……699
四川开县余家坝战国墓葬发掘简报……687
四川甘孜县吉里龙古墓葬……726
四川石棉永和墓地发掘简报……723
四川石棉县永和乡战国土坑墓……721
四川西昌市郊大石墓……728
四川西昌市经久大洋堆遗址的发掘……729
四川西昌发现战国“车大夫长画”铭文戈……729
四川西昌洼垴、德昌阿荣大石墓……731
四川会理县粪箕湾墓群发掘简报……730
四川会理县雷家山一号墓的发掘……732
四川芦山出土巴蜀符号印及战国秦汉私印……719
四川芦山县发现战国铜剑及印章……716
四川汶川县昭店村发现的石棺葬……726
四川奉节老油坊遗址试掘报告……688
四川青川出土九年吕不韦戟……710
四川青川县郝家坪战国墓群 M50 发掘简报……710
四川茂县牟托一号石棺墓及陪葬坑清理简报……725
四川茂汶营盘山的石棺葬……724

四川炉霍卡莎湖石棺墓……727
四川炉霍县斯木乡瓦尔壁 M1 发掘简报……727
四川宝兴汉塔山战国土坑积石墓发掘报告……722
四川宝兴出土巴蜀符号印等文物……721
四川荥经县烈太战国土坑墓清理简报……717
四川荥经南罗坝村战国墓……719
四川荥经曾家沟 21 号墓清理简报……718
四川荥经曾家沟战国墓群第一、二次发掘……717
四川宣汉罗家坝遗址 2003 年发掘简报……714
四川峨眉县出土一批战国青铜器……712
四川郫县发现战国船棺葬……694
四川涪陵小田溪四座战国墓……686
四川涪陵小田溪出土的虎钮錞于……685
四川涪陵地区小田溪战国土坑墓清理简报……685
四川涪陵新出土的错金编钟……686
四川绵竹县船棺墓……707
四川绵阳出土战国铜兵器……709
四川越西县聊家山发现战国西汉铜铁器……728
四川彭州市龙泉村遗址战国遗存……706
四川彭县发现船棺葬……698
四川雅江呷拉石棺葬清理简报……716
四川犍为县巴蜀土坑墓……711
四川犍为县巴蜀墓发掘简报……712
四川犍为金井乡巴蜀土坑墓清理简报……713
四川新都战国木椁墓……695
四平市二龙湖古城遗址 2009 年抢救性发掘……184
仪陇发现巴式铜剑……713
包头市窝吐尔壕发现安阳布范……137
汉口东北郊谌家矶发现战国铜兵器……499
汉中市石英沙厂清理三座战国墓……859
汉中杨家山秦墓发掘简报……858
宁城南山根遗址发掘报告……139
宁夏中卫出土的东周青铜器……901
宁夏中卫出土的北方系青铜器……901
宁夏中卫县出土的春秋时期青铜饰牌……900
宁夏中卫县狼窝子坑的青铜短剑墓群……899
宁夏中宁县青铜短剑墓清理简报……899
宁夏西吉发现一座青铜时代墓葬……894
宁夏固原于家庄墓地发掘简报……893
宁夏固原出土战国青铜器……896
宁夏固原吕坪村发现一座东周墓……894
宁夏固原杨郎青铜文化墓地……895

宁夏彭阳发现“二十七年晋”戈……892
宁夏彭阳县近年出土的北方系青铜器……898
宁夏彭阳县张街村春秋战国墓地……898
宁夏彭堡于家庄墓地……896
礼县圆顶山春秋秦墓……885
记凤翔出土的春秋秦国玉器……810
记江西遂川出土的几件秦代铜兵器……288
记洛阳西宫出土的几件铜器……397
永昌三角城与蛤蟆墩沙井文化遗存……872
永城县出土楚国布币……470
辽北地区原始文化遗址调查……150
辽宁瓦房店市凤鸣岛出土战国货币……154
辽宁瓦房店市薛家村青铜时代石器窖藏……155
辽宁长海县上马石青铜时代墓葬……153
辽宁本溪发现青铜短剑墓……159
辽宁本溪刘家哨发现青铜短剑墓……159
辽宁本溪县上堡青铜短剑墓……160
辽宁本溪县朴堡发现青铜短剑墓……160
辽宁北票喇嘛洞青铜时代墓葬……171
辽宁寺儿堡等地青铜短剑与大伙房石棺墓……150
辽宁西丰县永淳遗址及墓地的发掘……166
辽宁抚顺市甲帮发现石棺墓……157
辽宁抚顺市发现青铜短剑……157
辽宁抚顺市发现战国青铜兵器……158
辽宁抚顺市莲花堡遗址发掘简报……156
辽宁抚顺县巴沟出土燕国刀币……158
辽宁阜新县代海遗址发掘简报……163
辽宁建昌县东大杖子墓地 2001 年发掘简报……174
辽宁建昌县东大杖子墓地 2002 年发掘简报……173
辽宁建昌县东大杖子墓地 M40 的发掘……175
辽宁建昌县东大杖子墓地 M47 的发掘……174
辽宁省凌源县刘杖子乡发现战国货币窖藏……171
辽宁凌源县三官甸青铜短剑墓……169
辽宁凌源县五道河子战国墓发掘简报……170
辽宁宽甸发现秦石邑戈……161
辽宁绥中县大官帽村发现窖藏古钱币……173
辽宁清原县门脸石棺墓……156
辽宁朝阳十二台营子青铜短剑墓……167
辽宁喀左大城子眉眼沟战国墓……168
辽宁喀左县出土战国器物……170
辽宁喀左南洞沟石椁墓……168
辽宁锦西县乌金塘东周墓调查记……172

辽宁锦西县台集屯徐家沟战国墓……172
辽宁新金县王屯石棺墓……154
辽阳二道河子石棺墓……163
辽阳市接官厅石棺墓群……165
辽阳出土的战国货币……164
辽源龙山区发现一批古代器物……186
辽源地区发现两处青铜时代石棺墓……185

六画

耒阳发现春秋越墓……636
耒阳春秋、战国墓……635
吉林九台市石砬山、关马山西团山文化墓地……176
吉林大安东山头古墓葬清理……189
吉林口前蓝旗小团山、红旗东梁岗石棺墓清理简报……178
吉林长白县民主遗址的调查与清理……188
吉林长白朝鲜族自治县发现蔺相如铜戈……189
吉林长蛇山遗址的发掘……177
吉林市泡子沿前山遗址和墓葬……179
吉林市猴石山遗址第二次发掘……182
吉林市骚达沟山顶大棺整理报告……180
吉林市骚达沟石棺墓清理报告……181
吉林汪清县水北青铜时代遗址的发掘……192
吉林汪清金城古墓葬发掘简报……190
吉林怀德大青山发现青铜短剑……183
吉林省东丰县狼洞山石棺墓调查与清理……186
吉林省辽源市高古村石棺墓发掘简报……185
吉林省延吉市新光遗址发掘简报……191
吉林省梨树县二龙湖古城址调查简报……183
吉林省梨树县叶赫影视城青铜时代晚期遗址清理简报……184
吉林珲春市河西北山墓地发掘……191
吉林集安县发现赵国青铜短剑……187
吉林猴石山遗址发掘简报……178
吉林德惠县北岭墓地调查与发掘……176
吉林磐石吉昌小西山石棺墓……179
老河口市曹营战国墓清理简报……517
西北农林科大战国秦墓发掘简报……794
西安北郊尤家庄二十号战国墓发掘简报……789
西安北郊明珠花园秦墓发掘简报……787
西安北郊战国铸铜工匠墓发掘简报……788
西安市上林苑遗址一号、二号建筑发掘简报……793
西安市上林苑遗址三号建筑及五号建筑排水管道遗迹的发掘……794
西安市上林苑遗址六号建筑的勘探和试掘……795

西安市西郊高窑村出土秦高奴铜石权……755
西安市阿房宫遗址的考古新发现……790
西安市郊发现秦国杜虎符……760
西安半坡的战国墓葬……754
西安汉城发现一枚金“郢爰”……756
西安南郊山门口战国秦墓清理简报……778
西安相家巷遗址秦封泥的发掘……783
西安临潼新丰南杜秦遗址陶文……782
西安秦始皇陵园的考古新发现……785
西沟畔匈奴墓……143
西峡县出土春秋时期青铜器……454
西陵峡北岸周家湾山岗遗址……574
成都三洞桥青羊小区战国墓……700
成都下东大街遗址战国时期文化遗存清理简报……706
成都中医学院战国土坑墓……701
成都市出土的一批战国铜兵器……695
成都市光荣小区土坑墓发掘简报……703
成都市金牛区发现两座战国墓葬……698
成都市金沙巷战国墓清理简报……702
成都市商业街船棺、独木棺墓葬发掘简报……705
成都市蒲江县船棺墓发掘简报……705
成都出土一批战国铜器……700
成都西郊石人小区战国土坑墓发掘简报……704
成都西郊金鱼村发现的战国土坑墓……703
成都西郊省水利设计院土坑墓清理简报……704
成都百花潭中学十号墓发掘记……694
成都羊子山第 172 号墓发掘报告……693
成都青羊宫遗址试掘简报……693
成都罗家碾发现两座蜀文化墓葬……702
成都京川饭店战国墓……699
成都南郊出土的铜器……694
成都战国土坑墓发掘简报……696
成都新都秦墓发掘简报……707
当阳发现一组春秋铜器……565
当阳何家山楚墓发掘简报……572
当阳季家湖楚城遗址……563
当阳季家湖楚墓发掘简报……573
当阳金家山九号春秋楚墓……564
当阳金家山春秋楚墓发掘简报……569
当阳赵巷楚墓第二次发掘简报……573
当阳曹家岗 5 号楚墓……567
当阳窑湾陈家坡东周墓葬清理简报……571

曲沃战国墓……119
曲阜董大城村发现一批蚁鼻钱……338
延川县出土的几件青铜器……856
延安地区战国秦长城考察简报……854
延安境内秦直道调查报告之二……854
行唐县李家庄发现战国铜器……71
舟山发现东周青铜农具……247
会理发现一柄青铜剑……729
旬阳又发现两座战国楚墓……864
旬邑县秦直道遗址考察报告……845
庄浪县邵坪村出土一批青铜器……880
齐齐哈尔市大道三家子墓葬清理……194
齐国故城出土一套“数字铜钱”……304
齐城左戈及相关问题……334
齐故城五号东周墓及大型殉马坑的发掘……302
江西广昌县出土春秋青铜器……292
江西出土的几件青铜器……282
江西寻乌、大余发现战国铜兵器……288
江西近两年出土的青铜器……282
江西武宁征集到一件春秋铜铻……285
江西贵溪崖墓发掘简报……287
江西修水山背地区考古调查与试掘……284
江西都昌县罗岭村发现青铜钩镭……287
江西萍乡市田中古城遗址调查简报……283
江西清江出土一批铜兵器……289
江西清江战国墓清理简报……289
江西瑞昌市出土春秋青铜鼎……286
江西瑞昌县大路口、螺石口遗址调查……286
江西瑞昌墩北张出土战国铜器……285
江西瑞昌墩北张出土战国铜器……285
江西靖安出土春秋徐国铜器……290
江西靖安李洲坳东周墓发掘简报……291
江西靖安县李洲坳东周墓葬……290
江苏丹徒出土东周铜器……225
江苏丹徒南岗山土墩墓……227
江苏丹徒粮山春秋石穴墓——兼谈吴国的葬制及人殉……226
江苏丹徒磨盘墩周墓发掘简报……225
江苏六合县和仁东周墓……204
江苏六合程桥二号东周墓……203
江苏六合程桥东周墓……202
江苏句容鹅毛岗 1 号土墩墓发掘简报……228
江苏句容寨花头土墩墓 02、06 发掘简报……228

江苏扬州市西湖镇果园战国墓的清理……224
江苏江阴周庄 JZD3 东周土墩墓……208
江苏苏州市木渎春秋城址……219
江苏苏州市发现窖藏青铜器……217
江苏苏州浒墅关真山大墓的发掘……218
江苏邳州市九女墩二号墩发掘简报……210
江苏邳州市九女墩春秋墓发掘简报……211
江苏邳县发现郢爰……209
江苏吴兴邱城遗址发掘简介……232
江苏吴县春秋吴国玉器窖藏……216
江苏武进、宜兴石室墓……202
江苏武进孟河战国墓……212
江苏盱眙东阳公社出土的秦权……221
江苏金坛县薛埠镇上水土墩墓群二号墩发掘简报……213
江苏金坛裕巷土墩墓群一号墩的发掘……213
江苏省江阴县大松墩土墩墓……206
江苏省吴县洞庭西山消夏湾出土一批石器和青铜器……213
江苏高邮周邶墩遗址发掘报告……223
江苏高淳出土春秋铜兵器……203
江苏高淳发现楚国铜贝……205
江苏常州出土郢爰……212
江苏常熟市虞山西岭石室土墩的发掘……218
江苏淮安市运河村一号战国墓……222
江苏溧水县发现东周古井……204
江苏镇江谏壁王家山东周墓……226
江苏赣榆县河东尚庄村出土齐刀币……221
江夏郑店东周水井清理简报……502
江陵马山十座楚墓……545
江陵马山砖厂二号楚墓发掘简报……542
江陵王家台 15 号秦墓……549
江陵天星观 1 号楚墓……537
江陵太湖港古遗址与墓葬调查清理简报……544
江陵车垱战国墓清理简报……552
江陵发现一件春秋带铭夔纹戈……540
江陵发现战国木椁墓……532
江陵发现楚国彩绘编磬……533
江陵扬家山 135 号秦墓发掘简报……548
江陵朱家台两座战国楚墓发掘简报……549
江陵纪南城陕家湾楚墓发掘简报……546
江陵纪南城遗址内出土“郪公”陶豆……548
江陵李家台楚墓清理简报……541
江陵张家山 201 号楚墓清理简报……541

江陵枣林铺楚墓发掘简报……551
江陵雨台山楚墓发掘简报……535
江陵雨台山楚墓发掘简报……547
江陵岳山大队出土一批春秋铜器……537
江陵官坪楚墓发掘简报……546
江陵蚂蝗山越人墓简报……542
江陵秦家咀楚墓发掘简报……543
江陵溪峨山楚墓……540
安庆王家山战国墓出土越王丌北古剑等器物……262
安阳县阜城村战国窑址发掘简报……443
安陆发现一批东周时期青铜器……593
安康出土一件虎钮錞于……863
安康出土的一件战国虎钮錞于……863
安康发现石质“半两”钱范……862
安康地区博物馆藏战国青铜器……865
安徽天长出土一批战国青铜器……263
安徽长丰战国晚期楚墓……250
安徽凤台发现楚国“呈大府”铜量……257
安徽凤阳卞庄一号春秋墓发掘简报……264
安徽六安市白鹭洲战国墓 M566 的发掘……274
安徽六安市白鹭洲战国墓 M585 的发掘……275
安徽六安市城西窑厂 5 号墓清理简报……273
安徽六安县发现一座春秋时期墓葬……272
安徽六安县发现两件春秋铜鼎……270
安徽六安县城西窑厂 2 号楚墓……272
安徽六安战国晚期墓发掘简报……273
安徽当涂陶庄战国土墩墓发掘简报……258
安徽各地发现楚国金币——郢爰……249
安徽寿县出土两件铜方壶……269
安徽寿县新发现的铜牛……267
安徽怀宁县出土春秋青铜器……260
安徽青阳出土春秋时期青铜器……276
安徽青阳县龙岗春秋墓的发掘……278
安徽固镇谷阳城遗址出土铜玺印……256
安徽肥西县出土蚁鼻钱……250
安徽肥西县金牛春秋墓……249
安徽南陵县发现吴王光剑……251
安徽临泉出土一批鬼脸钱……265
安徽临泉出土大批楚国铜贝……264
安徽省六安县城北楚墓……271
安徽省寿县出土一大批楚金币……268
安徽省贵池县发现“秦半两”钱范……277

安徽省淮南市唐山乡出土一批楚文物……258
安徽省宿县出土两件铜乐器……267
安徽贵池发现东周青铜器……277
安徽蚌埠双墩一号春秋墓发掘简报……253
安徽蚌埠双墩一号春秋墓葬……252
安徽蚌埠双墩三号战国墓……253
安徽亳州市北关战国铸铜遗址……276
安徽亳县曹家岗东周墓发掘简报……275
安徽涡阳县出土的东周青铜器……266
安徽望江出土春秋时代铜鼎……261
安徽望江窑头村出土一批青铜兵器……260
安徽淮南市蔡家岗赵家孤堆战国墓……256
安徽舒城九里墩春秋墓……269
安徽舒城出土的铜器……268
安徽舒城县河口春秋墓……270
安徽蒙城出土春秋青铜器……276
安徽潜山公山岗战国墓发掘报告……262
安徽潜山彰法山 9 号战国墓……261
安徽霍山县出土吴蔡兵器和车马器……270
安徽霍邱县战国墓的清理……274
安徽繁昌出土一批春秋青铜器……251
安徽繁昌出土战国楚铜贝范……252
祁县下王庄出土的战国布币……107
纪山楚冢调查……582
纪南城松柏鱼池探掘简报……542
纪南城新桥遗址……551

七画

寿县肖严湖出土春秋青铜器……271
扶风刘家发现战国双洞室墓……823
扶沟古城初步勘查……486
攻敔王姑发郾之子曹鲊剑铭文简介……518
赤峰县三眼井出土秦铁权……140
孝感大家园东周遗址发掘简报……596
孝感市天津湖战国墓清理……592
孝感黄土岗战国楚墓发掘简报……596
志丹县发现一处秦代建筑遗址……856
邯郸发现一座带殉葬人的战国墓……77
芦山出土青铜鞘短剑……719
芦山思延乡战国墓清理报告……720
苏贝希遗址及墓地……903
苏州市长桥新塘战国墓地的发掘……217

苏州虎丘东周墓……215
苏州城东北发现东周铜器……214
苏州葑门河道内发现东周青铜文物……215
苏州新庄东周遗址试掘简报……215
两件战国青铜器……368
呈贡天子庙滇墓……737
吴县唯亭公社夷陵山出土印纹陶、釉陶器物……214
利川县出土一件虎钮錞于……616
近年来云南昌宁出土的青铜器……739
谷城新店出土的春秋铜器……513
沙市市杨岔古遗址试掘简报……552
沙市罗场高家坟楚墓清理简报……544
沈阳市南市区发现战国墓……151
沈阳郑家洼子的两座青铜时代墓葬……152
启（开）封故城遗址的初步勘探与试掘……394
张家川马家塬战国墓地 2007 ~ 2008 年发掘简报……875
张家川马家塬战国墓地 2008 ~ 2009 年发掘简报……876
张家川马家塬战国墓地 2010 ~ 2011 年发掘简报……877
阿房宫前殿遗址的考古勘探与发掘……792

八画

武功县出土平安君鼎……833
武汉市汉阳县熊家岭东周墓发掘……501
武汉市汉阳县熊家岭楚墓……500
武汉江夏丁家咀发现战国楚墓并出土竹简……502
武穴鼓山发掘一座春秋越人墓……601
武昌县豹澥、湖泗古文化遗址调查简报……499
武鸣独山岩洞葬调查简报……677
青川县出土秦更修田律木牍——四川青川县战国墓发掘简报……709
青岛市崂山郊区东古镇村东周遗址……298
青海都兰县诺木洪搭里他里哈遗址调查与试掘……891
茂汶县石棺墓清理简报……724
枝江县青山古墓群调查简报……566
枝江近年出土的周代铜器……574
枣庄市拣选一件战国铭文铜戈……316
昆明大团山滇文化墓葬……736
昆明上马村五台山古墓清理简报……737
固始白狮子地一号和二号墓清理简报……478
固始发现楚国郢爰……476
固始县发现楚国金币——郢爰……479
固始侯固堆主墓发掘结束……473
呼鲁斯太匈奴墓……147

罗山天湖商周墓地……480
罗山县高店公社又发现一批春秋时期青铜器……478
帕米尔高原古墓……908
周口市博物馆藏有铭青铜器……489
周口店区蔡庄古城遗址……61
郑州四方汇泽清华·紫光园小区东周墓发掘简报……390
郑州市市政工程总公司战国墓葬发掘简报……387
郑州市加气混凝土厂东周墓发掘简报……384
郑州市两处战国墓发掘报告……380
郑州市金水区廊桥水岸战国晚期秦墓发掘简报……392
郑州市郊沟赵乡出土一批战国布币……373
郑州市南阳路家世界购物广场战国墓葬发掘简报……387
郑州纺织机械厂东周墓葬发掘简报……383
郑州纺织机械厂战国墓葬发掘简报……381
郑州商城区域内出土的东周陶文……373
郑韩故城内战国时期地下冷藏室遗迹发掘简报……377
郑韩故城发现战国时期大型制陶作坊遗址……384
郑韩故城青铜礼乐器坑与殉马坑的发掘……381
郑韩故城制骨遗址的发掘……376
河北三河大唐迴、双村战国墓……101
河北玉田发现战国布币……75
河北正定县吴兴墓地战国墓葬发掘简报……73
河北石家庄市市庄村战国遗址的发掘……70
河北邢台市葛家庄 10 号墓的发掘……84
河北邢台发现一件古代铜镰……82
河北邢台南大汪村战国墓简报……81
河北曲阳县出土战国青铜器……93
河北迁西县大黑汀战国墓出土铜器……74
河北兴隆县发现战国金矿遗址……99
河北邯郸百家村战国墓……78
河北邯郸赵王陵……78
河北邯郸赵王陵二号陵出土的战国文物……80
河北沧县肖家楼出土的刀币……100
河北灵寿县西岔头村战国墓……72
河北张家口市泥河子村出土一批青铜器……94
河北张家口宣化战国墓发掘简报……96
河北青龙出土燕国圜钱……76
河北青龙县抄道沟发现一批青铜器……97
河北易县燕下都 44 号墓发掘报告……89
河北易县燕下都故城勘察和试掘……87
河北易县燕下都第 13 号遗址第一次发掘……90
河北易县燕下都第十六号墓发掘……88

河北承德发现燕国刀币范……98
河北柏乡县东小京战国墓……82
河北临城县中羊泉东周墓……83
河北临城县临邑古城遗址调查……83
河北临城柏畅城发现战国兵器……81
河北省平山县战国时期中山国墓葬发掘简报……71
河北省发现的青铜短剑……70
河北省迁西县大黑汀战国墓……76
河北省抚宁县邴各庄出土战国遗物……77
河北省围场县又发现两件秦代铁权……97
河北省怀来县北辛堡出土的燕国铜器……94
河北省唐山市贾各庄发掘报告……74
河北省容城县出土战国铜器……89
河北省滦平县发现一批窖藏战国货币……98
河北省遵化县出土一批窖藏燕国刀币……75
河北徐水大马各庄春秋墓……90
河北徐水解村发现古遗址和古城垣……86
河北唐县钓鱼台积石墓出土文物整理简报……93
河北唐县洪城遗址的调查……93
河北涉县李家巷春秋战国墓发掘报告……79
河北容城发现三批燕国货币……92
河北容城县南阳遗址调查……91
河北涿鹿县发现一件春秋晚期有铭铜戈……95
河北涿鹿县发现春秋晚期墓葬……95
河北新乐中同村发现战国墓……72
河北新乐县中同村战国墓……71
河北滦南县出土一批战国货币……74
河北遵化出土一批燕国刀币……75
河南三门峡市上村岭出土的几件战国铜器……449
河南三门峡市老城东8号战国墓……452
河南三门峡市后川战国车马抗发掘简报……451
河南长葛出土一件战国铜铍……447
河南正阳苏庄楚墓发掘报告……492
河南平顶山应国墓地八号墓发掘简报……434
河南平顶山春秋晚期M301发掘简报……435
河南西华发现一把春秋铜剑……488
河南光山县黄大山战国墓发掘简报……482
河南光山春秋黄季佗父墓发掘简报……481
河南安阳市王古道村东周墓葬发掘报告……444
河南安阳张河固遗址东周墓葬的发掘……443
河南扶沟古城村出土的楚金银币……486
河南沈丘附近发现古代蚌壳墓……485

河南林县发现春秋战国墓葬 441
河南固始万营山春秋墓清理简报 483
河南固始出土战国玉佩 479
河南固始侯古堆一号墓发掘简报 476
河南固始蝙蝠山战国楚墓 482
河南罗山县发现春秋早期铜器 475
河南泌阳县发现一座秦墓 493
河南泌阳秦墓 490
河南宜阳花庄村出土一批空首布 403
河南荥阳市官庄遗址春秋墓葬发掘简报 391
河南南召县二郎岗战国墓发掘简报 453
河南南阳五交化储运站战国墓 462
河南南阳市拆迁办秦墓发掘简报 464
河南南阳市宛城遗址战国水井发掘简报 463
河南南阳市程庄墓地东周墓葬发掘简报 465
河南南阳李八庙春秋楚墓清理简报 469
河南南阳春秋楚彭射墓发掘简报 468
河南临汝出土空首布币 432
河南省内黄县石光村发现刀币 443
河南省叶县旧县 1 号墓的清理 431
河南省西平县酒店冶铁遗址试掘简报 495
河南省战国魏韩边界长城遗迹的实地考察 433
河南省淅川县下寺春秋楚墓 455
河南省新野县发现一件战国时期青铜缶 460
河南信阳小胡庄春秋遗址 472
河南信阳长台关七号楚墓发掘简报 485
河南信阳市平西五号春秋墓发掘简报 481
河南信阳市平桥春秋墓发掘简报 475
河南信阳发现两批春秋铜器 473
河南禹县白沙的战国墓葬 445
河南洛阳市中州路北东周墓葬的清理 417
河南洛阳市汉魏故城三座东周墓的发掘 431
河南洛阳市西工区 M8832 号东周墓 430
河南洛阳市润阳广场 C1M9950 号东周墓葬的发掘 428
河南洛阳市润阳广场东周墓 C1M9934 发掘简报 429
河南洛阳出土“繁阳之金”剑 397
河南洛阳发掘一座战国墓 405
河南洛阳春秋墓 399
河南济源市泗涧沟墓地发掘简报 497
河南济源出土的战国石尺 497
河南桐柏月河墓地第二次发掘 464
河南桐柏县发现一批春秋铜器 457

河南偃师市灰嘴遗址东周墓发掘简报……425
河南偃师商城 18 号东周墓……419
河南商水县战国城址调查记……488
河南商丘县东周城址勘查简报……471
河南淇县发现一批战国铜币……437
河南淅川大石头山楚墓发掘报告……461
河南淅川吉岗楚墓发掘简报……460
河南淅川县下寺一号墓发掘简报……454
河南淅川县马川墓地 118 号东周墓……468
河南淅川县马川墓地东周墓葬的发掘……467
河南淅川县徐有岭 11 号楚墓……466
河南淅川县阎杆岭楚墓发掘简报……470
河南淅川徐家岭一号楚墓发掘简报……463
河南淮阳马鞍冢楚墓发掘简报……487
河南淮阳平粮台十六号楚墓发掘简报……488
河南淮阳发现楚国铜贝……489
河南确山发现春秋道国青铜器……494
河南辉县三位营发现战国铜器……438
河南辉县市古共城南城墙发掘简报……441
河南辉县市古共城战国铸铁遗址发掘简报……439
河南辉县孙村遗址发掘简报……440
河南温县东周盟誓遗址一号坎发掘简报……435
河南登封阳城遗址的调查与铸铁遗址的试掘……370
河南登封县八方村出土五件铜戈……378
河南登封县肖家沟战国墓发掘简报……376
河南登封告成东周墓地三号墓……386
河南登封告成春秋墓发掘简报……388
河南登封告城发现战国陶量……371
河南鄢陵县古城址的调查……446
河南新乡市老道井墓地战国墓发掘简报……440
河南新乡县后高庄东周遗存发掘报告……439
河南新县窑岗战国墓清理简报……483
河南新郑大高庄东周墓……380
河南新郑仓城发现战国铸铁器泥范……368
河南新郑市华阳城遗址东周遗存的调查与发掘……391
河南新郑市郑韩故城郑国祭祀遗址发掘简报……382
河南新郑出土的战国铜器……369
河南新郑出土的韩国农具范与铁农具……379
河南新郑兴弘花园发现的两座春秋墓……388
河南新郑县李家村发现春秋墓……372
河南新郑郑韩故城东周祭祀遗址……385
河南新郑郑韩故城制陶作坊遗迹发掘简报……377

河南新郑新发现的战国钱范……379
河南新郑新禹公路战国墓发掘简报……378
河南新蔡平夜君成墓的发掘……495
河南新蔡县北李庄发现战国铜器……491
河南新蔡葛陵二号楚墓发掘报告……496
河南舞阳出土战国铜镜……448
河南舞阳县发现楚国金币……448
河南潢川县发现一批青铜器……472
河南潢川县发现黄国和蔡国铜器……474
河南襄城出土一批古代金币……446
河南濮阳县高城遗址发掘简报……445
泾阳宝丰寺秦墓发掘简报……843
宝鸡市益门村二号春秋墓发掘简报……817
宝鸡市益门村秦墓发掘纪要……818
宝鸡市渭滨区姜城堡东周墓葬……804
宝鸡李家崖秦国墓葬清理简报……808
宝鸡县甘峪发现一座春秋早期墓葬……816
宝鸡县西高泉村春秋秦墓发掘记……804
定西地区战国秦长城遗迹考察记……884
定襄中霍村出土的一批青铜器……106
定襄县中霍村东周墓发掘报告……106
宜昌龙泉发现东周时期巴楚青铜兵器……578
宜昌朱其沱遗址发掘简报……574
宜昌县小溪口遗址发掘简报……575
宜城市几处东周文化遗址调查简报……523
宜城桐树园遗址发掘简报……516
宜城雷家坡秦墓发掘简报……513
房县桃园发现的东周铜剑……526
建始发现桥形钮錞于……617
承德市泺河镇的一座战国墓……97
承德县八家子南台发现的战国时期刀币……96
陕西三原县西秦砖窑出土一批耀州窑瓷器……843
陕西山阳过凤楼出土战国铜器……866
陕西山阳县鹃岭战国墓葬……868
陕西长安县小苏村出土的铜建筑构件……758
陕西长安张堡秦钱窖藏……770
陕西长安神禾塬战国秦陵园遗址田野考古新收获……796
陕西长武上孟村秦国墓葬发掘简报……835
陕西丹凤县秦商邑遗址……869
陕西丹凤商邑遗址……866
陕西凤翔八旗屯西沟道秦墓发掘简报……813
陕西凤翔发现春秋战国的青铜器窖藏……811

陕西凤翔西村战国秦墓发掘简报……811
陕西凤翔孙家南头春秋秦墓发掘简报……826
陕西凤翔县上郭店村出土的春秋时期文物……824
陕西凤翔春秋秦国凌阴遗址发掘简报……803
陕西凤翔南古城村遗址试掘记……800
陕西凤翔高王寺战国铜器窖藏……806
陕西凤翔高庄秦墓地发掘简报……806
陕西凤翔雷家台墓地发掘简报……829
陕西凤翔路家村墓葬发掘简报……828
陕西户县宋村春秋秦墓发掘简报……758
陕西户县南关春秋秦墓清理记……774
陕西甘泉出土的战国瓦当……857
陕西兰田泄湖战国墓发掘简报……773
陕西永寿县出土春秋中滋鼎……839
陕西发现一件两诏秦椭量……838
陕西发现的秦农具……752
陕西发现秦代郑国渠拦河坝和水库遗址……838
陕西华阴、大荔魏长城勘查记……847
陕西华阴岳镇战国古城勘查记……847
陕西华县发现秦两诏铜钧权……848
陕西合阳新发现战国时期秦长城……849
陕西旬阳发现战国楚墓……863
陕西兴平县出土的古代嵌金铜犀尊……830
陕西安康一里坡战国墓清理简报……865
陕西扶风县飞凤山秦墓发掘简报……819
陕西志丹县永宁乡发现秦直道行宫遗址……855
陕西陇县韦家庄秦墓发掘简报……822
陕西陇县边家庄一号春秋秦墓……812
陕西陇县边家庄五号春秋墓发掘简报……815
陕西陇县边家庄出土春秋铜器……816
陕西陇县霸关口遗址试掘简报……820
陕西武功县出土楚毁诸器……833
陕西武功县赵家来东周时期的秦墓……841
陕西周原新出土的青铜器……820
陕西泾阳县秦郑国渠首拦河坝工程遗址调查……844
陕西宝鸡凤阁岭公社出土一批秦代文物……805
陕西宝鸡市陈仓区南阳村春秋秦墓清理简报……825
陕西宝鸡市茹家庄东周墓葬……804
陕西宝鸡阳平镇秦家沟村秦墓发掘记……802
陕西宝鸡县太公庙村发现秦公钟、秦公镈……803
陕西宝鸡县南阳村春秋秦墓的清理……821
陕西宝鸡晁峪东周秦墓发掘简报……822

陕西宝鸡福临堡东周墓葬发掘记……801
陕西城固发现楚国铜戈……859
陕西咸阳塔儿坡出土的铜器……831
陕西临潼发现秦墓……756
陕西临潼刘庄战国墓地调查清理简报……774
陕西临潼鱼池遗址调查简报……766
陕西临潼零口战国墓葬发掘简报……779
陕西省兴平县念流寨和临潼县武家屯出土古代金饼……752
陕西勉县发现巴式青铜剑……860
陕西洛南祝塬秦宫殿遗址调查简报……867
陕西洛南冀塬一号战国墓……867
陕西神木县出土匈奴文物……860
陕西眉县白家遗址发掘简报……818
陕西眉县成山宫遗址试掘简报……823
陕西高陵县益尔公司秦墓发掘简报……789
陕西骊山小型秦墓祭位坑的勘查……785
陕西黄陵寨头河战国戎人墓地发掘简报……857
陕西铜川发现战国铜器……799
陕西铜川枣庙秦墓发掘简报……800
陕西淳化出土战国秦铜簋……834
陕西韩城市梁带村芮国墓地 M28 的发掘……852
陕西韩城梁带村芮国墓地西区发掘简报……853
陕西韩城梁带村遗址 M19 发掘简报……851
陕西韩城梁带村遗址 M27 发掘简报……852
陕西紫阳白马石巴蜀墓发掘简报……864
陕西渭南阳郭庙湾战国秦墓发掘简报……853
陕西蓝田华胥老冢湾“秦昭襄王墓”调查……798
陕西澄城县、黄龙县交界处战国魏长城……753
陕西澄城良周秦汉宫殿遗址调查简报……850
始皇陵东侧又发现马厩坑……768
绍兴 306 号战国墓发掘简报……240
绍兴凤凰山木椁墓……239
绍兴发现两件钩鑃……240
绍兴西岸头遗址出土一件春秋铜构件……241
绍兴吼山和东堡两座窑址的调查……241

九画

春秋早期黄君孟夫妇墓发掘报告……479
春秋钟离君柏墓发掘报告……254
荆门十里砖厂一号楚墓……581
荆门仙居出土的龙虎纹铜剑……583
荆门市包山大冢出土一批重要文物……579

荆门市包山楚墓发掘简报……579
荆门市响岭岗东周遗址与墓地发掘简报……581
荆门出土的一件铜戈……578
荆门胡家岗遗址发掘简报……580
荆门铁匠湾遗址发掘简报……581
荆门郭店一号楚墓……583
荆门简家湾墓葬和窑址发掘简报……582
荆州川店楚冢调查与研究……559
荆州纪南城烽火台遗址及其西侧城垣试掘简报……561
荆州纪南城遗址松柏区 30 号台基 2011 ~ 2012 年发掘简报……561
荆州嵕峨山楚墓 2010 年发掘简报……560
荆州擂鼓台秦墓发掘简报……555
莒南大店春秋时期莒国殉人墓……352
荥经县曾家沟出土一批战国时期的重要文物……718
南川出土青铜器……687
南阳市北郊出土一批申国青铜器……458
南阳市西关三座春秋楚墓发掘简报……458
南阳市西关出土一批春秋青铜器……456
南阳市近年出土的四件春秋有铭铜器……465
南阳市彭营砖瓦厂战国楚墓……461
柳林溪遗址 1998 年发掘主要收获……577
咸阳“周王陵”考古调查、勘探简报……846
咸阳长陵车站 61XYCLJC3 的再发现……846
咸阳长陵车站一带考古调查……835
咸阳石油钢管钢绳厂秦墓清理简报……840
咸阳市黄家沟战国墓发掘简报……834
咸阳任家嘴春秋墓清理简报……839
咸阳任家嘴殉人秦墓清理简报……837
咸阳塔儿坡出土秦代铜錞于……833
咸阳塔儿坡战国秦瓮棺葬墓发掘简报……842
咸阳塔儿坡战国墓发掘简报……841
战国宜阳故城调查简报……404
临泉出土一批鬼脸钱……265
临淄出土的几件青铜器……303
临淄齐瓦当的新发现……307
临淄齐国故城的排水系统……304
临淄齐国故城新出土陶文……310
临淄郎家庄一号东周殉人墓……301
临潼上焦村秦墓清理简报……762
临潼县陈家沟遗址调查简报……767
临潼县附近出土秦代铜器……756
临潼县城东侧第一号秦墓清理简报……777

临潼县秦俑坑试掘第一号简报……758
临潼郑庄秦石料加工场遗址调查简报……763
临潼骊山北麓发现秦人砖椁墓……776
临潼新丰镇刘寨村秦遗址出土陶文……779
贵州务川大坪出土的青铜器……734
贵州威宁县红营盘东周墓地……735
重庆万州中坝子遗址第四次发掘简报……689
重庆开县余家坝墓地 2000 年发掘简报……689
重庆云阳李家坝东周墓地 1997 年发掘报告……688
重庆市开县余家坝墓地 2002 年发掘简报……690
重庆忠县石匣子和洞天堡战国墓地发掘简报……690
重庆忠县崖脚楚墓 2000 年发掘简报……691
重庆涪陵槽沟洞战国巴人洞穴居址调查简报……692
信阳长台关四号楚墓的发掘……484
信阳市平桥西三号春秋墓发掘简报……477
信阳发现一块楚国金币……477
信阳发现两批春秋早期吕国铜器……473
信阳县明港发现两批春秋早期青铜器……477
侯马牛村古城南东周遗址发掘简报……118
侯马东周时代烧陶窑址发掘记要……115
侯马东周殉人墓……117
侯马东周盟誓遗址……120
侯马北西庄东周遗址的清理……116
侯马呈王路建筑群遗址发掘简报……121
侯马晋国陶窑遗址勘探与发掘……125
洛宁故县秦墓发掘简报……402
洛阳（洛界）高速公路伊川段 LJYM74 发掘简报……415
洛阳 C1M3352 出土吴王夫差剑等文物……406
洛阳于家营秦墓发掘简报……411
洛阳小屯村发现东周空首布……411
洛阳王城广场战国墓（西区 M37）发掘简报……427
洛阳王城花园战国墓……424
洛阳中州中路东周墓发掘简报……425
洛阳中州路战国车马坑……397
洛阳东周王城内的古窑址……400
洛阳东周王城内春秋车马坑发掘简报……422
洛阳东周王城东城墙遗址 2004 年度发掘简报……427
洛阳东周王城战国陶窑遗址发掘报告……421
洛阳东周王城第 5239 号大墓发掘简报……414
洛阳东周王城遗址发现烧造坩埚古窑址……408
洛阳史家屯发现空首布和圜钱……415
洛阳市 613 所东周墓……412

洛阳市又发现一座随葬空首布的东周墓……406
洛阳市中州中路东周墓……408
洛阳市西工区 203 号战国墓清理简报……401
洛阳市西工区 212 号东周墓……402
洛阳市西工区 C1M3943 战国墓……413
洛阳市西工区八一路东周车马坑……426
洛阳市西工区几座春秋墓的清理……420
洛阳市西工区东周墓……409
洛阳市针织厂东周墓（C1M5269）的清理……416
洛阳市纱厂路东周墓（JM32）发掘简报……416
洛阳市宜阳县元村战国墓发掘简报……420
洛阳市唐宫西路东周墓发掘报告……421
洛阳市道北锻造厂战国墓清理简报……407
洛阳发现随葬空首布的东周墓葬……403
洛阳西工 131 号战国墓……407
洛阳西工区 C1M8503 战国墓……426
洛阳西工区 M7602 的清理……423
洛阳西工区春秋墓发掘简报……428
洛阳西郊一号战国墓发掘记……395
洛阳孙旗屯秦国墓葬……404
洛阳两座东周铜器墓……401
洛阳体育场路东周墓（M8830）发掘简报……430
洛阳体育场路东周墓发掘简报……429
洛阳体育场路春秋车坑、马坑发掘简报……429
洛阳附近出土的两批东周货币……400
洛阳凯旋路南东周墓发掘报告……414
洛阳定鼎路小学唐宋遗迹和东周墓葬发掘简报……410
洛阳宜阳县城角村发现战国有铭铜戈……424
洛阳春秋刑徒墓发掘简报……412
洛阳战国粮仓试掘纪略……398
洛阳钢厂秦墓发掘简报……410
洛阳哀成叔墓清理简报……398
洛阳聂湾发现东周空首布……413
洛阳唐宫路小学 C1M5560 战国墓发掘简报……423
洛阳烧沟附近的战国墓葬……395
洛阳涧滨东周城址发掘报告……395
洛阳联盟路战国墓出土的夔龙形铜带钩……409
洛阳韩城战国墓发掘简报……416
洛阳道北战国墓……410
洛阳解放路战国陪葬坑发掘报告……417
洛南西寺冀塬及城关粮库东周墓发掘简报……868
济南千佛山战国墓……294

神木县西沟秦长城遗址发掘、调查报告……862
神木县窟野河上游秦长城调查记……861
眉县出土“瓦当王”……821

十画

泰州发现春秋中期铜戈……229
泰安市夏张王士店出土一批青铜器……347
秦东陵勘查记……771
秦东陵第一号陵园勘查记……770
秦东陵第二号陵园调查钻探简报……775
秦东陵第四号陵园调查钻探简报……777
秦代陶窑遗址调查清理简报……769
秦汉栎阳城遗址的勘探和试掘……767
秦当辅村遗址……843
秦芷阳制陶作坊遗址清理简报……778
秦兵马俑一号坑后五方遗物清理简报……799
秦阿房宫遗址考古调查报告……780
秦直道调查记……753
秦始皇帝陵园北门勘探简报……796
秦始皇陵一号铜车马清理简报……776
秦始皇陵二号铜车马清理简报……765
秦始皇陵东侧马厩坑钻探清理简报……762
秦始皇陵东侧第二号兵马俑坑钻探试掘简报……759
秦始皇陵东侧第三号兵马俑坑清理简报……760
秦始皇陵北二、三、四号建筑遗迹……761
秦始皇陵西侧“丽山饮宫”建筑遗址清理简报……772
秦始皇陵西侧赵背户村秦刑徒墓……764
秦始皇陵园 2000 年度勘探简报……787
秦始皇陵园 K0006 陪葬坑第一次发掘简报……784
秦始皇陵园 K0007 陪葬坑发掘简报……791
秦始皇陵园 K9801T2G2 甲 4 整理简报……790
秦始皇陵园 K9801 陪葬坑第一次试掘简报……784
秦始皇陵园 K9901 试掘简报……783
秦始皇陵园内城南墙试掘简报……786
秦始皇陵园发现一枚铜权……768
秦始皇陵园附近发现一具瓮棺葬……766
秦始皇陵园鱼池遗址发现“丽山茜府”陶盘……773
秦始皇陵园陪葬坑钻探清理简报……765
秦始皇陵附近出土秦陶俑和石柱础……755
秦始皇陵附近新发现的文物……757
秦始皇陵调查简报……754
秦始皇陵新出土的瓦当……757

秦城址考古述略……812
秦咸阳宫第二号建筑遗址发掘简报……837
秦俑一号坑第二次发掘简讯……771
秦俑坑出土的半两钱……775
秦俑坑出土的铜铍……763
秦俑博物馆西侧发现小型砖棺墓……772
秦都咸阳古窑址调查与试掘简报……836
秦都咸阳故城遗址发现的窑址和铜器……831
秦都咸阳故城遗址的调查和试掘……830
秦都咸阳第一号宫殿建筑遗址简报……831
秦都咸阳第三号宫殿建筑遗址发掘简报……832
秦都雍城钻探试掘简报……809
秦都雍城遗址勘查……801
秦陵出土异形陶俑和罕见铜鼎……781
秦陵铜车马坑出土两件青铜剑……782
秦简公“堑洛”遗迹考察简报……849
秦雍城豆腐村制陶作坊遗址发掘简报……826
敖汉旗老虎山遗址出土秦代铁权和战国铁器……139
都西郊战国墓……696
晋国石圭作坊遗址发掘简报……120
桐城出土春秋时期青铜器……261
桐柏月河一号墓发掘简报……462
桐柏钟鼓堂出土一批春秋铜器……454
桃红巴拉的匈奴墓……143
原平县发现大批战国古钱……104
原平县刘庄塔岗梁东周墓……105
原平峙峪出土的东周铜器……105
徐州狮子山兵马俑坑第一次发掘简报……208
凉山州西昌市麻柳村灰坑清理简报……732
凉山州德昌县王家田遗址发掘简报……731
旅大地区发现赵国铜剑……153
旅顺口区后牧城驿战国墓清理……152
益阳楚墓……651
烟台市上夼村出土曩国铜器……322
烟台市芝罘岛发现一批文物……321
浙江上虞市银山冶炼遗址调查……242
浙江长兴发现东周青铜器……234
浙江长兴县发现吴、越、楚铜剑……234
浙江长兴县的两件青铜器……233
浙江长兴鼻子山越国贵族墓……237
浙江东阳前山越国贵族墓……245
浙江乐清古文化遗址发掘简报……232

浙江永嘉出土的一批青铜器简介……231
浙江江山出土青铜编钟……247
浙江安吉五福楚墓……238
浙江安吉古城发现楚金币……235
浙江安吉出土春秋青铜盉……237
浙江安吉发现“郢爰”……234
浙江安吉发现一件铜矛……235
浙江安吉发掘一座石构建筑……233
浙江安吉县垄坝村发现一座战国楚墓……236
浙江吴兴苍山古战堡试掘……233
浙江定海县蓬莱新村出土战国稻谷……248
浙江绍兴凤凰山战国木椁墓……244
浙江绍兴印山大墓发掘简报……243
浙江绍兴市发现一件春秋铭文铜甬钟……244
浙江绍兴袍谷遗址发掘简报……241
浙江省江山县发现战国墓……246
浙江萧山前山窑址发掘简报……230
浙江鄞县出土春秋时代铜器……231
浙江德清亭子桥战国窑址发掘简报……239
海阳嘴子前春秋墓试析……328
通河县出土多角形石骨朵……193

十一画

黄冈罗汉山楚墓……598
黄州龙王山砖厂 5 号墓发掘简报……600
黄州龙王山砖厂战国墓葬发掘简讯……599
黄陂县作京城遗址调查简报……500
黄陂郑家嘴发现东周古井……502
乾县发现两处秦代大型建筑遗址……839
戚城遗址调查记……444
常德县官山战国墓清理简报……643
鄂王城遗址调查简报……505
鄂尔多斯高原东部战国时期秦长城遗迹探索记……144
鄂州市燕矶坝角村出土一批兵器……588
淇县赵沟发现两批战国铜器……436
淅川吴营遗址春秋墓发掘简报……469
淅川县马川秦墓发掘简报……457
淅川县毛坪楚墓发掘简报……456
淅川县和尚岭春秋楚墓的发掘……459
淹城出土的铜器……211
淮阴高庄战国墓……222
淮南市出土一件战国原始瓷罐……257

淳化县出土春秋时期文物……836
淳化县发现匈奴文物……842
深圳市叠石山遗址发掘简报……664
尉氏出土一批春秋时期青铜器……394
随州文峰塔 M1（曾侯與墓）、M2 发掘简报……616
随州东城区发现东周墓葬和青铜器……608
随州均川出土铭文青铜器……608
随州庙台子遗址试掘简报……609
随州擂鼓墩砖瓦厂十三号墓发掘简报……607
隆德县出土的匈奴文物……893

十二画

彭县致和乡出土战国青铜器……700
朝阳县七道岭发现战国货币……167
辉县吕巷发现一座战国铜器墓……438
辉县战国甲墓和乙墓出土青铜器选记……437
黑龙江讷河大古堆墓地发掘简报……197
黑龙江省双城市出土曲刃青铜短剑……193
黑龙江省齐齐哈尔市东土岗青铜时代墓葬清理简报……197
黑龙江省依安县新顺青铜时代墓葬调查、清理简报……196
黑龙江省宾县发现刻划人物陶片……194
黑龙江泰来县平洋砖厂墓地发掘简报……195
黑龙江泰来县战斗墓地发掘简报……196
集安发现青铜短剑墓……187
释辽阳出土的一件秦戈铭文……165
鲁北沿海地区先秦盐业遗址 2007 年调查简报……293
鲁南出土两件铭文铜器……356
湖北十堰潘口水电站三处古遗址的发掘……530
湖北十堰犟河口遗址 2008 年发掘简报……530
湖北大悟吕王城遗址……593
湖北广水巷子口遗址发掘简报……612
湖北广济发现一批周代甬钟……598
湖北云梦木匠坟秦墓……593
湖北云梦木匠坟秦墓发掘简报……592
湖北云梦睡虎地十一号秦墓发掘简报……590
湖北云梦睡虎地十一座秦墓发掘简报……589
湖北长阳出土一批青铜器……565
湖北长阳县发现一件青铜钟……566
湖北丹江口市吉家院墓地的清理……526
湖北丹江口市薄家湾遗址发掘简报……531
湖北巴东县汪家河遗址的发掘……617
湖北仙桃市长丰村出土青铜甬钟……619

湖北老河口杨营春秋遗址发掘简报……521
湖北当阳发现春秋时期人殉楚墓……576
湖北当阳县出土的战国青铜器……571
湖北当阳县金家山两座战国楚墓……564
湖北当阳赵巷 4 号春秋墓发掘简报……570
湖北当阳赵家塝楚墓发掘简报……564
湖北当阳唐家巷三号楚墓……575
湖北江陵马山砖厂一号墓出土大批战国时期丝织品……536
湖北江陵太晖观 50 号楚墓……535
湖北江陵太晖观楚墓清理简报……535
湖北江陵县九店东周墓发掘纪要……550
湖北江陵武昌义地楚墓……545
湖北江陵拍马山楚墓发掘简报……534
湖北江陵雨台山 21 号战国楚墓……543
湖北江陵藤店一号墓发掘简报……534
湖北阳新县半壁山一号战国墓……604
湖北阳新蔡家祠出土一批铜器……603
湖北孝感吴家坟遗址发掘……595
湖北孝感野猪湖中发现大批楚国铜贝……589
湖北谷城出土许国铜器……525
湖北应山吴店古墓葬清理简报……592
湖北沙洋县程新村花果山战国楚墓的发掘……587
湖北武当山柳树沟墓群 2010 年发掘简报……532
湖北英山、浠水东周遗址的调查……597
湖北枝江出土一件铜钟……562
湖北枝江百里洲发现春秋铜器……562
湖北枝江关庙山一号春秋墓……572
湖北枝江县姚家港楚墓发掘报告……567
湖北枝江姚家港高山庙两座春秋楚墓……568
湖北枝江姚家港楚墓第四次发掘简报……570
湖北松滋县大岩嘴东周土坑墓的清理……533
湖北枣阳九连墩楚墓获重大发现……520
湖北枣阳市九连墩楚墓……520
湖北枣阳县发现曾国墓葬……509
湖北宜昌市中堡岛遗址西区 1993 年发掘简报……576
湖北宜昌姚家港高山庙楚墓发掘简报……572
湖北宜城“楚皇城”遗址调查……508
湖北宜城市母牛山出土一批春秋青铜器……523
湖北宜城市周代文化遗址调查简报（之二）……524
湖北宜城出土蔡国青铜器……514
湖北宜城县肖家岭遗址的发掘……584
湖北宜城罗岗车马坑……515

湖北宜城骆家山一号墓出土青铜器……511
湖北宜城楚皇城勘查简报……510
湖北荆门黄付庙楚墓发掘报告……586
湖北荆州市沙市区肖家山一号秦墓……555
湖北荆州市施家地楚墓发掘简报……554
湖北荆州纪城一、二号楚墓发掘简报……553
湖北荆州砖瓦厂 2 号楚墓……541
湖北荆州院墙湾一号楚墓……557
湖北荆州秦家山二号墓清理简报……553
湖北荆州黄山墓地 40 号战国楚墓发掘简报……556
湖北荆州熊家冢墓地 2006 ~ 2007 年发掘简报……558
湖北荆州熊家冢墓地 2008 年发掘简报……560
湖北荆州熊家冢墓地考古发掘简讯……557
湖北省广水市彭家塆古墓清理简报……609
湖北省汉川县发现一批春秋时期青铜器……590
湖北省当阳县出土春秋战国之际的铭文铜戈……563
湖北省江陵出土虎座鸟架鼓两座楚墓的清理简报……533
湖北省荆门市四冢一号楚墓……585
湖北省荆州市天星观二号墓发掘简报……554
湖北省郧县胡家窝遗址发掘报告……529
湖北郧西县五斗种遗址发掘简报……527
湖北郧县白鹤观遗址东周墓发掘简报……531
湖北郧县辽瓦店子遗址东周遗存的发掘……528
湖北郧县乔家院春秋殉人墓……529
湖北郧县肖家河出土春秋唐国铜器……527
湖北郧县肖家河春秋楚墓……526
湖北钟祥市冢十包楚墓的发掘……585
湖北钟祥丽阳遗址试掘简报……586
湖北钟祥黄土坡东周秦代墓发掘报告……559
湖北黄冈两座中型楚墓……602
湖北黄州国儿冲楚墓发掘简报……597
湖北黄州楚墓……602
湖北鄂州新出一件有铭铜戈……588
湖北鄂城鄂钢五十三号墓发掘简报……587
湖北铜绿山古铜矿再次发掘——东周炼铜炉的发掘和炼铜模拟实验……504
湖北铜绿山东周铜矿遗址发掘……504
湖北铜绿山春秋时期炼铜遗址发掘简报……503
湖北铜绿山春秋战国古矿井遗址发掘简报……503
湖北麻城市李家湾春秋楚墓……601
湖北麻城吴益山出土青铜器……600
湖北随州义地岗又出土青铜器……610
湖北随州义地岗曾公子去疾墓发掘简报……613

湖北随州义地岗墓地曾国墓 1994 年发掘简报 …… 612
湖北随州文峰塔墓地考古发掘的主要收获 …… 613
湖北随州叶家山 M28 发掘报告 …… 615
湖北随州市文峰塔东周墓地 …… 615
湖北随州市发现秦国铜器 …… 607
湖北随州市安居镇发现春秋曾国墓 …… 608
湖北随州市黄土坡周代墓的发掘 …… 611
湖北随州市擂鼓墩墓群的勘查与试掘 …… 611
湖北随州擂鼓墩二号墓发掘简报 …… 607
湖北随州擂鼓墩战国墓出土有铭铜戈 …… 610
湖北随县东周遗址的发现 …… 604
湖北随县刘家崖发现古代青铜器 …… 606
湖北随县城郊发现春秋墓葬和铜器 …… 605
湖北随县曾侯乙墓发掘简报 …… 605
湖北随县新发现古代青铜器 …… 606
湖北潜江龙湾发现一处东周窑址 …… 620
湖北潜江龙湾发现楚国大型宫殿基址 …… 619
湖北潜江龙湾放鹰台Ⅰ号楚宫基址发掘简报 …… 621
湖北鹤峰刘家河遗址发掘简报 …… 618
湖北蕲春县出土一批战国青铜器 …… 599
湖北襄阳团山东周墓 …… 514
湖北襄阳余岗战国墓发掘简报 …… 515
湖北襄阳沈岗墓地 M1022 发掘简报 …… 525
湖北襄阳蔡坡 20 号战国墓 …… 523
湖北襄樊市贾庄发现东周墓 …… 522
湖北襄樊市彭岗东周墓群第三次发掘 …… 517
湖北襄樊市蔡坡战国墓第二次发掘 …… 522
湖州云巢龙湾出土的战国原始瓷 …… 236
湖南长沙三公里楚墓发掘简报 …… 632
湖南石门县古城堤城址试掘 …… 642
湖南龙山里耶战国——秦代古城一号井发掘简报 …… 661
湖南平江县发现春秋早期甬钟 …… 638
湖南汉寿县祝家岗战国墓发掘简报 …… 646
湖南宁远县出土青铜兵器 …… 656
湖南宁远县出土的两件战国青铜兵器 …… 656
湖南发现的春秋时期青铜饰件及相关问题 …… 637
湖南耒阳市阴间巷发现战国墓 …… 636
湖南江华县蒙家寨发现一件东周青铜镐 …… 657
湖南辰溪县米家滩东周墓发掘简报 …… 637
湖南攸县发现一件古代透光铜镜 …… 633
湖南沅陵木马岭战国墓发掘简报 …… 658

湖南汨罗罗国城遗址的调查与探掘……640
湖南怀化出土一件“武王”铜戈……659
湖南省华容县丰家山东周墓发掘简报……638
湖南省汨罗市高泉山人民路东周墓发掘简报……641
湖南省岳阳市郊战备山战国墓清理简报……639
湖南省岳阳县凤形嘴山一号墓发掘简报……639
湖南省常德市出土战国鎏金铜方壶……645
湖南省博物馆收藏的一件战国时期楚刻铭玉璧……630
湖南浏阳县北岭发现青铜器……626
湖南郴州东周墓发掘简报……654
湖南郴州出土的铁制生产工具……655
湖南郴州发现随葬陶鬲的东周墓……655
湖南株洲战国墓清理……632
湖南桃江腰子仑春秋墓……652
湖南桃源三元村二号楚墓……644
湖南桃源县狮子山战国墓发掘……644
湖南资兴旧市战国墓……653
湖南资兴出土战国农具……654
湖南桑植县朱家台战国瓦窑和水井发掘报告……650
湖南桑植县朱家台战国墓……649
湖南常德县黄土山楚墓发掘报告……645
湖南常德黄土山板栗岗楚墓群……648
湖南常德跑马岗战国墓发掘简报……647
湖南常德德山茅湾战国墓发掘简报……647
湖南常德德山战国墓出土鸟篆铭文戈……646
湖南常德德山战国墓葬……642
湖南常德德山楚墓发掘报告……642
湖南麻阳战国时期古铜矿清理简报……657
湖南道县出土战国青铜兵器……657
湖南湘潭下摄司的战国墓……633
湖南楚墓中出土的天平与砝码……623
湖南慈利石板村 36 号战国墓发掘简报……648
湖南慈利县石板村战国墓……650
湖南韶山灌区湘乡东周墓清理简报……634
湖南德山出土楚文物……641
湖南衡山县出土战国青铜剑……635
湖南衡阳县赤石春秋墓发掘简报……636
湖南衡南、湘潭发现春秋墓葬……623
湖南澧县新洲一号墓发掘简报……643
湘西吉首出土錞于……660
湘西地区出土的战国生产工具……659
渭南县发现秦半两钱范和“栎市”陶器……848

富平新发现一座战国秦墓……851
登封战国阳城贮水输水设施的发掘……371

十三画

蒲江县战国土坑墓……697
蒲江朝阳乡发现古代巴蜀船棺……701
楚都纪南城的勘查与发掘（下）……539
楚都纪南城的勘查与发掘（上）……538
楚鄢陵君三器……205
榆林境内秦直道调查……861
新发现的长沙战国楚墓帛画……628
新郑“郑韩故城”发现一批战国铜兵器……369
新郑市郑韩路6号春秋墓……385
新郑市赵庄东周墓葬发掘简报……390
新郑县出土铜剑、铜戈简报……372
新郑县发现一批战国货币……375
新郑县辛店许岗东周墓调查简报……374
新郑县河李村东周墓葬发掘简报……374
新郑县蔡庄东周墓葬发掘简报……375
新郑郑韩故城……370
新郑郑韩故城出土春秋时期象牙车踵……393
新郑铁岭墓地M1404、M1405发掘简报……391
新郑铁岭墓地M308发掘简报……393
新郑铁岭墓地M429发掘简报……389
新郑铁岭墓地M550发掘简报……389
新疆巴里坤岳公台—西黑沟遗址群调查……905
新疆布尔津县出土的橄榄形陶罐……914
新疆东部发现的几批铜器……904
新疆尼勒克县发现古代铜鍑……912
新疆巩留县出土一批铜器……912
新疆伊犁地区发现的大型铜器……911
新疆麦盖提发现古箭……907
新疆库尔勒市上户乡古墓葬……910
新疆和静县察吾乎沟口一号墓地……909
新疆哈巴河东塔勒德墓地发掘简报……915
新疆哈密市寒气沟墓地发掘简报……905
新疆特克斯恰甫其海A区XV号墓地发掘简报……913
新疆塔城地区白杨河墓地发掘简报……914
新疆新源铁木里克古墓群……911
新疆鄯善县吐峪沟西区北侧石窟发掘简报……904
新疆察布查尔县索墩布拉克古墓群……913
福建宁德县霍童发现春秋青铜戈……281

福建武夷山市发现东周青铜器……280
福建建阳县发现青铜器……280
福建政和县发现春秋时期的青铜兵器和印纹陶器……279
福建崇安县出土东周青铜剑……280

十四画

蔡国故城调查记……490
舞阳出土的一批青铜剑……447

十五画及以上

滕县后荆沟出土不娶簋青铜器群……315
褒斜栈道调查记……858
潜江龙湾小黄家台楚墓……620
潜江市龙湾遗址群放鹰台第 3 号台试掘简报……621
鹤壁狮跑泉窖藏战国货币……437
燕下都城址调查报告……84
燕下都第 22 号遗址发掘报告……87
燕下都遗址内发现一件战国时代的铜人像……85
燕下都遗址外围发现战国墓葬群……86
燕下都遗址出土铁胄……94
薛国故城勘查和墓葬发掘报告……340
衡阳市发现战国纪年铭文铜戈……634
衡阳博物馆收藏三件周代铜器……635
襄阳山湾十八号秦墓……511
襄阳山湾东周墓葬发掘报告……511
襄阳山湾出土的东周青铜器……514
襄阳县新发现一件铜盏……516
襄阳蔡坡 12 号墓出土吴王夫差剑等文物……509
襄阳蔡坡战国墓发掘报告……512
襄城县台王遗址试掘简报……447
襄樊市邓城古井清理简报……519
襄樊市彭岗东周遗址发掘简报……519
襄樊彭岗东周墓地第一次发掘简报……518
翼城发现古代箭镞……118
赣榆发现秦代铁石权……220

汉代卷

考古详报书名首字索引

一、本索引包括本卷上编所收考古详报；

二、本索引依考古详报首字笔画为序；

三、每一条目后的数字，为该考古详报在本卷中的页数。

三画

三门峡向阳汉墓……27
三台郪江崖墓……42
山西万泉县阎子疙瘩汉汾阴后土祠遗址之发掘……9
个旧市黑蚂井墓地第四次发掘报告……44
丸都山城——2001～2003年集安丸都山城调查试掘报告……12
广西贵县罗泊湾汉墓……38
广州汉墓……35

四画

云阳走马岭墓地……39
中江塔梁子崖墓……42
内蒙古中南部汉代墓葬……10
长安汉墓……52
长沙马王堆一号汉墓……33
长沙马王堆二、三号汉墓（第一卷：田野考古发掘报告）……33
丹江口潘家岭墓地……32

五画

平谷汉墓……5
平谷杜辛庄遗址……3
东平后屯汉代壁画墓……22
北京大葆台汉墓……3
四川彭山汉代崖墓……40
白鹿原汉墓……50
汉长安城……49
汉长安城未央宫：1980～1989年考古发掘报告……48
汉长安城武库……52
汉长安城桂宫……53
汉长安城遗址研究……53
汉阳陵……57
汉杜陵陵园遗址……48
汉景帝阳陵田野考古报告……54
汉锺官铸钱遗址……51
汉魏洛阳故城南郊东汉刑徒墓地……26
永城西汉梁国王陵与寝园……26
永城黄土山与酂城汉墓……28
民乐八卦营：汉代墓群考古发掘报告……60

六画

老龙头墓地与盐源青铜器……43

巩县铁生沟……25
芒砀山西汉梁王墓地……29
西汉礼制建筑遗址……50
西汉京师仓……47
西汉南越王墓……35
西汉帝陵钻探调查报告……57
西安龙首原汉墓（甲编）……49
西安东汉墓……55
西安北郊郑王村西汉墓……54
西安交通大学西汉壁画墓……47
西京访古丛稿……47
会泽水城古墓群发掘报告……46
合浦风门岭汉墓——2003 ~ 2005 年发掘报告……38
羊草庄汉墓……11
米脂官庄画像石墓……57
江川李家山——第二次发掘报告……44
安丘董家庄汉画像石墓……21

七画

杏园东汉墓壁面……26
李郑屋汉墓……62
邳州山头东汉墓……13
里耶发掘报告……34
庐江汉墓……18
沂南古画像石墓发掘报告……20

八画

武夷山城村汉城遗址发掘报告……19
罗州城与汉墓……31
和林格尔汉墓壁画……10
河西汉墓调查与研究……59
官桥汉代考古发现……23

九画

南阳牛王庙汉墓考古发掘报告……28
南阳麒麟岗汉画像石墓……27
南越宫苑遗址：1995 年、1997 年考古发掘报告……37
勋县上宝盖……32
秭归土地湾……31
狮子山楚王陵……15
姜屯汉墓……11
染山汉墓……22

洛阳朱仓东汉陵园遗址……30
洛阳烧沟汉墓……24
神木大保当：汉代城址与墓葬考古报告……49

十画

徐州北洞山西汉楚王墓……13
高庄汉墓……7
高昌故城及其周边地区的考古工作报告（1902～1903年冬季）……61

十一画

萧县汉墓……16
常山郡元氏故城南程墓地……7
望都二号汉墓……6
望都汉墓壁画……6
密县打虎亭汉墓……25
绵阳双包山汉墓……40
巢湖汉墓……18

十二画

辉县汉墓……30
番禺汉墓……36
鲁中南汉墓……21
疏勒河流域汉长城考察报告……59

十三画

满城汉墓发掘报告……7

十五画

澄海龟山汉代遗址……36

考古简报篇名首字索引

一、本索引包括本卷下编所收考古简报；
二、本索引依考古简报首字笔画为序；
三、每一条目后的数字，为该考古简报在本卷中的页数。

一画

1959 年呼和浩特郊区美岱古城发掘简报 …… 114
1978 年宜昌前坪汉墓发掘简报 …… 625
1982 ~ 1983 年西汉杜陵的考古工作收获 …… 905
1984 ~ 1985 年西汉宣帝杜陵的考古工作收获 …… 917
1992 年汉长安城冶铸遗址发掘简报 …… 928
1992 年辛冲汉墓群发掘简报 …… 595
1995 年新乡火电厂汉墓发掘简报 …… 495
1996 年汉长安城冶铸遗址发掘简报 …… 932
1997 年春新乡火电厂汉墓发掘简报 …… 495
2003 年甘肃武威磨咀子墓地发掘简报 …… 1068
一九五五年春洛阳汉河南县城东区发掘报告 …… 431
一九五五年洛阳涧西区小型汉墓发掘报告 …… 430
一九五四年春洛阳西郊发掘报告 …… 430
一件大型长鼓舞人饰青瓷博山炉 …… 302
一枚罕见的西汉五铢金币 …… 992

二画

八角城调查记 …… 1082

三画

三门峡大岭粮库围墓沟墓发掘简报 …… 518
三门峡市华余包装公司 16 号汉墓发掘简报 …… 517
三门峡市刘家渠汉墓的发掘 …… 517
三台新德乡东汉崖墓清理简报 …… 798
三原县三胜村汉墓清理简记 …… 999
大连市出土彩绘陶楼 …… 133
大连市金州区董家沟东汉墓葬的清理 …… 135
大邑县西汉土坑墓 …… 773
大冶黄文村东汉墓清理简报 …… 596
大荔县发现西汉五铢钱铜范 …… 1019
大理洱海东岸小海岛出土一罐古钱 …… 889
大葆台西汉木椁墓发掘简报 …… 67
上海市青浦县骆驼墩汉墓发掘 …… 168
上海市松江县汤庙村古遗址调查 …… 169
上海市松江县佘山汉墓清理 …… 168
上海福泉山西汉墓群发掘 …… 169
山东大学新校区发现一座东汉墓葬 …… 315
山东无棣清理一座东汉墓 …… 401
山东五莲张家仲崮汉墓 …… 343
山东日照石臼港出土一批古代货币 …… 378

山东日照市海曲 2 号墩式封土墓……381
山东日照海曲西汉墓（M106）发掘简报……381
山东长清县双乳山一号汉墓发掘简报……310
山东文登县的汉木椁墓和漆器……352
山东平阴县实验中学出土汉画像石……316
山东平阴孟庄东汉画像石墓……311
山东平阴新屯汉画像石墓……307
山东平邑东埠阴汉代画像石墓……391
山东平邑县皇圣卿阙、功曹阙……396
山东平度市出土一批青铜器……319
山东平度市出土西汉铜钟……319
山东平度出土七件青铜器……319
山东东平王陵山汉墓清理简报……375
山东东阿县邓庙汉画像石墓……397
山东宁阳县发现精美车饰……375
山东发现东汉墓志一方……350
山东曲阜市出土汉代建武石刻……368
山东曲阜纪庄发现汉代空心砖……354
山东安丘市发现东汉石井栏……350
山东安丘汉画像石墓发掘简报……341
山东安丘发现一处铜器窖藏……346
山东安丘发现汉代石磨……348
山东安丘牟山水库发现大型石刻汉墓……340
山东安丘县出土一批西汉器物……348
山东阳谷县吴楼一号汉墓的发掘……397
山东寿光县三元孙墓地发掘报告……349
山东苍山发现东汉永初纪年铁刀……384
山东苍山县发现汉代石棺墓……392
山东苍山柞城遗址出土东汉铜器……386
山东邹城市车路口东汉画像石墓……367
山东邹城市卧虎山汉画像石墓……370
山东邹城发现两件汉代铜镜……367
山东邹城高李村汉画像石墓……363
山东沂水出土窖藏铁器……391
山东沂水县牛岭埠发现一座东汉墓……393
山东沂水县龙泉站西汉墓……395
山东沂水县出土一批青铜器……392
山东沂水县出土汉代铁器窖藏……389
山东沂水县发现“军假司马”印……388
山东沂水县发现一件西汉铜熏炉……387
山东沂水县发现汉代铁器窖藏……390
山东沂水县西水旺庄汉墓……391

山东沂水县荆山西汉墓……387
山东沂南县近年来发现的汉画像石……394
山东即墨出土西汉钱范……321
山东青州市马家冢子东汉墓的清理……351
山东青州市出土西汉铜镜……349
山东青州市发现汉画像石……345
山东青州市冢子庄汉画像石墓……347
山东青岛市平度界山汉墓的发掘……320
山东枣庄小山西汉画像石墓……331
山东枣庄方庄汉画像石墓……330
山东枣庄市出土一批古代铁农具……329
山东枣庄市临山汉墓发掘简报……332
山东枣庄市桥上东汉画像石墓……333
山东枣庄市清理两座汉画像石墓……330
山东枣庄出土的汉代陶仓模型……334
山东枣庄出土的铁农具……331
山东枣庄画像石调查记……328
山东枣庄南常汉画像石墓……329
山东昌乐县东圈汉墓……347
山东昌邑县发现窖藏十万枚汉半两钱……341
山东金乡县发现汉代画像砖墓……360
山东金乡鱼山发现两座汉墓……365
山东乳山市大浩口村出土汉代铁器……353
山东乳山出土汉代铭文铜镜……352
山东肥城发现“永平”纪年画像石……377
山东兖州嵫山出土汉代刻字砖……366
山东泗水南陈东汉画像石墓……365
山东定陶县灵圣湖汉墓……403
山东莒县双合村汉墓……379
山东莒县东莞出土汉画像石……380
山东莒县出土榆荚钱范……379
山东莒县沈刘庄汉画像石墓……379
山东莒南发现汉代石阙……383
山东荣成梁南庄汉墓发掘简报……337
山东威海市发现一件汉代铁镬……353
山东威海市蒿泊大天东村西汉墓……353
山东临沭县出土汉代石羊……388
山东临沂市银雀山的七座西汉墓……395
山东临沂西汉墓发现《孙子兵法》和《孙膑兵法》等竹简的简报……383
山东临沂金雀山九号汉墓发掘简报……385
山东临沂金雀山九座汉代墓葬……390
山东临沂金雀山周氏墓群发掘简报……386

山东临淄出土一件汉代人物圆雕石像……325
山东临淄齐国故城内汉代铸镜作坊址的调查……324
山东临淄近年出土的汉代钱范……323
山东临淄金岭镇一号东汉墓……324
山东省青州市发现东汉大型出廓玉璧……345
山东省莱芜县西汉农具铁范……382
山东省微山县发现四座东汉墓……361
山东济宁市玉皇顶西汉墓……372
山东济宁市发现汉代铜器……368
山东济宁市张山发现三座东汉墓……369
山东济宁市陆桥西汉墓……373
山东济宁发现一组汉画像石……357
山东济宁发现一座东汉墓……363
山东济宁师专西汉墓群清理简报……361
山东济宁郊区潘庙汉代墓地……361
山东济南华信路新莽时期墓葬发掘简报……316
山东济南青龙山汉画像石壁画墓……308
山东济南洛庄汉墓发现大型动物陪葬坑……311
山东济南新发现汉代铁农具……316
山东泰安出土的一块汉画像石……378
山东泰安县旧县村汉画像石墓……376
山东莱西县汉木椁墓中出土的漆器……317
山东莱西县岱墅西汉木椁墓……318
山东莱州市出土大量窖藏币——“大泉五十”……337
山东莱芜东泉河村出土一批西汉文物……382
山东栖霞市观里汉墓清理简报……340
山东栖霞汉画像石墓……338
山东高密发现一批汉代铜镜、铜钱……342
山东高密城阴城调查简报……346
山东烟台牟平汉墓出土画像砖……340
山东海阳市开发区发现一座西汉墓……339
山东海阳出土“大泉五十”钱范……336
山东诸城出土一批五铢钱铜范……343
山东诸城县西汉木椁墓……344
山东曹县江海村发现西汉墓……403
山东鄄城、成武、金乡石刻调查……305
山东章丘市东平陵故城出土汉代铜器……309
山东章丘市洛庄汉墓陪葬坑的清理……312
山东章丘市黄土崖东汉画像石墓……308
山东梁山东汉纪年墓……358
山东梁山柏木山的一座东汉墓……354
山东淄博市临淄区齐国故城出土汉代封泥……326

山东淄博市临淄区齐国故城发现汉代镜范……323
山东淄博张庄东汉画像石墓……322
山东博兴出土西汉“榆荚”钱石范……399
山东博兴发现石兽……399
山东博兴发现西汉钱范……400
山东博兴县出土汉代骑马俑灯……400
山东博兴县辛张村出土西汉钱范……401
山东蓬莱市大迟家两座西汉墓……338
山东微山出土“宜秩高官”铜镜……358
山东微山县马陵山出土一批汉代文物……358
山东微山县汉代画像石调查报告……360
山东微山县汉画像石墓的清理……369
山东微山县出土铜洗、鐎斗、铁犁铧……364
山东微山县近年出土的汉画像石……371
山东微山县墓前村西汉墓……366
山东微山县微山岛汉代墓葬……374
山东滨州市汲家湾发现汉墓……400
山东嘉祥出土东汉“南武阳大司农平斗”……367
山东嘉祥县十里铺2号汉墓的清理……369
山东嘉祥县出土东汉陶瓷器……359
山东嘉祥县发现画像石墓……364
山东嘉祥宋山1980年出土的汉画像石……356
山东嘉祥宋山发现汉画像石……356
山东嘉祥清凉寺出土汉代陶俑……362
山东嘉祥新发现的汉画像石……372
山东潍坊市发现汉画像石墓……348
山东滕州市山头村汉代画像石墓……335
山东滕州市羊庄镇对山西汉墓的清理……332
山东滕州市官桥车站村汉墓……331
山东滕州市染山西汉画像石墓……335
山东滕州高庄发现汉画像石墓……334
山东滕县发现铁范……327
山东滕县柴胡店汉墓……327
山西大同天镇沙梁坡汉墓发掘简报……96
山西万荣县发现古城遗址……107
山西山阴发现两件汉代五铢钱铜范……99
山西广灵北关汉墓发掘简报……95
山西屯留县西庄发现一座汉墓……104
山西右玉县中陵古城的调查与试掘……100
山西平陆出土的汉代农作物……109
山西平陆枣园村壁画汉墓……107
山西平鲁上面高村西汉木椁墓……99

山西运城洞沟的东汉铜矿和题记……108
山西芮城石门村发现的汉墓……109
山西芮城出土风扇车模型……110
山西省右玉县出土的西汉铜器……97
山西省朔县西汉木椁墓发掘简报……98
山西省朔县赵十八庄一号汉墓……98
山西洪洞古城的调查……104
山西浑源毕村西汉木椁墓……95
山西夏县王村东汉壁画墓……111
山西夏县师冯汉代窑址发掘简报……112
山西夏县禹王城汉代铸铁遗址试掘简报……111
山西离石马茂庄东汉画像石墓……101
山西离石马茂庄汉画像石又有新发现……101
山西离石马茂庄建宁四年汉画像石墓……103
山西离石石盘汉代画像石墓……102
山西离石再次发现东汉画像石墓……102
山西朔县西汉并穴木椁墓……97
山西新绛县发现汉代陶楼……110
山西襄汾出土三件汉灯……107
山西襄汾发现汉代铁器……105
山西襄汾县吴兴庄汉墓出土铜器……106
千阳县西汉墓中出土算筹……964
广东五华狮雄山汉代建筑遗址……716
广东龙川县佗城东汉墓清理报告……717
广东东莞虎门东汉墓……718
广东曲江马坝的一座西汉墓……708
广东连江口发现汉代遗址……717
广东佛山市郊澜石东汉墓发掘报告……711
广东英德出土一件汉末神兽镜……718
广东始兴县禾场岭发现东汉墓……709
广东始兴县禾场岭西汉墓葬清理简报……709
广东始兴县汉墓清理简报……710
广东始兴县刨花板厂汉墓……711
广东临高县出土汉代青铜釜……742
广东省化州县石宁村发现六艘东汉独木舟……714
广东顺德县汉墓的调查和清理……712
广东顺德陈村汉墓的清理……712
广东徐闻东汉墓——兼论汉代徐闻的地理位置和海上交通……713
广东清远出土汉代窖藏铜钱……718
广东博罗县福田镇东汉墓发掘简报……715
广东肇庆市康乐中路七号汉墓发掘简报……715
广东增城金兰寺汉墓发掘报告……699

广东德庆大辽山发现东汉文物……714
广东澄海龟山汉代建筑遗址……707
广汉县出土一批汉画像砖……789
广西北海市盘子岭东汉墓……728
广西北流铜石岭汉代冶铜遗址的试掘……733
广西汉墓出土铁冬青……725
广西西林县普驮铜鼓墓葬……733
广西合浦西汉木椁墓……725
广西合浦县九只岭东汉墓……728
广西合浦县丰门岭 10 号汉墓发掘简报……727
广西合浦县凸鬼岭清理两座汉墓……726
广西合浦县母猪岭东汉墓……727
广西合浦县母猪岭汉墓的发掘……730
广西合浦县禁山七星岭东汉墓葬……729
广西兴安县界首东汉墓……724
广西兴安县秦城遗址七里圩王城城址的勘探与发掘……722
广西灵山县发现东汉纪年砖……734
广西柳州市九头村一号汉墓……720
广西昭平东汉墓……731
广西贵县风流岭三十一号西汉墓清理简报……737
广西贵县北郊汉墓……737
广西贵县汉墓的清理……735
广西贵县罗泊湾一号墓发掘简报……735
广西贵县罗泊湾二号汉墓……736
广西贵县罗泊湾西汉墓殉葬人骨……738
广西贵港市马鞍岭东汉墓……739
广西贵港市孔屋岭东汉墓……739
广西贵港市孔屋岭汉墓 2009 年发掘简报……741
广西贵港深钉岭汉墓发掘报告……740
广西钟山发现西汉规矩镜……732
广西钟山县张屋东汉墓……732
广西贺县金钟一号汉墓……731
广西恭城县牛路头发现一座东汉石室墓……722
广西恭城县东寨村发现一件汉代羊角钮铜钟……723
广西恭城瑶族自治县栗木镇陀塘村发现汉墓……723
广西梧州市近年来出土的一批汉代文物……724
广西藤县出土一批汉代文物……725
广州三元里马鹏冈西汉墓清理简报……698
广州石马村南汉墓葬清理简报……699
广州东郊沙河汉墓发掘简报……697
广州市龙生冈 43 号东汉木椁墓……695
广州市南越国宫署遗址西汉木简发掘简报……705

广州市横枝岗西汉墓的清理……704
广州发现西汉南越王墓……701
广州动物园东汉建初元年墓清理简报……696
广州西村西汉木椁墓简报……697
广州华侨新村西汉墓……695
广州沙河顶发现一座东汉墓……703
广州的两汉墓葬……697
广州南越国宫署遗址 1995 ~ 1997 年发掘简报……704
广州海幅寺汉代窑场遗址的发掘……705
广州淘金坑的西汉墓……700
广州磨刀坑汉代遗址调查……698
义马新市区 5 号西汉墓发掘简报……517
马王堆二、三号汉墓发掘的主要收获……653
马王堆三号汉墓出土的铁口木臿……653
马王堆三号汉墓出土驻军图整理简报……654

四画

丰都名山镇汉墓清理简报……751
开封市文物商店收藏的一件半两钱石范……429
天津北郊发现一座西汉墓……69
云南大关、昭通东汉崖墓清理报告……880
云南大理大展屯二号汉墓……890
云南大理市下关城北东汉纪年墓……891
云南大理收集到一批汉代铜器……889
云南广南出土人面鸟纹铜牌饰……886
云南发现古冶炼遗址……887
云南西双版纳勐腊发现石器……887
云南江川李家山古墓群发掘报告……877
云南江川县李家山古墓群第二次发掘……878
云南安宁太极山古墓葬清理报告……872
云南丽江石鼓镇出土青铜剑……885
云南呈贡七步场东汉墓……873
云南呈贡归化东汉墓清理……873
云南陆良县薛官堡墓地……876
云南昆明羊甫头墓地发掘简报……874
云南昭通东汉墓出土牛头人物出行铜扣饰……882
云南昭通市鸡窝院子汉墓……883
云南昭通出土汉代“人鹿铜座”……883
云南昭通出土汉代文字砖……884
云南昭通发现东汉“孟琁”铜印……881
云南昭通县白泥井发现东汉墓……880
云南昭通的一块汉画砖……881

云南昭通茨泥巴出土两面汉镜……883
云南昭通桂家院子东汉墓发掘……879
云南昭通象鼻岭崖墓发掘简报……882
云南宣威市发现青铜器等文物……875
云南姚安西教场黄牛山石棺墓……888
云南晋宁石寨山古墓第四次发掘简报……872
云南晋宁石寨山第三次发掘简报……872
云南祥云大波那木椁铜棺墓清理报告……888
云南麻栗坡出土人面纹羊角纽钟……886
云南德钦永芝发现的古墓葬……892
云梦出土东汉陶楼……635
云梦县楚王城汉墓发掘简报……637
云梦罩子墩一号墓清理简报……636
扎赉诺尔圈河古墓清理简报……124
太原东太堡出土的汉代铜器……93
太原东太堡发现西汉孙氏家铜鐎……94
太原市尖草坪汉墓……94
太原金胜村 9 号汉墓……93
巨野红土山西汉墓……402
中江县玉桂乡东汉崖墓调查简报……790
内江七孔子汉代崖墓清理简报……809
内江市中区红缨东汉崖墓……808
内江市关升店东汉崖墓画像石棺……808
内蒙古乌拉山里的汉代城堡……127
内蒙古扎赉诺尔古墓群发掘简报……123
内蒙古扎赉诺尔古墓群调查记……123
内蒙古巴林右旗发现一件汉代铜镜……120
内蒙古托克托县皮条沟发现三座鲜卑墓……116
内蒙古自治区准格尔旗速机沟出土一批铜器……121
内蒙古伊克昭盟发现西汉铜漏……121
内蒙古阿拉善汉边塞碑铭调查记……128
内蒙古卓资县三道营古城调查……128
内蒙古呼伦贝尔草原发现青铜器……125
内蒙古呼和浩特东郊塔布秃村汉城遗址调查……114
内蒙古呼和浩特市郊格尔图汉墓……116
内蒙古昭乌达盟发现的一批古印资料……119
内蒙古准格尔旗发现“长乐未英”字砖……122
内蒙古准格尔旗发现一批汉代文物……122
内蒙古海拉尔西山发现大型陶鬲……125
内蒙古察右后旗赵家房村发现匈奴墓群……127
内蒙古额右旗拉布达林发现鲜卑墓……124
内蒙古磴口县陶生井附近的古城古墓调查清理简报……126

长安发现一件汉代五铢陶范……922
长安县南李王村汉墓发掘简报……915
长安县秦沟村清理一座东汉墓……911
长沙马王堆二、三号汉墓发掘简报……652
长沙五里牌古墓葬清理简报……650
长沙东郊两汉墓简介……651
长沙东牌楼7号古井（J7）发掘简报……657
长沙北郊东汉墓中出土的铜尺……649
长沙出土的三座大型木椁墓……649
长沙西郊桐梓坡汉墓……656
长沙汤家岭西汉墓清理报告……652
长沙金塘坡东汉墓发掘简报……655
长沙南郊砂子塘汉墓……652
长沙咸家湖西汉曹嫫墓……655
长沙砂子塘西汉墓发掘简报……651
长沙象鼻嘴一号西汉墓……656
长沙楚墓……650
长武发现汉代石磨……994
长治县发现“猛国都尉”银印等汉代文物……103
长陵建制及其有关问题——汉刘邦长陵勘察记存……991
介绍一件“新郑”文字瓦当……424
介绍一件彩陶壶……440
介绍几方汉代县级官印……410
介绍几件馆藏汉代陶建筑模型……415
介绍两方汉印……493
凤翔出土一批汉代铁铧……971
凤翔县发现“年宫”与“棫”字的瓦当……963
凤翔县发现羽阳宫铜鼎……966
凤翔南古城遗址的钻探和试掘……966
巴中出土东汉龙虎铜镜……835
巴东发现东汉纪年墓……645
邓县长冢店汉画像石墓……411
双乳山一号汉墓一号马车的复原与研究……309
双乳山一号汉墓墓主考略……310

五画

正阳县汉代石阙调查……584
甘肃马鬃山区考古调查简报……1077
甘肃天水市贾家寺发现东汉墓葬……1059
甘肃天水县出土汉代铜灶、铜井……1059
甘肃天水县发现蜀汉铜镜……1058
甘肃甘谷汉模印画像陶棺……1060

甘肃甘谷县发现三方汉代画像砖……1060
甘肃永昌水泉子汉墓发掘简报……1058
甘肃永昌乱墩子汉墓……1057
甘肃永登南关汉墓发现琥珀小猪……1056
甘肃庆阳发现三座汉墓……1080
甘肃庆阳野林汉墓……1079
甘肃灵台发现外国铭文铅饼……1069
甘肃灵台发现的两座西汉墓……1070
甘肃灵台县出土一件青铜圆盘连三釜……1070
甘肃灵台县沟门西汉墓清理记……1071
甘肃张掖汉墓出土绿釉陶砚……1069
甘肃环县发现一处汉代陶钱范遗址……1080
甘肃环县曲子汉墓清理记……1079
甘肃武威旱滩坡东汉墓……1066
甘肃武威滕家庄汉墓发掘简报……1062
甘肃武威磨咀子 6 号汉墓……1061
甘肃武威磨咀子东汉墓（M25）发掘简报……1067
甘肃武威磨咀子汉墓发掘……1062
甘肃武威磨嘴子汉墓发掘简报……1067
甘肃武威磨嘴子发现一座东汉壁画墓……1066
甘肃泾川发现一座东汉早期墓……1071
甘肃定西巉口两座墓葬发掘简报……1081
甘肃肃北马鬃山玉矿遗址 2011 年发掘简报……1078
甘肃临夏大何庄汉墓的发掘……1082
甘肃省天水县出土的尚方铜镜……1059
甘肃省武威县旱滩坡东汉墓发现古纸……1065
甘肃酒泉汉代小孩墓清理……1073
甘肃酒泉县下河清汉墓清理简报……1072
甘肃敦煌汉代悬泉置遗址发掘简报……1076
甘肃徽县出土一批窖藏铜钱……1081
石泉县首次发现汉鎏金蚕……1045
石家庄东汉墓及其出土的算筹……73
石家庄东郊发现古刀币……72
石家庄北郊东汉墓……74
石家庄市东岗头村发现汉墓……73
石家庄市北宋村清理了两座汉墓……71
石家庄市桥东单室砖墓……72
石家庄发现汉代石雕裸体人像……74
平乐银山岭汉墓……721
平安县发现一枚汉代铜印……1087
平陆县征集到一件西汉釉陶“池中望楼”……109
东汉牛撬骑士、鹭鸟羽人纹铜鼓……736

东汉司徒刘崎及其家族墓的清理……1018
东汉时期的戒指在达县市出土……821
东汉和平二年的一件铜斗……617
东汉洛阳城南郊的刑徒墓地……435
东汉陵墓踏查记……470
东汉鹿纹画像砖……1021
东汉彭城相缪宇墓……183
北京平谷县西柏店和唐庄子汉墓发掘简报……65
北京市周口店区窦店土城调查……65
北京永定路发现东汉墓……66
北京西郊发现汉代石阙清理简报……67
北京顺义临河村东汉墓发掘简报……68
田尧科村汉墓清理简报……1023
四川九龙县查尔村发现石棺葬墓地……841
四川三台发现一座东汉墓……798
四川三台县东汉岩墓内发现新莽铜钱……793
四川三台县出土东汉画像砖……804
四川三台县发现东汉墓……792
四川三台郪江崖墓群2000年度清理简报……800
四川三台郪江崖墓群柏林坡1号墓发掘简报……802
四川三台黄明月一号画像崖墓……804
四川大邑县马王坟汉墓……773
四川大邑县出土两件东汉青瓷罐……776
四川广元出土一批汉代铜器……806
四川木里出土的汉代农具……845
四川中江塔梁子崖墓发掘简报……790
四川长宁“七个洞”东汉纪年画像崖墓……815
四川什邡磨盘山汉墓清理简报……791
四川平武县白马藏区水牛家寨遗址……803
四川乐山市中区大湾嘴崖墓清理简报……811
四川乐山市沱沟嘴东汉崖墓清理简报……812
四川乐山市柿子湾崖墓A区M6调查简报……813
四川乐山麻浩一号崖墓……810
四川汉源大地头遗址汉代遗存发掘简报……833
四川汉源县背后山遗址发掘简报……834
四川西昌东坪汉代冶铸遗址的发掘……853
四川西昌北山、小花山、黄水塘大石墓……849
四川西昌市东坪村汉代炼铜遗址的调查……850
四川西昌市杨家山一号东汉墓……855
四川西昌礼州发现的汉墓……845
四川西昌发现货泉钱范和铜锭……843
四川西昌县发现汉代椎结陶俑……844

四川西昌城郊出土石阙……844
四川西昌首次发现东汉五铢钱铜范……846
四川西昌高草出土汉代“摇钱树”残片……847
四川达县市西汉木椁墓……820
四川达县市曹家梁东汉墓……822
四川成都凤凰山出土的西汉炭化水稻及有关遗物……780
四川成都市石人坝小区汉墓清理简报……782
四川成都曾家包东汉画像砖石墓……774
四川会理出土一组编钟……846
四川会理出土的一面铜鼓……842
四川合江县东汉砖室墓清理简报……787
四川安县文管所收藏的东汉佛像摇钱树……801
四川芦山出土汉代石刻楼房……829
四川巫溪荆竹坝崖葬调查清理简报……747
四川阿坝州发现汉墓……840
四川奉节县风箱峡崖棺葬……744
四川武胜匡家坝汉代砖窑试掘记……820
四川武隆县江口镇汉墓清理简报……750
四川茂汶羌族自治县考古调查……839
四川泸州河口头汉代崖墓清理简报……788
四川宝兴出土的西汉铜器……826
四川宝兴县汉代石棺墓……827
四川宝兴陇东东汉墓葬……829
四川宜宾出土西王母陶俑……814
四川宜宾县黄伞崖墓群调查及清理简报……815
四川宜宾县崖墓画像石棺……814
四川宜宾真武山发现一座东汉崖墓……819
四川宜宾横江镇东汉崖墓清理简报……818
四川荥经水井坎沟岩墓……828
四川荥经发现东汉石棺画像……830
四川荥经县牛头山发现汉墓……832
四川省奉节县营盘包东汉土坑墓清理简报……754
四川省昭觉县出土的汉代画像砖石……854
四川昭觉县发现东汉石表和石阙残石……847
四川昭觉县发现东汉武职官印……852
四川屏山县斑竹林遗址 M1 汉代画像石棺墓发掘简报……819
四川盐亭东汉崖墓出土文物简记……792
四川峨眉山市东汉墓……812
四川郫县古城乡汉墓……783
四川郫县东汉砖墓的石棺画像……772
四川郫县东汉墓门石刻……775
四川郫县犀浦出土的东汉残碑……770

四川凉山发现汉墓 842
四川凉山西昌发现东汉、蜀汉墓 850
四川凉山州昭觉县好谷乡发现的东汉石表 855
四川凉山喜德拉克公社大石墓 843
四川渠县汉阙考古调查勘探简报 823
四川渠县出土汉代神兽铜镜 821
四川渠县出土的东汉石辟邪钱树座 821
四川渠县城坝遗址 2005 年发掘简报 823
四川涪陵东汉崖墓清理简报 746
四川涪陵西汉土坑墓发掘简报 745
四川绵竹县西汉木板墓发掘简报 789
四川绵阳市发现一座王莽时期砖室墓 801
四川绵阳市发现西汉初期墓 794
四川绵阳市朱家梁子东汉崖墓 802
四川绵阳永兴双包山一号西汉木椁墓发掘简报 799
四川绵阳出土一件汉代铭文铜镜 795
四川绵阳出土鹿纹画像砖 793
四川绵阳发现木板墓 793
四川绵阳何家山 1 号东汉崖墓清理简报 796
四川绵阳何家山 2 号东汉崖墓清理简报 796
四川绵阳河边东汉崖墓 794
四川喜德县清理一座大石墓 847
四川彭山一座残岩墓 825
四川彭山县出土新莽西顺郡铜板 824
四川焦山、魏家冲发现汉代崖墓 769
四川遂宁市发现两座东汉崖墓 807
四川遂宁船山坡崖墓发掘简报 807
四川蒲江发现汉代盐铁盆 783
四川简阳市汉代水井发掘简报 838
四川简阳县夜月洞发现东汉崖墓 838
四川简阳县鬼头山东汉崖墓 837
四川新都县发现一批画像砖 773
仪征张集团山西汉墓 238
乐山市中区高笋田崖墓清理简报 809
乐山市新出土一批汉代石刻 813
乐山肖坝崖墓发现东汉早期题记 811
乐山麻浩鱼村崖墓清理简报 813
包头市窝尔吐壕汉墓清理简况 117
汉川南河汉墓清理简报 636
汉元帝渭陵考古调查、勘探简报 1011
汉元帝渭陵调查记 985
汉云陵、云陵邑勘查记 989

汉长安城 1 号窑址发掘简报 916
汉长安城 2 ～ 8 号窑址发掘简报 920
汉长安城 23 ～ 27 号窑址发掘简报 926
汉长安城长乐宫二号建筑遗址发掘报告 943
汉长安城长乐宫发现凌室遗址 944
汉长安城长乐宫排水管道遗址发掘简报 940
汉长安城未央宫西南角楼遗址发掘简报 930
汉长安城未央宫的考古发掘与研究 929
汉长安城未央宫第二号遗址发掘简报 920
汉长安城未央宫第三号建筑遗址发掘简报 912
汉长安城未央宫第四号建筑遗址发掘简报 925
汉长安城北宫的勘探及其南面砖瓦窑的发掘 931
汉长安城发现西汉窖藏铜器 907
汉长安城西北区陶俑作坊遗址 909
汉长安城武库遗址发掘的初步收获 902
汉长安城桂宫二号建筑遗址 B 区发掘简报 936
汉长安城桂宫二号建筑遗址发掘简报 935
汉长安城桂宫三号建筑遗址发掘简报 937
汉长安城桂宫四号建筑遗址发掘简报 938
汉长安城窑址发掘报告 927
汉长安城遗址出土大型陶俑 913
汉长安城遗址发现裸体陶俑 907
汉长安城新发现六座窑址 939
汉长陵邑清理瓦窑一座 995
汉甘泉宫遗址勘查记 985
汉平帝康陵考古调查、勘探简报 1012
汉平陵调查简报 988
汉代“章威猥千人”龟纽铜印 1049
汉代随葬冥币陶麟趾金的文字 244
汉华仓遗址发掘简报 1016
汉华仓遗址勘查记 1015
汉阳陵附近钳徒墓的发现 981
汉阳陵帝陵东侧 11 ～ 21 号外藏坑发掘简报 1008
汉阳陵帝陵陵园南门遗址发掘简报 1010
汉阴出土一批汉代铜器 1048
汉初平四年王氏朱书陶瓶 902
汉武帝茂陵考古调查、勘探简报 1009
汉武帝茂陵钻探调查简报 1007
汉茂陵及其陪葬冢附近新发现的重要文物 982
汉昆明池及其有关遗存踏察记 903
汉南陵从葬坑的初步清理——兼谈大熊猫头骨及犀牛骨骼出土的有关问题 904
汉哀帝义陵考古调查、勘探简报 1011

汉景帝阳陵考古新发现（1996 ~ 1998 年）……1002
汉景帝阳陵南区从葬坑发掘第一号简报……998
汉景帝阳陵南区从葬坑发掘第二号简报……1000
汉景帝阳陵调查简报……984
汉碑新访录……305
汉魏许都故城遗址出土的四方铜印……514
汉魏洛阳城东阳渠、鸿池陂考古勘察简报……479
汉魏洛阳城发现的东汉烧煤瓦窑遗址……459
汉魏洛阳城西东汉墓园遗址……453
汉魏洛阳故城太学遗址新出土的汉石经残石……438
汉魏洛阳故城发现六十余枚汉代官印……441
宁夏中卫县出土一件汉代博山炉……1098
宁夏同心县李家套子匈奴墓清理简报……1093
宁夏同心县倒墩子汉代匈奴墓地发掘简报……1092
宁夏同心倒墩子匈奴墓地……1092
宁夏吴忠县关马湖汉墓……1091
宁夏灵武横城发掘两座汉墓……1090
宁夏固原北原东汉墓……1096
宁夏固原市北塬东汉墓……1097
宁夏固原汉墓发掘简报……1095
宁夏固原发现汉初铜鼎……1095
宁夏固原县出土文物……1094
宁夏固原城西汉墓……1096
宁夏盐池县古城遗址三次成批出土西汉铜钱……1090
记山东嘉祥发现的一批汉画像石——兼谈有关问题……359
记武功县出土的汉代铜器……986
记淮阳出土的几件石刻……578
永城太丘一号汉画像石墓……567
永城太丘二号汉画像石墓……568
永城芒山柿园发现梁国国王壁画墓……569
永城僖山汉画像石墓……567
永登县汉代长城遗迹考察……1055
辽宁大连大潘家村西汉墓……134
辽宁大连沙岗子发现二座东汉墓……134
辽宁大连前牧城驿东汉墓……134
辽宁宁城县黑城古城王莽钱范作坊遗址的发现……118
辽宁辽阳县南雪梅村壁画墓及石墓……144
辽宁辽阳苗圃墓地西汉砖室墓发掘简报……146
辽宁辽阳南郊街东汉壁画墓……145
辽宁西部汉代长城调查报告……130
辽宁抚顺市刘尔屯汉魏墓群的发掘……139
辽宁抚顺市刘尔屯村发现两座汉墓……137

辽宁抚顺李石开发区四号路墓群发掘简报……138
辽宁抚顺县刘尔屯西汉墓……136
辽宁沈阳沈州路东汉墓发掘简报……131
辽宁建平县两座西汉古城址调查……148
辽宁省辽阳市肖夹河墓地发掘简报……146
辽宁省新宾县黑沟高句丽早期山城……136
辽宁桓仁县高丽墓子高句丽积石墓……139
辽宁铁岭邱家台发现窖藏钱币……148
辽宁营口熊岳镇胜利村汉墓清理简报……143
辽宁盖县九垅地发现东汉纪年砖墓……142
辽宁盖县东汉墓……142
辽宁朝阳袁台子发现汉魏鲜卑牌饰陶范……150
辽宁朝阳袁台子西汉墓 1979 发掘简报……149
辽宁普兰店姜屯汉墓（M45）发掘简报……135
辽宁锦州汉代贝壳墓……141
辽宁锦县右卫乡昌盛汉墓清理简报……141
辽宁新金县后元台发现铜器……132
辽宁新金县花儿山张店出土马蹄金……133
辽宁新宾县永陵镇汉城址调查……137
辽宁新宾县高句丽太子城……138
辽阳三道壕西汉村落遗址……143
辽阳旧城东门里东汉壁画墓发掘报告……145
辽阳市棒台子二号壁画墓……144

六画

吉林农安县邢家店北山墓地发掘……152
吉林农安县邢家店北山墓地的古代人骨……153
吉林汪清县百草沟遗址发掘简报……157
吉林图们市曲水苗圃遗址的发掘……158
吉林省松原市后土木墓葬清理简报……156
吉林省集安市实验小学发掘地点考古发掘简报……155
吉林集安高句丽国内城马面址清理简报……155
吉林榆树县老河深鲜卑墓群部分墓葬发掘简报……152
老河口市孔家营一号东汉墓清理简报……609
老河口市百花山西汉墓清理简报……603
老河口市杨寨东汉墓清理简报……604
老河口市柴店岗砖厂汉代窑址清理简报……609
巩义万宝苑昱盈阁公寓汉墓群发掘报告……425
巩县出土的汉画像石和汉画像砖……412
巩县里沟铸钱作坊遗址试掘简报……416
巩县铁生沟发现汉代炼铁遗址一处……404
扬州邗江县胡场汉墓……230

扬州邗江县郭庄汉墓……229
扬州甘泉山出土东汉刘元台买地砖券……230
扬州平山养殖场汉墓清理简报……234
扬州东风砖瓦厂八、九号汉墓清理简报……233
扬州东风砖瓦厂汉代木椁墓群……231
扬州市郊发现两座新莽时期墓……234
扬州出土的汉代铭文铜镜……233
扬州西汉“妾莫书”木椁墓……231
西北大学医院汉墓清理简报……911
西北医疗设备厂汉墓清理简报……922
西北医疗设备厂福利区 92 号汉墓清理简报……923
西北国棉五厂 95 号墓发掘简报……918
西汉“横山宫”铜灯……1000
西汉长陵、阳陵 GPS 测量简报……949
西汉刘胜墓出土的医疗用具……84
西汉齐王墓随葬器物坑……322
西汉安邑宫铜鼎……105
西汉安陵调查简报……1004
西汉陈请士墓发掘简报……924
西汉武士驱车铜带饰……1093
西汉金“诸国侯印”……320
西汉南越王墓发掘初步报告……702
西汉昭帝平陵钻探调查简报……1007
西汉皇后玉玺和甘露二年铜方炉的发现……981
西汉陶拐角水道管……986
西汉鲁王虎符……996
西宁市南滩汉墓……1085
西宁哆吧乡指挥庄村汉墓……1084
西华东斧柯村发现汉代画像砖……581
西安三桥镇高窑村出土的西汉铜器群……899
西安尤家庄六十七号汉墓发掘简报……949
西安中华小区东汉墓发掘简报……937
西安凤栖原西汉墓地田野考古发掘收获……954
西安东郊三店村西汉墓……905
西安东郊庆华厂汉墓发掘简报……918
西安东郊国棉五厂汉墓发掘简报……919
西安东郊韩森寨汉墓清理简报……898
西安北郊一号工程Ⅲ区 13 号墓发掘简报……939
西安北郊二府庄汉墓发掘简报……933
西安北郊井上村西汉 M24 发掘简报……958
西安北郊六座汉墓清理记……921
西安北郊方新村汉墓第二次发掘简报……933

西安北郊龙首村西汉墓发掘简报……938
西安北郊龙首村军干所汉墓发掘简报……924
西安北郊北康村汉墓清理简报……941
西安北郊汉代积沙墓发掘简报……941
西安北郊汉墓发掘报告……917
西安北郊出土陶辟邪等汉代文物……923
西安北郊发现汉代墓葬……910
西安北郊百花村汉代石椁墓（M6）发掘简报……959
西安北郊青门汉墓发掘简报……934
西安北郊枣园大型西汉墓发掘简报……940
西安北郊枣园汉墓发掘简报……918
西安北郊枣园汉墓第二次发掘简报……922
西安北郊明珠新家园 M54 发掘简报……943
西安北郊高庙北村出土的一批汉代铜器……909
西安北郊清理一座东汉墓……898
西安北郊新莽钱范窑址清理简报……897
西安市大白杨村汉墓发掘简报……962
西安市长安区西北政法学院西汉张汤墓发掘简报……942
西安市长安区夏殿村墓地 M53 发掘简报……958
西安市未央区房地产开发公司汉墓发掘简报……923
西安市东郊汉墓中发现的带字陶仓……899
西安市北郊汉代砖瓦窑址……900
西安市电子三路西京社区东汉墓清理简报……956
西安市汉长安城长乐宫六号建筑遗址……956
西安市汉长安城长乐宫四号建筑遗址……946
西安市汉长安城北渭桥遗址……961
西安市汉长安城城墙西南角遗址的钻探与试掘……947
西安市汉唐昆明池遗址的钻探与试掘简报……947
西安市西北大学校园发现一座汉墓……950
西安汉长安城直城门遗址 2008 年发掘简报……953
西安汉城故址出土一批带铭文的铅饼……901
西安西郊汉代建筑遗址发掘报告……898
西安曲江翠竹园西汉壁画墓发掘简报……955
西安任家坡汉陵从葬坑的发掘……901
西安交通大学西汉壁画墓发掘简报……915
西安张家堡新莽墓发掘简报……952
西安昆仑厂东汉墓清理记……912
西安净水厂汉墓清理简报……916
西安南郊西汉墓发掘简报……957
西安南郊曲江羊头镇西汉墓发掘简报……960
西安南郊吴家坟汉墓清理简记……913
西安南郊荆寺二村西汉墓发掘简报……954

西安南郊缪家寨汉代厕所遗址发掘简报……950
西安南郊潘家庄 169 号东汉墓发掘简报……951
西安洪庆堡出土汉慜儒乡遗物……906
西安理工大学西汉壁画墓发掘简报……945
西安灞桥区政府基建工地汉墓清理简报……918
西昌市经久乡发现西汉李音墓……851
西昌出土东汉永和元年铭文双鱼洗……853
西昌发现东汉水井和村落遗址……851
西临高速公路汉墓清理简报……919
西渭桥遗址……921
西藏贡觉县发现的石板墓……893
西藏阿里地区噶尔县故如甲木墓地 2012 年发掘报告……894
西藏浪卡子县查加沟古墓葬的清理……894
达县三里坪 4 号汉墓清理简报……822
成都天迴山崖墓清理记……768
成都天回山发现三座土坑墓……770
成都凤凰山发现一座汉代砖室墓……779
成都凤凰山发现一座西汉木椁墓……776
成都凤凰山西汉木椁墓……769
成都凤凰山西汉木椁墓……778
成都凤凰山新莽墓出土钱币清理简报……783
成都石羊乡出土王莽时期斗鸡图……782
成都石羊西汉木椁墓……776
成都市天回镇老官山汉墓……785
成都市出土东汉画像砖……774
成都市青白江区跃进村汉墓发掘简报……781
成都市高新区勤俭村发现汉代砖室墓……784
成都市新津县大云山东汉崖墓的清理……785
成都市新都区东汉崖墓的发掘……784
成都西郊西窑村 M3 东汉墓发掘简报……781
成都西郊罗家碾出土西汉量器——铜斗……771
成都青龙乡汉代砖室墓清理……780
成都郊区凤凰山发现西汉木椁墓……769
夹江千佛岩东汉崖墓清理简报……810
夹金山北麓发现汉墓……826
光化五座坟西汉墓……598
当阳金坡东汉墓清理简报……626
吐鲁番交河故城沟北 1 号台地墓葬发掘简报……1100
曲阜九龙山汉墓发掘简报……355
竹山县城发现一批窖藏王莽时期的货币……611
华容发现东汉墓葬和遗物……674
会理县果园乡出土铜鼓……848

会理县果园乡出土铜鼓……849
合川东汉画像石墓……744
合江出土东汉“秘戏”陶俑……787
合江出土东汉石蟾钱树座……788
合江张家沟二号崖墓画像石棺发掘简报……787
旬阳汉墓出土的漆器鎏金铜饰……1048
旬阳县显神庙下坪东汉墓清理简报……1051
旬邑出土鳖座雁足灯等一批文物……1046
“匈奴西岔沟文化”古墓群的发现……147
米脂东汉画像石墓发掘简报……1031
江西于都发现汉画像砖墓……299
江西永新清理一座东汉墓……301
江西南昌东汉、东吴墓……294
江西南昌市郊清理一座汉墓……292
江西南昌老福山西汉木椁墓……293
江西南昌地区东汉墓……295
江西南昌青云谱汉墓……292
江西南昌蛟桥东汉墓发掘简报……295
江西南康县荒塘东汉墓……300
江西修水发现东汉墓……297
江西修水西汉墓清理……296
江西高安市碧落山西汉墓葬……302
江西清江武陵东汉墓……301
江西婺源县出土三件陶权……304
江西瑞昌发现两座东汉墓……298
江西瑞昌县出土汉代铜器……298
江西靖安老虎墩东汉墓发掘简报……303
江西赣州汉代画像砖墓……299
江西赣县三溪发现两座东汉墓……300
江西赣县出土汉代钱币……300
江苏丹阳东汉墓……240
江苏丹徒县蔡家村汉墓……240
江苏六合李岗楠木塘西汉建筑遗迹……172
江苏邗江甘泉二号汉墓……232
江苏邗江县甘泉老虎墩汉墓……237
江苏邗江县杨寿乡宝女墩新莽墓……237
江苏邗江县姚庄 102 号汉墓……239
江苏邗江胡场五号汉墓……232
江苏邗江姚庄 101 号西汉墓……236
江苏东阳小云山一号汉墓……222
江苏东海县体育场汉代水井发掘简报……220
江苏仪征石碑村汉代木椁墓……229

江苏仪征胥浦 101 号西汉墓……235
江苏仪征烟袋山汉墓……235
江苏扬州七里甸汉代木椁墓……229
江苏扬州西汉刘毋智墓发掘简报……239
江苏江宁出土三枚古印……174
江苏江阴市长山镇出土两件青铜器……177
江苏邳县刘林遗址的汉墓……179
江苏连云港市花果山出土的汉代简牍……215
江苏连云港市花果山的两座汉墓……216
江苏连云港市海州西汉侍其繇墓……214
江苏连云港市海州网疃庄汉木椁墓……213
江苏连云港海州西汉墓发掘简报……219
江苏吴县窑墩汉墓……212
江苏沛县出土汉代陶猪圈……184
江苏武进县出土汉代木船……211
江苏盱眙大云山江都王陵二号墓发掘简报……224
江苏盱眙东阳汉墓……221
江苏盱眙出土一面铜镜……222
江苏盱眙县大云山汉墓……223
江苏盱眙县大云山西汉江都王陵一号墓……226
江苏盱眙县大云山西汉江都王陵东区陪葬墓……223
江苏盱眙县大云山西汉江都王陵北区陪葬墓……224
江苏盱眙县出土西汉玉带钩……222
江苏泗阳陈墩汉墓……243
江苏泗洪重岗汉画像石墓……242
江苏泗洪曹庙出土的东汉画像石……243
江苏省高淳县东汉画像砖墓……172
江苏泰州市发现一面鎏金神兽镜……241
江苏泰州新庄汉墓……241
江苏盐城三羊墩汉墓清理报告……227
江苏盐城出土窖藏半两钱……228
江苏徐州、铜山五座汉墓清理简报……179
江苏徐州十里铺汉画像石墓……180
江苏徐州九里山汉墓发掘简报……189
江苏徐州小长山汉墓 M4 发掘简报……208
江苏徐州市九里山二号汉墓……198
江苏徐州市大孤山二号汉墓……205
江苏徐州市凤凰山西汉墓的发掘……201
江苏徐州市汉代采石遗址发掘简报……207
江苏徐州市后楼山八号西汉墓……200
江苏徐州市米山汉墓……192
江苏徐州市奎山四座西汉墓葬……209

江苏徐州市狮子山西汉墓的发掘与收获……196
江苏徐州市顾山西汉墓……199
江苏徐州市清理五座汉画像石墓……191
江苏徐州市翠屏山西汉刘治墓发掘简报……204
江苏徐州出土的汉代陵墓石雕……206
江苏徐州后山西汉墓发掘简报……211
江苏徐州苏山头汉墓发掘简报……209
江苏徐州金山村汉墓……201
江苏徐州贾汪汉画像石墓……203
江苏徐州黑头山西汉刘慎墓发掘简报……206
江苏高邮邵家沟汉代遗址的清理……228
江苏高淳县赵村汉墓清理简报……171
江苏高淳固城东汉画像砖墓……173
江苏涟水三里墩西汉墓……220
江苏铜山县凤凰山西汉墓……198
江苏铜山县伊庄洪山汉画像石墓……203
江苏铜山县李屯西汉墓清理简报……190
江苏铜山县龟山二号西汉崖洞墓材料的再补充……194
江苏铜山县青山泉的纺织画像石……182
江苏铜山县荆山汉墓发掘简报……187
江苏铜山县班井村东汉墓……195
江苏睢宁墓山汉画像石墓……194
江苏新沂瓦窑汉画像石墓……184
江苏新沂东汉墓……181
江苏赣榆县出土东汉别部司马印……218
江苏赣榆县发现“朐邑铜鼎”……218
江苏赣榆县金山乡发现一座汉墓……217
江苏赣榆金山汉画像石……216
江油市河西崖墓清理简报……797
江津沙河发现东汉纪年崖墓……753
江陵凤凰山一六七号汉墓发掘简报……614
江陵凤凰山一六八号汉墓……618
江陵纪南城南垣东门外一号东汉墓……622
江陵张家山三座汉墓出土大批竹简……615
江陵张家山汉墓出土大批珍贵竹简……616
江陵张家山两座汉墓出土大批竹简……617
江陵郢阳内出土王莽时期文物……615
江陵高台18号墓发掘报告……618
兴安县溶江公社石马坪汉墓出土一件铜镳壶……721
兴隆县发现汉代铁犁铧……90
安阳梯家口村汉墓的发掘……502
安岳县林凤镇松林村东汉崖墓清理简报……838

安康出土一批新莽货泉……1044
安康新城清理一座汉墓……1047
安徽广德县南塘汉代土墩墓发掘简报……282
安徽天长三角圩 27 号西汉墓发掘简报……269
安徽天长西汉墓发掘简报……268
安徽天长县三角圩战国西汉墓出土文物……267
安徽天长县汉墓的发掘……266
安徽无为县甘露村西汉墓的清理……276
安徽凤台县新莽时期墓葬……260
安徽六安市九里沟两座西汉墓……281
安徽六安市汉墓的清理……281
安徽六安发现西汉车马坑……279
安徽合肥汉墓清理……257
安徽寿县东津柏家台两座汉墓的清理……280
安徽寿县出土的两件汉代绿釉陶模型……278
安徽寿县发现一方古代官印……278
安徽寿县茶庵马家古堆东汉墓……278
安徽阜阳出土汉代铜器……271
安徽阜阳博物馆收藏的汉代铜器……272
安徽肥西县金牛汉墓……258
安徽定远谷堆王九座汉墓的发掘……266
安徽定远侯家寨西汉墓……267
安徽省寿县安丰塘发现汉代闸坝工程遗址……276
安徽省阜阳市发现汉代汝阴宫殿遗址……270
安徽省萧县出土一批陶谷仓、陶猪圈……274
安徽省淮南市出土汉代铁农具……260
安徽省潜江县发现西汉墓……264
安徽桐城杨山嘴东汉墓的清理……263
安徽涡阳稽山汉代崖墓……271
安徽萧县张村汉墓发掘简报……274
安徽萧县新出土的汉代画像石……275
安徽铜陵金牛洞铜矿古采矿遗址清理简报……262
安徽望江出土一面铜镜……264
安徽望江县发现汉代规矩镜……263
安徽淮北市李楼一号、二号东汉墓……261
安徽淮南市发现一座汉墓……260
安徽宿州市骑路堌堆汉墓发掘简报……275
安徽宿县褚兰汉画像石墓……272
安徽舒城县秦家桥西汉墓……280
安徽霍山县西汉木椁墓……279
安徽歙县西村东汉墓……265
郃县雅店村清理一座东汉墓……980

许阿瞿画像石墓志……539
许昌古城出土“四神”柱础……508
纪国故城附近出土一批汉代铜器……342
纪南城毛家园新莽东汉墓……620

七画

寿光市博物馆收藏的一件神人神兽纹铜镜……351
寿县东门外发现西汉水井及西晋墓……277
扶风西官村新莽时期窖藏……970
扶风姜塬发现汉代外国铭文铅饼……965
扶沟吴桥村发现汉代画像砖……579
均县城南土桥镇清理了古墓一座……610
芜湖市贺家园西汉墓……258
邯郸王郎村清理了五十二座汉墓……79
邯郸出土的“蜀西工”造酒樽……79
邯郸渚河桥汉墓发掘报告……80
苍山县出土东汉延熹纪年铜洗……386
芦山发现一尊汉代青铜人像……828
芦山发现巴蜀文物……831
芦山芦阳镇汉墓清理简报……831
芦山县汉樊敏阙清理复原……825
芦山县发现两方汉代官印……827
苏州北郊汉代水井群清理简报……213
杜阳虎符与错金铜豹……91
巫山乌鸡沟墓地2003年度发掘简报……759
巫溪南门湾一号棺清理简报……751
连云港市孔望山摩崖造像调查报告……215
连云港市东连岛东海琅邪郡界域刻石调查报告……219
连云港市锦屏山汉画像石墓……216
连云港地区的几座汉墓及零星出土的汉代木俑……217
岐山县帖家河村出土的汉代铜器……973
我国古代生态保护资料的新发现……1077
我国现存最早的纪年陶壶……909
邹城出土东汉画像石……362
邹城发现汉代石雕人像……370
沅陵虎溪山一号汉墓发掘简报……693
沙市东郊汉墓清理简报……615
沂水县发现古井和古墓……393
沧源崖画调查续记……885
罕见的汉代戏车画像砖……528
灵台县出土的安定郡库鼎……1071
灵宝张湾汉墓……516

阿房宫区域内的一个汉代建筑遗址……903
陇县西汉墓出土算筹……969
陇县温水乡汉墓清理简报……974
“陈仓”现身青铜甗……978

八画

武汉市葛店化工厂东汉墓清理简报……594
武汉市新洲技校汉墓发掘简报……595
武汉江夏区庙山东汉墓的清理……595
武昌县金口发现东汉铜镜……593
武威旱滩坡汉墓发掘简报——出土大批医药简牍……1064
武威县五坝山头发现龟形铜灶……1066
武威县发现大批汉简……1061
武威雷台汉墓……1063
武威磨咀子三座汉墓发掘简报……1063
武陟出土大型汉代陶楼……484
武清东汉鲜于璜墓……70
武清县发现东汉鲜于璜墓碑……69
青州发现西汉鎏金铜镇……345
青岛市郊区发现汉墓……318
青海大通上孙家寨的匈奴墓……1085
青海大通县上孙家寨一一五号汉墓……1086
青海布哈河畔的青铜器墓葬……1084
青海民和县东垣村发现东汉墓葬……1087
青海民和县胡李家发现汉墓……1088
青海省互助土族自治县东汉墓葬出土文物……1086
青海海晏的汉代石虎……1088
茂陵发现的西汉四神纹玉铺首……993
枝江县发现西汉早期木椁墓……624
枝江姚家港出土的东汉画像砖……628
杭州古荡汉代朱乐昌墓清理简报……244
枣庄市发现东汉纪年残碑……328
枣阳市车架厂古墓清理简报……602
盱眙县出土东汉神兽镜……221
旺苍县洪江镇汉墓清理简报……805
昆明呈贡石碑村古墓群第二次清理简报……874
固始出土两件西汉瓦件……576
固始县发现东汉画像镜……577
呼和浩特二十家子古城出土的西汉铁甲……115
和林格尔发现一座重要的东汉壁画墓……115
阜阳双古堆西汉汝阴侯墓发掘简报……269
肥东、霍丘县发现汉墓……257

肥城县发现一座东汉画像石墓……376
京九铁路（黄陂段）考古调查……594
郑州二里冈的一座汉代小砖墓……407
郑州二里岗汉画像空心砖墓……406
郑州又发现一批汉画像砖……413
郑州古荥镇汉代冶铁遗址发掘简报……409
郑州古荥镇发现大面积汉代冶铁遗址……409
郑州市九洲城西汉墓的发掘……421
郑州市向阳肥料社汉代画像砖墓……414
郑州市郊区刘胡垌发现窖藏铜铁器……414
郑州市郊发现汉代铁刑具……411
郑州市南关外汉代画像空心砖墓……421
郑州市乾元北街空心画像砖墓……412
郑州南关 159 号汉墓的发掘……405
郑纺机油库发现的一座汉墓……422
河北三河县出土的铁质农具……92
河北石家庄市北郊西汉墓发掘简报……73
河北平泉县杨杖子村发现汉墓……90
河北汉常山郡故址出土建筑材料……76
河北邢台南郊西汉墓……80
河北迁安于家村一号汉墓清理……77
河北任丘东关汉墓清理简报……91
河北阳原三汾沟汉墓群发掘报告……88
河北阳原西城南关东汉墓……88
河北阳原县北关汉墓发掘简报……89
河北抚宁县安庄村发现窖藏铜器……78
河北沙河兴固汉墓……81
河北易县燕下都发现五铢钱范……87
河北阜城桑庄东汉墓发掘报告……92
河北定县 40 号汉墓发掘简报……86
河北定县 43 号汉墓发掘简报……85
河北定县北庄汉墓发掘报告……83
河北柏乡东小京汉墓……82
河北省无极县东汉墓出土陶器……76
河北省徐水县防陵村二号汉墓……87
河北宣化东升路东汉墓发掘简报……90
河北秦皇岛发现秦汉时期建筑遗址……78
河北获鹿高庄出土西汉常山国文物……75
河北隆尧县出土刻花贴金玉片……81
河北滦县出土东汉画像石棺……78
河北滦南县发现汉代窖藏铜钱……77
河北赞皇发现汉石室墓……75

河西汉塞……1055
河南三门峡市火电厂西汉墓……518
河南三门峡南交口汉墓（M17）发掘简报……519
河南义马市张马岭村九十号墓的发掘……519
河南卫辉市大司马村一号汉墓及墓前建筑……498
河南卫辉市唐庄东汉墓葬发掘报告……497
河南内黄三杨庄汉代聚落遗址第二处庭院发掘简报……504
河南内黄县三杨庄汉代庭院遗址……503
河南长葛汉墓出土的铁器……508
河南长葛出土的汉代画像砖……509
河南方城东关汉画像石墓……527
河南方城县平高台遗址汉墓发掘简报……555
河南方城县出土汉代银印……540
河南方城县城关镇汉画像石墓……533
河南邓州市穰东汉墓发掘简报……552
河南邓县发现一处汉代铸钱遗址……521
河南邓县发现汉空心画像砖……529
河南正阳李冢汉墓发掘简报……587
河南平舆发现新莽时期的钱币及铸范……586
河南叶县发现的东汉石兽——兼谈汉晋的陵墓华表……481
河南永城夫子山三号汉墓发掘简报……571
河南永城市芒砀山汉代礼制建筑基址……574
河南永城市芒砀山新莽墓地清理简报……575
河南永城市西汉梁王陵陪葬器物坑的清理……573
河南永城市磨山西汉至新莽时期墓群的调查与发掘……572
河南永城芒山西汉梁国王陵的调查……570
河南永城保安山汉画像石墓……575
河南永城前窑汉代石室墓……568
河南永城黄土山三号汉墓发掘简报……570
河南永城僖山二号汉墓清理简报……576
河南巩义市发现汉代五铢钱纹空心砖……420
河南巩义市康店叶岭砖厂汉墓发掘简报……426
河南巩义市新华小区二号墓发掘简报……424
河南巩义市新华小区汉墓发掘简报……423
河南巩义西汉墓……425
河南巩县叶岭村发现一座西汉墓……409
河南巩县发现一批汉代铜器……408
河南巩县铁生沟汉代冶铁遗址的发掘……406
河南西华发现一枚汉代金印……580
河南西华县发现汉画像砖墓……581
河南汤阴县发现东汉画像石墓门……502
河南扶沟发现汉代画像砖……582

河南杞县许村岗一号汉墓发掘简报……429
河南郏县黑庙 M79 发掘简报……482
河南郑州中原区新莽 M26 发掘简报……428
河南郑州市碧沙岗公园东汉墓……407
河南泌阳板桥古墓葬及古井的发掘……583
河南宜阳县甘棠寨村汉代窑址清理简报……473
河南陕县刘家渠汉墓……515
河南荥阳后真村汉代遗存发掘简报……428
河南荥阳苌村汉代壁画墓调查……419
河南荥阳县康寨汉代空心砖墓……420
河南荥阳河王水库汉墓……405
河南南乐县发现一件铜铁合铸的东汉博山炉……505
河南南阳牛王庙村 1 号汉墓……554
河南南阳石桥汉画像石墓……529
河南南阳市一中新校址汉墓发掘简报……553
河南南阳市八一路汉代画像石墓……561
河南南阳市东苑小区古代墓葬清理简报……550
河南南阳市永泰小区汉画像石墓……559
河南南阳市出土一件卧姿牛形铜灯……543
河南南阳市发现巴蜀式铜剑……553
河南南阳市发现半两钱范……523
河南南阳市发现汉墓……525
河南南阳市辛店熊营汉画像石墓……556
河南南阳市陈棚村 68 号汉墓……556
河南南阳市桑园路 3 号东汉墓……551
河南南阳市麒麟岗 8 号西汉木椁墓……544
河南南阳出土一件汉代铁镜……547
河南南阳发现汉代钱范……524
河南南阳西关一座古墓中的汉画像石……524
河南南阳军帐营汉画像石墓……530
河南南阳杨官寺汉画像石墓发掘报告……522
河南南阳县英庄汉画像石墓……527
河南南阳陈棚汉代彩绘画像石墓……555
河南南阳英庄汉画像石墓……533
河南南阳桑园路东汉画像石墓……552
河南南阳蒲山二号汉画像石墓……549
河南临汝夏店发现汉代炼铁遗址一处……480
河南省邓州市梁寨汉画像石墓……544
河南省卢氏县出土一件东汉彩绘骨尺……516
河南省泌阳新客站汉墓群发掘简报……586
河南省南阳市十里铺二号画像石墓……546
河南省南阳市万家园汉画像石墓……558

河南省南阳县辛店乡熊营画像石墓……545
河南省济源市桐花沟汉墓发掘简报……589
河南省温县汉代烘范窑发掘简报……483
河南省新乡市老道井墓地东同古墓区汉墓清理简报……500
河南禹州市新峰墓地 M10、M16 发掘简报……511
河南禹州杨庄墓地汉墓 M100 发掘简报……511
河南禹州新峰墓地东汉画像石墓发掘简报……512
河南禹州新峰墓地两座汉代画像砖墓……512
河南禹县白沙汉墓发掘报告……505
河南禹县出土一批汉代文物……507
河南洛宁东汉墓清理简报……445
河南洛阳北郊东汉壁画墓……447
河南洛阳市东汉孝女黄晨、黄芍合葬墓……459
河南洛阳市第 3850 号东汉墓……460
河南济源市赵庄汉墓发掘简报……589
河南济源市桐花沟十号汉墓……590
河南济源市蓼坞汉墓……591
河南济源出土汉代大型陶连枝灯……588
河南济源出土的几件釉陶俑……592
河南济源县承留汉墓的发掘……588
河南桐柏万岗汉墓的发掘……523
河南桐柏平氏镇发现汉代铜器……522
河南夏邑吴庄石椁墓……569
河南唐河白庄汉画像石墓……548
河南唐河县石灰窑村画像石墓……528
河南唐河县湖阳镇罐山 10 号汉墓发掘简报……563
河南偃师东汉姚孝经墓……451
河南偃师市吴家湾东汉封土墓……477
河南偃师市阎楼汉魏封土墓……477
河南偃师杏园村东汉壁画墓……443
河南偃师县发现汉代买田约束石券……438
河南偃师寇店发现东汉铜器窖藏……451
河南淇县发现一面东汉画像铜镜……490
河南淇县发现西汉石磨……491
河南淅川马川墓地汉代积石积炭墓的发掘……564
河南淅川汉画像砖墓发掘报告……542
河南淅川县杨岗码头汉墓群发掘简报……560
河南淅川县赵杰娃山头汉墓发掘简报……566
河南淅川县阎杆岭 38 号汉墓的发掘……554
河南淅川县阎杆岭 83 号墓发掘简报……562
河南淅川泉眼沟汉代墓葬发掘报告……564
河南淮阳北关一号汉墓发掘简报……583

河南密县打虎亭发现大型汉代壁画墓和画像石墓……404
河南密县后士郭三号汉墓调查记……419
河南密县周岗汉画像砖墓……419
河南密县密新商场汉墓和陶窑的发掘……418
河南辉县发现的“大泉五十”钱范……498
河南焦作山后墓地汉墓发掘简报……489
河南焦作东汉墓出土彩绘陶仓楼……482
河南焦作白庄 6 号东汉墓……486
河南焦作白庄汉墓 M121、M122 发掘简报……487
河南焦作市出土西汉铜鏊……486
河南焦作店后村汉墓发掘简报……489
河南焦作嘉禾屯出土汉代窖藏铜器……487
河南鲁山望城岗汉代冶铁遗址一号炉发掘简报……481
河南遂平县小寨汉代村落遗址水井群……585
河南登封市发现一批王莽铸币……424
河南新乡市王门东汉画像石墓的发掘……501
河南新乡市王门村汉墓……496
河南新乡市五陵村汉代墓葬……501
河南新乡市东干道发现西汉陶窑……494
河南新乡市北站区汉墓……497
河南新乡市金灯寺汉墓发掘简报……500
河南新乡市唐庄汉墓……493
河南新乡老道井墓地金灯寺墓区汉墓清理简报……499
河南新安古路沟汉墓……434
河南新安出土汉代铜镇……467
河南新安县上孤灯汉代铸铁遗址调查简报……447
河南新安县汉函谷关遗址 2012 ~ 2013 年考古调查与发掘……480
河南新安铁门镇西汉墓葬发掘报告……432
河南新郑市文化路汉墓发掘简报……427
河南新郑出土的汉代画像砖……413
河南新郑县发现汉半两钱范……417
河南新郑河赵一号墓的发掘……418
河南新野出土的汉代画像砖……523
河南新密市李堂画像砖墓的发掘……422
河南新密市汽车站汉墓发掘简报……426
河南新蔡葛陵汉墓出土的铜器……586
河南榷山汉代朗陵古城冶铁遗址的新发现……585
河南舞阳发现东汉乐舞百戏铜镜……513
河南舞阳发现汉代画像石……514
河南镇平出土的汉代窖藏铁范和铁器……532
河南镇平县程庄墓地汉代墓葬发掘简报……558
河南鹤壁市汉代冶铁遗址……490

河南襄城县出土五铢钱纹铜镜……509
河南襄城县出土西汉晚期四神规矩镜……509
河南襄城县发现一件汉代铜印……510
河南襄城茨沟汉画像石墓……506
泸县发现汉代遗址……786
泗洪县曹庄发现一批汉画像石……241
泌阳县出土一方关内侯金印……584
宝兴县赶羊沟汉墓清理简报……831
宝兴硗碛水库淹没区文物调查报告……832
宝兴硗碛旦地美地汉代砖室墓及硗丰崖墓发掘简报……833
宝鸡市铲车厂汉墓——兼谈M1出土的行楷体朱书陶瓶……966
宝鸡市谭家村四号汉墓……969
宝鸡出土一件西汉“一斗一升”铜鼎……968
宝鸡县出土“天帝使者”印章……972
宝鸡县出土“天帝使者”铜印……973
宝鸡县周原乡出土新莽古钱币……970
定远县壩王庄古画像石墓……265
定县40号汉墓出土的金缕玉衣……85
定县北庄汉墓出土文物简报……83
宜兴均山青瓷古窑发现记……177
宜阳出土的汉代压胜钱……442
宜阳县牌窑西汉画像砖墓清理简报……444
宜昌市前、后坪古墓1981年发掘简报……625
宜都陆城发掘的一座西汉墓葬简报……628
宜宾市出土东汉纪年铜洗……816
宜宾市郊区出土东汉铜洗……817
居延汉代遗址的发掘和新出土的简册文物……1074
孟县出土汉代太医药罐……484
孟津送庄汉黄肠石墓……437
陕北清涧、米脂、佳县出土古代铜器……1031
陕北靖边县出土窖藏莽币……1035
陕西子洲出土东汉画像石……1032
陕西长安洪庆村秦汉墓第二次发掘简记……897
陕西长武出土汉代铁器……988
陕西凤县出土东汉雒阳武库东卢铜熏炉……970
陕西凤县梁鹿坪西汉墓清理简报……971
陕西凤翔西河发现汉代青铜器窖藏……967
陕西凤翔县长青西汉汧河码头仓储建筑遗址……977
陕西户县兆伦汉代铸钱遗址调查报告……934
陕西户县的两座汉墓……903
陕西甘泉县发现汉代“冢”字云纹瓦当……1024
陕西平利县发现汉画像砖墓群……1049

陕西兰田发现罕见的文物……900
陕西汉中市清理两座西汉前期墓……1026
陕西汉中市铺镇砖厂汉墓清理简报……1030
陕西永寿出土的汉代铁农具……989
陕西发现以汉长安城为中心的西汉南北向超长建筑基线……896
陕西师范大学雁塔校区东汉墓发掘简报……958
陕西华县梓里村汉墓清理记……1019
陕西旬阳汉墓出土的石砚……1044
陕西旬阳出土汉代煤精狮……1047
陕西旬阳出土的汉代陶溷厕……1046
陕西旬阳出土新莽量器……1044
陕西旬阳发现一枚汉代银印……1043
陕西旬阳发现东汉青铜制鱼钩……1046
陕西旬阳县出土的汉代铜尺和铜钟……1045
陕西旬邑发现东汉壁画墓……1051
陕西米脂县官庄东汉画像石墓……1035
陕西兴平汉墓出土的铜漏壶……983
陕西兴平县茂陵勘查……980
陕西安康地区出土的几方汉印……1043
陕西安塞县出土银错铜卧牛……1021
陕西扶风中颜村发现西汉窖藏铜器和古纸……965
陕西扶风石家一号汉墓发掘简报……968
陕西扶风县官务汉墓清理发掘简报……975
陕西扶风纸白西汉墓发掘简报……978
陕西投资策划服务公司汉墓清理简报……948
陕西陇县原子头汉墓发掘简报……976
陕西坡头村西汉铸钱遗址发掘简报……1015
陕西茂陵一号无名冢一号从葬坑的发掘……987
陕西卷烟材料厂汉墓发掘简报……932
陕西宝鸡代家湾出土东汉陶器……977
陕西宝鸡苟家岭西汉墓葬发掘简报……979
陕西宝鸡凉泉汉墓发掘简报……979
陕西定边县郝滩发现东汉壁画墓……1040
陕西城固县的东汉李固墓……1024
陕西南郑龙岗寺汉墓清理简报……1028
陕西南郑苏家山汉墓发掘简报……1030
陕西咸阳二〇二所西汉墓葬发掘简报……1006
陕西咸阳马泉西汉墓……983
陕西咸阳市北郊杜家堡新莽墓发掘简报……1005
陕西咸阳市西汉成帝延陵调查记……1009
陕西咸阳杜家堡东汉墓清理简报……1006
陕西临潼汉新丰遗址调查……925

陕西临潼县新出土几枚汉代印章……926
陕西临潼骊山床单厂基建工地古墓葬清理简报……913
陕西临潼零口汉墓清理简报……944
陕西省185煤田地质队咸阳基地筹建处东汉墓发掘简报……999
陕西省千阳县汉墓发掘简报……963
陕西省礼泉县出土汉代铁权……1001
陕西省眉县成山宫遗址的再调查……975
陕西勉县出土一批西汉铜器……1025
陕西勉县出土一套罕见的东汉四合院建筑群模型……1029
陕西勉县老道寺四号汉墓发掘简报……1025
陕西勉县老道寺汉墓……1027
陕西勉县红庙东汉墓清理简报……1026
陕西勉县金寨新朝墓葬……1026
陕西洛川发现西汉文字方砖瓦当……1022
陕西洛河汉代漕运的发现与考察……1020
陕西神木大保当东汉画像石墓……1042
陕西神木大保当第11号、第23号汉画像石墓发掘简报……1039
陕西神木柳巷村汉画像石墓……1034
陕西眉县白家村东汉墓清理简报……974
陕西眉县常兴汉墓发掘报告……971
陕西高陵出土的东汉建和三年朱书陶瓶……953
陕西高陵县宝诗佳公司汉墓发掘简报……951
陕西绥德汉画像石墓……1032
陕西绥德发现汉画像石墓……1033
陕西绥德延家岔二号画像石墓……1037
陕西绥德县四十里铺画像石墓调查简报……1040
陕西绥德县延家岔东汉画像石墓……1032
陕西绥德黄家塔东汉画像石墓群发掘简报……1036
陕西黄龙发现四十四字铭文的汉镜……1022
陕西黄龙县发现汉墓……1022
陕西黄龙县梁家山砖厂汉墓……1023
陕西第二针织厂汉墓清理简报……1002
陕西商州市发现汉代冶炼坩埚……1052
陕西商县西涧发现汉墓……1052
陕西淳化县出土汉代陶棺……990
陕西淳化县出土汉代铜量器……992
陕西淳化县出土汉代铜镜……990
陕西淳化程家堡村汉洪崖宫遗址……998
陕西淳华县下常社秦汉遗址……997
陕西韩城芝川汉扶荔宫遗址的发现……1013
陕西韩城芝川镇东汉墓发掘简报……1019
陕西韩城县芝川镇东汉墓……1013

陕西紫阳白马石汉墓发掘报告……1049
陕西蓝田支家沟汉墓发掘简报……960
陕西蒲城永丰发现汉龙首渠遗迹……1014
陕西靖边东汉壁画墓……1041
陕西靖边老坟梁汉墓发掘简报……1042
陕西靖边县发现大量王莽币……1033
陕西靖边县张家坬西汉墓发掘简报……1041
陕西新安机砖厂汉初积炭墓发掘报告……914
陕西新安机砖厂汉初积炭墓发掘报告……957
始兴瑶村坳古墓葬清理简报……710
绍兴狮子山东汉墓……252
绍兴狮子山西汉墓……252
绍兴漓渚的汉墓……250

九画

珍奇钱币——重笔“货泉”……412
项城县老城汉墓出土陶楼……580
城固出土的汉代桃都……1029
垓下遗址出土一批汉代铁器……259
荆门十里九堰东汉墓……631
荆门市子陵黄家坡两汉墓发掘简报……632
荆门市瓦岗山西汉墓……630
荆门市玉皇阁东汉墓……631
荥阳苜蓿洼墓地出土新莽布币……427
荥阳京襄城发现汉代金币……410
南广河沿岸出土文物介绍……817
南水北调中线工程焦作苏蔺段汉代窑址发掘简报……488
南乐宋耿洛一号汉墓发掘简报……504
南阳瓦房庄汉代制陶、铸铜遗址的发掘……542
南阳中建七局机械厂汉画像石墓……548
南阳东汉小砖券墓的发掘……520
南阳北关瓦房庄汉代冶铁遗址发掘报告……540
南阳市 508 厂汉墓发掘简报……541
南阳市一中 M195、M256 汉墓发掘简报……562
南阳市人民北路汉墓发掘简报……550
南阳市三杰房地产开发公司 M49 发掘简报……560
南阳市王庄汉画像石墓……536
南阳市永泰小区画像石墓 M35 发掘简报……565
南阳市西郊刘洼汉墓发掘简报……537
南阳市仲景花鸟市场 M2 发掘简报……562
南阳市刘洼村汉画像石墓……539
南阳市防爆厂 M208 汉墓发掘简报……561

南阳市防爆厂住宅小区汉墓 M62、M84 发掘简报 557
南阳市环卫处汉墓发掘简报 541
南阳市拆迁办 M3 东汉墓发掘简报 559
南阳市审计局汉墓发掘简报 560
南阳市建材试验厂汉画像石墓 535
南阳市独山西坡汉画像石墓 536
南阳市教师新村 10 号汉墓 547
南阳市第二化工厂 21 号画像石墓发掘简报 540
南阳市散存汉画像石选汇 537
南阳市新发现东汉胡奴陶俑 551
南阳市嘉丰汽修厂汉墓清理简报 557
南阳汉代铁工厂发掘简报 520
南阳发现东汉许阿瞿墓志画像石 525
南阳县王寨汉画像石墓 531
南阳县赵寨砖瓦厂汉画像石墓 530
南阳汽车制造厂东汉墓发掘简报 549
南阳第二胶片厂汉墓发掘简报 543
南阳新出土的东汉张景造土牛碑 521
南昌东郊西汉墓 293
南昌市京家山汉墓 295
南昌市郊东汉墓清理 293
南京大厂陆营汉墓清理简报 173
南京六合李岗汉墓（M1）发掘简报 176
南京市东汉建安二十四年龙桃杖墓 175
南京邱家山汉墓 172
南京栖霞山及其附近汉墓清理简报 171
南越王墓出土的青铜印花凸版 703
南溪县长顺坡画像石棺清理简报 818
南漳城关东汉墓清理简报 606
柳州市郊东汉墓 720
咸阳马泉镇西汉空心砖墓清理报告 1003
咸阳东郊汉墓出土的钱币 1003
咸阳市发现的麟趾金和马蹄金 983
咸阳市空心砖汉墓清理简报 987
咸阳汉墓清理简记 997
咸阳西汉墓清理简报 992
咸阳杨家湾汉墓发掘简报 982
咸阳织布厂汉墓清理简报 1001
咸阳窑店出土的东汉朱书陶瓶 1005
咸阳塔尔坡汉墓清理简报 995
咸阳程家砖厂汉墓出土的几件铁器 996
威宁中水汉墓 864

临沂的西汉瓮棺、砖棺、石棺墓……389
临沂金雀山 1997 年发现的四座西汉墓……394
临沂银雀山四座西汉墓葬……385
临潼出土的几件铜器……928
临潼出土的汉彩绘陶俑……908
临潼发现汉初平元年墓……914
临潼县出土西汉和新莽钱模……904
临潼县博物馆收藏四枚汉印……908
昭乌达盟汉代长城遗址调查报告……119
昭苏县古代墓葬试掘简报……1108
贵州习水县东汉崖墓……859
贵州开阳县平寨清水河崖画……858
贵州出土的汉代陂塘水田模型……857
贵州发现的汉代铜铃……867
贵州发现的两件铜带钩……866
贵州贞丰县浪更燃山汉代石板墓……869
贵州兴义、兴仁汉墓……868
贵州兴仁县交乐十九号汉墓……869
贵州安顺市宁谷汉代遗址与墓葬的发掘……860
贵州安顺宁谷龙滩汉墓清理简报……861
贵州安顺宁谷发现东汉墓……860
贵州金沙县汉画像石墓清理……865
贵州沿河洪渡汉代窑址试掘……862
贵州威宁县发现一件西汉铜带钩……866
贵州省松桃出土的虎钮錞于……861
贵州清镇平坝汉墓发掘报告……858
贵州赫章县汉墓发掘简报……863
贵州赫章县发现的汉砖……862
贵州黔西县汉墓发掘简报……863
贵州黔西县汉墓的发掘……867
哈尔滨市呼兰县团山遗址调查简报……159
秭归坟堰湾与谭家河遗址发掘简报……630
秭归新县城发现窖藏铜器……629
科左后旗毛力吐发现鲜卑金凤鸟冠饰……120
重庆九龙坡陶家大竹林画像砖墓发掘简报……760
重庆万州区钟嘴东汉墓发掘简报……757
重庆万州安全墓地 1998 年汉墓发掘简报……756
重庆丰都天平丘西汉墓发掘简报……761
重庆丰都县天平丘东汉墓发掘简报……764
重庆丰都县火地湾、林口墓地发掘简报……764
重庆丰都县迎宾大道古墓发掘简报……763
重庆云阳马沱墓地汉墓发掘简报……757

重庆云阳旧县坪台基建筑发掘简报 …… 760
重庆市大渡口区大树林汉墓发掘简报 …… 767
重庆市云阳县佘家嘴发现一座西汉土坑墓 …… 758
重庆市水泥厂东汉岩墓 …… 749
重庆市长丘、青杠堡、下坝墓地发掘简报 …… 759
重庆市发现西汉陶井圈 …… 746
重庆市江北玉带山出土汉代陶俑 …… 753
重庆市江津区烟墩岗汉代砖室墓发掘简报 …… 766
重庆市奉节县毛狗堆遗址第一次发掘简报 …… 755
重庆市枣子岚垭汉墓清理简报 …… 750
重庆市忠县将军村墓群汉墓的清理 …… 762
重庆市南岸区的两座西汉土坑墓 …… 745
重庆市临江支路西汉墓 …… 748
重庆市黄花园发现西汉墓 …… 747
重庆市涪陵区北岩 M4 发掘简报 …… 763
重庆市潼南县下庙儿遗址汉墓发掘简报 …… 765
重庆合川市南屏东汉墓葬群发掘简报 …… 755
重庆江北陈家馆西汉石坑墓 …… 748
重庆巫山土城坡墓地 Ⅲ 区东汉墓葬发掘报告 …… 761
重庆巫山麦沱汉墓群发掘报告 …… 753
重庆奉节县周家坪墓地发掘简报 …… 757
重庆奉节赵家湾东汉墓发掘简报 …… 762
重庆忠县两汉墓葬 …… 766
重庆涪陵点易墓地汉墓发掘简报 …… 764
重庆璧山县棺山坡东汉崖墓群 …… 765
保定东壁阳城调查 …… 82
信阳毛集古矿冶遗址调查简报 …… 577
禹县东十里村东汉画像石墓发掘简报 …… 508
剑川鳌凤山古墓发掘报告 …… 890
剑阁县演圣镇截山村崖墓发掘简报 …… 806
剑阁青树村汉墓清理简报 …… 805
勉县出土“大泉五十”铜钱母范 …… 1029
勉县出土稻田养鱼模型 …… 1027
饶家坝遗址发掘简报 …… 1047
闽北建瓯和建阳新石器时代遗址调查 …… 286
洛川发现“契刀五百”钱范 …… 1023
洛阳一座东汉墓 …… 432
洛阳又发现一批西汉空心画像砖 …… 453
洛阳王城公园东汉墓 …… 472
洛阳五女冢 267 号新莽墓发掘简报 …… 458
洛阳五女冢新莽墓发掘简报 …… 456
洛阳火车站西汉墓（IM1779）发掘简报 …… 466

洛阳尹屯新莽壁画墓……469
洛阳东汉光和二年王当墓发掘简报……437
洛阳东关东汉殉人墓……435
洛阳东关夹马营路东汉墓……443
洛阳北邙45号空心砖汉墓……454
洛阳北邙飞机场903号汉墓……461
洛阳北郊C8M574西汉墓发掘简报……464
洛阳市东郊东汉“对开式”砖瓦窑的清理……444
洛阳市西南郊东汉墓发掘简报……456
洛阳市朱村东汉壁画墓发掘简报……450
洛阳市南昌路东汉墓发掘简报……445
洛阳市南昌路东汉墓发掘简报……457
洛阳邙山战国西汉墓发掘报告……462
洛阳汉河南县城陶排水管道发掘简报……471
洛阳出土一批汉代壁画空心砖……467
洛阳出土西汉金银错铜鼎……437
洛阳发现西汉有铭铜鍪……474
洛阳发掘的四座东汉玉衣墓……462
洛阳吉利区东汉墓发掘简报……463
洛阳吉利区汉墓（C9M2365）发掘简报……466
洛阳吉利区汉墓（C9M2367）发掘简报……466
洛阳吉利区汉墓（C9M2441）发掘简报……476
洛阳吉利发现西汉冶铁工匠墓葬……439
洛阳老城西北郊81号汉墓……433
洛阳机车工厂东汉壁画墓……448
洛阳西工东汉壁画墓……439
洛阳西汉卜千秋壁画墓发掘简报……436
洛阳西汉石椁墓……442
洛阳西汉张就墓发掘简报……469
洛阳西汉墓发掘简报……441
洛阳西汉壁画墓发掘报告……434
洛阳西郊汉墓发掘报告……433
洛阳李屯东汉元嘉二年墓发掘简报……460
洛阳邮电局372号西汉墓……454
洛阳近年出土的汉石经……446
洛阳辛店东汉墓发现“匈奴归汉君”铜印……465
洛阳苗南新村528号汉墓发掘简报……455
洛阳金谷园小学IM1254西汉墓发掘简报……462
洛阳金谷园车站11号汉墓发掘简报……440
洛阳金谷园东汉墓（IM337）发掘简报……450
洛阳金谷园西汉墓发掘简报……446
洛阳周山路石椁墓……458

洛阳浅井头西汉壁画墓发掘简报……452
洛阳孟津汉墓发掘简报……455
洛阳孟津朱仓东汉帝陵陵园遗址……478
洛阳孟津朱仓东汉墓园遗址……479
洛阳春都花园小区西汉墓（IM2354）发掘简报……472
洛阳轴承厂汉代砖瓦窑场遗址……457
洛阳高新技术开发区西汉墓（GM646）……468
洛阳唐寺门两座汉墓发掘简报……443
洛阳烧沟西 14 号汉墓发掘简报……441
洛阳烧沟清理西汉墓葬……431
洛阳涧西七里河东汉墓发掘简报……436
洛阳涧西西汉钱币窖藏……463
洛阳涧滨东汉黄肠石墓……452
洛阳偃师县新莽壁画墓清理简报……449
洛阳道北西汉墓出土一件博局纹铜镜……461
洛阳新发现一件西汉有铭铜鼎……465
洛阳新发现一组汉代壁画砖……476
洛阳新安县铁塔山汉墓发掘报告……464
济南无影山发现西汉乐舞杂技俑群……306
济南无影山发现陶棺葬……306
济南市长清区大觉寺村一、二号汉墓清理简报……314
济南市北毕村汉代画像石墓……317
济南市闵子骞祠堂东汉墓……315
济南市腊山汉墓发掘简报……312
济源泗涧沟三座汉墓的发掘……587
济源新出土一件斗犬俑……591
神木县出土一件铜彩绘鹅鱼灯……1034
神木县瑶镇汉代建筑遗址调查记……1036
神农架大坪东汉墓清理简报……647
神农架松柏东汉墓清理简报……647

十画

泰安旧县村发现汉魏窖藏……377
泰安县大汶口发现一座汉画像石墓……375
秦始皇陵园汉墓清理简报……946
秦都咸阳汉墓清理简报……993
珙县西汉土坑墓……816
盐源发现汉代石室墓……852
都江堰又出土一躯汉代石像……772
都江堰出土东汉李冰石像……771
莱阳古城发现汉代铜钱范……336
晋宁石寨山出土有关奴隶社会的文物……871

晋南曲沃苏村汉墓……106
桐柏县安棚画像石墓……546
特克斯县出土的古代铜器……117
息县发现一枚汉代官印……577
郫县出土东汉铜器……774
郫县发现东汉铜量……777
徐州石桥汉墓清理报告……183
徐州东甸子西汉墓……197
徐州北洞山西汉墓发掘简报……186
徐州市东郊陶楼汉墓清理简报……188
徐州市韩山东汉墓发掘简报……187
徐州出土四川铸造汉代钢剑……186
徐州发现一批散存汉画像石……191
徐州发现东汉元和三年画像石……187
徐州发现东汉画像石……190
徐州发现东汉建初二年五十湅钢剑……181
徐州西汉宛朐侯刘埶墓……193
徐州后楼山西汉墓发掘报告……188
徐州青山泉白集东汉画像石墓……182
徐州拖龙山五座西汉墓的发掘……207
徐州狮子山西汉楚王陵发掘简报……196
徐州贾汪古墓清理简报……178
徐州郭庄汉墓……189
徐州黄山陇发现汉代壁画墓……178
徐州韩山西汉墓……194
徐州新发现一批散存画像石……202
徐州碧螺山五号西汉墓……199
翁牛特旗发现两汉铜牌饰……120
亳县凤凰台一号汉墓清理简报……282
唐河汉郁平大尹冯君孺人画像石墓……526
唐河县电厂汉画像石墓……531
唐河县针织厂二号汉画像石墓……535
唐河县湖阳镇汉画像石墓清理简报……534
唐河县新店发现一座有纪年的汉画像石墓……526
唐河针织厂汉画像石墓的发掘……525
资阳东汉墓出土铜俑等文物……835
资阳市雁江区狮子山崖墓 M2 清理简报……839
凉山州西昌市东坪遗址第二次发掘简报……854
旅顺李家沟西汉贝墓……132
烟台市区发现殉鹿汉墓……336
浙江上虞县发现的东汉瓷窑址……251
浙江上虞蒿坝东汉永初三年墓……251

浙江义乌发现西汉墓……253
浙江长兴县出土一件有刻度的铜弩机……248
浙江龙游县东华山汉墓……254
浙江宁波汉代瓷窑调查……245
浙江宁波汉代窑址的勘察……246
浙江安吉县上马山西汉墓的发掘……249
浙江安吉县上马山第49号墩汉墓……250
浙江武义东汉墓……253
浙江绍兴市发现东汉窖藏……253
浙江省金华马铺岭汉墓……254
浙江海宁东汉画像石墓发掘简报……247
浙江象山县清理一座东汉墓……246
浙江湖州市方家山第三号墩汉墓……249
浙江温岭市塘山西汉东瓯贵族墓……255
浙江慈溪发现东汉墓……245
浙江嘉兴九里汇东汉墓……248
浦城县发现汉邀邑漕仓遗址……1020
酒泉下河清第1号墓和第18号墓发掘简报……1072
海州西汉霍贺墓清理简报……214
海南岛发现汉代铜釜……742
海南陵水县发现印纹硬陶……743
浚县出土东汉陶鞋……491
浚县贾胡庄东汉画像石墓……491
通江铁溪乡天井村窖藏铜器……835
通榆县兴隆山鲜卑墓清理简报……157
绥德发现一件铜炼式提梁烘炉……1036
绥德呜咽泉村画像石墓……1038
绥德辛店发现的两座画像石墓……1038
绥德寨山发现汉画像石墓……1039

十一画

理县发现汉代钱币窖藏……840
理县桃坪大石墓调查简报……841
黄山宫遗址出土罕见的踏步砖……1006
黄陵县上畛子汉墓清理简报……1021
营城子贝墓……131
龚家湾一号墓葬清理简报……994
常州发现西汉墓……212
崇安汉城北岗一号建筑遗址……288
崇安汉城北岗二号建筑遗址……290
崇安城村汉城探掘简报……286
崇阳县台山乡出土东汉墓葬器物……642

铜山小龟山西汉崖洞墓……180
铜山龟山二号西汉崖洞墓……184
铜铸“货布”母范……984
铜铸“货泉”母范……984
偃师白草坡东汉帝陵陵园遗址……475
偃师市高崖村东汉墓（陵）冢钻探、试掘简报……473
偃师县南蔡庄乡汉肥致墓发掘简报……448
偃师阎楼东汉陪葬墓园……475
商水县新安故城发现“货泉”铜范母……582
商丘市出土的西汉梁国农具……572
商州市东龙山汉墓……1053
商州陈塬汉墓清理简报……1054
商南富水出土汉代“亭阙”画像砖……1052
商洛市东郊汉墓清理简报……1054
清江发现东汉青盖神兽镜……301
清涧出土战国封泥筒……1037
淅川县下寺汉画像砖墓……532
淅川县程凹西汉墓发掘简报……537
淅川馆藏一件东汉陶水榭……528
淮阳于庄汉墓发掘简报……579
淮南市下陈村发现一座东汉墓……259
淮南市出土战国西汉文物……261
淳化县固贤村出土谷口宫铜鼎……990
涪陵市出土汉代钱币窖藏……752
涪陵县易家坝西汉墓发掘简报……749
深圳市南头红花园汉墓发掘简报……706
密县打虎亭汉代画像石墓和壁画墓……407
密县后士郭汉画像石墓发掘报告……415
随州市孔家坡墓地 M8 发掘简报……645
随州安居镇汉墓……643
绵阳“天浩公寓”工地发掘简报……802
绵阳市公安干校发现的汉墓……798
绵阳市出土的汉代说唱俑……795
绵阳市吴家汉代崖墓清理简报……799
绵阳永兴双包山二号西汉木椁墓发掘简报……800
绵阳杨家镇汉代崖墓清理简报……795

十二画

彭山县岩墓发现的画像砖……824
韩城市东汉墓清理简报……1018
韩城芝川镇汉代冶铁遗址调查简报……1017
朝阳十二台营子附近的汉墓……150

惠民县徒骇河汉代墓葬 402
辉县地方铁路饭店工地汉墓发掘简报 493
黑龙江方正于家屯汉代遗址发掘简报 160
黑龙江东宁大城子新石器时代居住址 164
黑龙江宁安沙兰热水坑熔岩石穴遗址调查 165
黑龙江庆安县出土玉器、石器 167
黑龙江省双鸭山市滚兔岭遗址发掘报告 162
黑龙江省阿城市出土青铜短剑 159
黑龙江省佳木斯市、桦南县汉魏时期遗址调查简报 163
黑龙江省依兰县桥南遗址发掘及相关问题 160
黑龙江省绥滨县四十连遗址发掘报告 161
黑龙江省集贤县等地发现大批汉魏时期遗址 162
黑龙江省富锦市富珍遗址调查与试掘简报 164
黑龙江省肇东县哈土岗子遗址试掘简报 166
黑龙江省穆棱市四方台遗址调查简报 166
黑龙江海林市东兴遗址发掘简报 165
集安市太王镇新红村高句丽积石墓群发掘简报 156
集安县上、下活龙村高句丽古墓清理简报 154
焦作白庄 41 号汉墓发掘简报 485
焦作汉墓出土“山阳”铭文陶器 485
焦作出土汉代窖藏铜钱 484
焦作武陟冯村汉墓 M2 发掘简报 488
粤北南雄发现汉墓 708
鄗阳城址初步考察 297
敦煌马圈湾汉代烽燧遗址发掘简报 1075
敦煌甜水井汉代遗址的调查 1073
湖北云梦西汉墓发掘简报 634
湖北云梦睡虎地 M77 发掘简报 637
湖北云梦瘌痢墩一号墓清理简报 635
湖北老河口市出土汉代空心画像砖 602
湖北老河口市柴店岗两汉墓葬 608
湖北当阳市郑家大坡东汉画像石墓 629
湖北当阳半月东汉墓发掘简报 628
湖北竹山县博物馆收藏的一件西汉金带扣 612
湖北江陵凤凰山一六八号汉墓发掘简报 614
湖北江陵凤凰山西汉墓发掘简报 613
湖北谷城马铃沟东汉砖室墓发掘简报 601
湖北沔阳出土的汉代铜镜 646
湖北沙市李家台遗址发掘简报 621
湖北枝江县出土王莽时期铜砝码 624
湖北枣阳市沙河南岸汉墓的清理 607
湖北宜都刘家老屋六号汉墓 627

湖北宜都县刘家屋场东汉墓……626
湖北宜都陆城发现一座东汉墓……627
湖北荆门十里铺土公台西汉墓发掘简报……633
湖北荆门子陵岗遗址调查……632
湖北荆州纪南松柏汉墓发掘简报……622
湖北荆州高台墓地 M46 发掘简报……623
湖北荆州谢家桥一号汉墓发掘简报……623
湖北荆沙市瓦坟园西汉墓发掘简报……621
湖北省大冶市草王嘴城西汉城址调查简报……597
湖北省巴东县孔包汉墓发掘报告……646
湖北省老河口市北岗东汉墓发掘简报……608
湖北郧西县老观庙汉墓的清理……612
湖北郧县上宝盖遗址 2010 年发掘简报……613
湖北郧县砖瓦厂的两座东汉墓……611
湖北黄冈市对面墩东汉墓地发掘简报……641
湖北黄州太平寺西汉墓发掘……637
湖北黄州汪家冲西汉墓葬……638
湖北鄂城发现古井……633
湖北鄂城县新庙瓦窑嘴窑址调查……634
湖北随州东城区东汉墓发掘报告……643
湖北随州市义地岗东汉墓清理报告……644
湖北随州市城北西汉墓……643
湖北随州西城区东汉墓发掘报告……644
湖北随县塔儿塆古城岗发现汉墓……642
湖北蕲春县对面山西汉墓……640
湖北蕲春县陈家大地西汉墓……639
湖北蕲春县枫树林汉代水井的清理……641
湖北蕲春茅草山西汉墓……638
湖北蕲春枫树林东汉墓……640
湖北襄阳余岗墓地 M714 发掘简报……610
湖北襄阳擂鼓台一号墓发掘简报……599
湖北襄樊市区东汉墓发掘简报……600
湖北襄樊市毛纺厂汉墓清理简报……604
湖北襄樊市两座东汉墓发掘……600
湖北襄樊市岘山汉墓清理简报……603
湖北襄樊出土一件东汉铜镜……599
湖南大庸东汉砖室墓……681
湖南长沙五一广场东汉简牍发掘简报……661
湖南长沙风盘岭汉墓发掘简报……660
湖南长沙咸嘉湖扇子山畜俑坑……657
湖南长沙望城坡西汉渔阳墓发掘简报……659
湖南石门出土窖藏青铜器錞于……677

湖南石门县出土窖藏錞于……677
湖南永州市鹞子山西汉“刘彊”墓……690
湖南永州市鹞子岭二号西汉墓……691
湖南耒阳发现两件东汉铜镜……668
湖南西汉墓中出土陶龟、鳖……686
湖南汝城县、郴县发现一批古代青铜器……687
湖南祁阳县出土汉代窖藏钱币……689
湖南祁阳县发现汉代铜镜……690
湖南攸县发现西汉五铢钱铜范……665
湖南沅陵发现一件錞于……691
湖南怀化西汉墓……692
湖南邵东县冷水村发现一座东汉墓……673
湖南邵东县廉桥东汉墓的发掘……674
湖南邵阳市城步花桥乡发现一座东汉墓……673
湖南茶陵县濂溪汉墓的发掘……665
湖南南岳万福村东汉墓……669
湖南保靖粟家坨西汉墓发掘简报……693
湖南津市新洲镇清理两座东汉墓……676
湖南郴州飞机坪西汉墓发掘简报……688
湖南郴州市郊东汉墓发掘简报……684
湖南郴州汉墓清理简报……685
湖南郴州清理一座新莽时期墓葬……686
湖南桃源大池塘东汉铜器……675
湖南桃源县出土一批东汉铜器……677
湖南资兴东汉墓……685
湖南资兴西汉墓……687
湖南资兴新莽墓中发现大布黄千铁钱……684
湖南益阳市郊发现汉墓……683
湖南桑植朱家台汉代铁器铸造作坊遗址发掘报告……682
湖南桑植朱家台西汉墓……682
湖南常德市东汉砖窑遗址……678
湖南常德市芦山乡发现一座东汉墓……679
湖南常德市城区发现汉代砖窑……678
湖南常德市南坪东汉墓……680
湖南常德市南坪汉代土墩墓群的发掘……681
湖南常德县清理西汉墓葬……676
湖南常德南坪“汉寿左尉”墓清理简报……680
湖南常德南坪东汉“酉阳长”墓……675
湖南望城风篷岭汉墓发掘简报……659
湖南湘乡可心亭赵家山西汉墓……666
湖南零陵出土的东汉砖墓……689
湖南零陵李家园发现新莽墓……689

湖南新宁县出土汉代窖藏铜钱……672
湖南衡阳市凤凰山汉墓发掘简报……669
湖南衡阳市玄碧塘西汉墓清理简报……671
湖南衡阳市兴隆村两座东汉砖室墓……672
湖南衡阳市郊新安乡东汉墓……670
湖南衡阳县赤石天门山西汉墓发掘简报……671
湖南衡阳县道子坪东汉墓发掘简报……667
湖南衡阳荆田村发现东汉墓……669
湖南衡阳豪头山发现东汉永元十四年墓……667
湘乡西郊发现东汉墓……666
温州发现西汉晚期铜镜……247
温江县出土汉代石墓门画像……779
温县发现汉代铁暖炉……483
渭南市田市镇出土汉代铁器……1017
登封发现一方汉代官印……418

十三画

蓝田县焦岱镇出土的一批汉代瓦当……910
蒲城县出土汉代玉雕水牛……1014
楼兰城郊古墓群发掘简报……1105
虞城王集西汉墓……566
简阳县鬼头山发现榜题画像石棺……836
简阳黄泥坪汉墓清理简报……836
新乡火电厂汉墓群出土九件铁制容器……496
新乡北站区前郭柳村汉代窑址发掘……494
新乡市发现汉代铜印……492
新乡西环路东汉封土墓发掘简报……501
新郑山水寨汉墓发掘简报……415
新郑山水寨沟汉画像砖墓……417
新郑出土的一件汉代铜甗……423
新郑县东城路古墓群发掘报告……416
新洲城关近郊东汉合葬墓……593
新津县出土两县汉代画像石棺……779
新都马家山 22 号墓清理简报……777
新都县发现汉代纪年砖画像砖墓……778
新野县前高庙村汉画像石墓……534
新野樊集汉画像砖墓……538
新疆木垒出土古铁犁……1107
新疆巴里坤县东黑沟遗址 2006 ~ 2007 年发掘简报……1103
新疆民丰县北大沙漠中古遗址墓葬区东汉合葬墓清理简报……1104
新疆托克逊县英亚依拉克古墓群调查……1099
新疆吐鲁番艾丁湖古墓葬……1099

新疆吐鲁番市胜金店墓地发掘简报……1102
新疆吐鲁番胜金店墓地 2 号墓发掘简报……1101
新疆阿勒泰地区古墓葬发掘简报……1110
新疆和田县买力克阿瓦提遗址的调查和试掘……1104
新疆和静县察吾乎沟口三号墓地发掘简报……1106
新疆尉犁县营盘墓地 15 号墓发掘简报……1106
新疆新源巩乃斯种羊场石棺墓……1108
新疆新源县七十一团一连鱼塘遗址发掘简报……1109
新疆新源县别斯托别墓地 2010 年的发掘……1109
满城汉墓出土的错金银鸟虫书铜壶……84
福建连江发掘西汉独木舟……284
福建武平新石器时代遗址调查报告……291
福建武夷山市城村西汉窑址发掘简报……290
福建建阳平山汉代遗址调查……287
福建建阳县邵口垧汉代遗址……287
福建晋江流域丰州地区考古调查……285
福建崇安汉代城址出土的建筑材料……289
福建崇安城村汉代城址出土的铁农具……288
福建崇安城村汉城遗址试掘……285

十四画

叆河尖古城和汉安平瓦当……140
嘉定县发现一座汉墓……168
嘉峪关汉画像砖墓……1056
嘉祥五老洼发现一批汉画像石……357
嘉祥发现的东汉范氏墓……355
赫章可乐发掘报告……865
谭家乡汉代金饼整理报告……936

十五画及以上

德阳市发现汉代古城遗址……790
潜山县发现东汉铜尺……264
潼关吊桥汉代杨氏墓群发掘简记……1012
衡阳市苗圃五马归槽茅坪古墓发掘简报……668
襄阳出土汉绿釉陶楼……599
襄阳竹条汉代墓葬、窑址发掘……605
襄城县出土一面汉代铜镜……510
襄城县出土新莽天凤四年铜钲……507
襄樊长虹南路汉墓清理简报……605
襄樊市真武山西汉墓葬……601
襄樊团山卞营墓地第二次发掘……606
襄樊彭岗汉墓群发掘简报……607

璧山出土汉代石棺 …… 751
耀县发现汉代巨型铁釜和铸造遗址 …… 962
蠡县汉墓发掘记要 …… 86
麟游县发现汉代铜量和钱范 …… 972

魏晋南北朝卷

考古详报书名首字索引

一、本索引包括本卷上编所收考古详报；

二、本索引依考古详报首字笔画为序；

三、每一条目后的数字，为该考古详报在本卷中的页数。

三画

大同云冈石窟寺记……5
大同南郊北魏墓群……7
大同雁北师院北魏墓群……7
马鞍山六朝墓葬发掘与研究……16

四画

太原圹坡北齐张肃墓文物图录……5
中国北周珍贵文物：北周墓葬发掘报告……23
内蒙古地区鲜卑墓葬的发现与研究……10
水帘洞石窟群……27
六朝陵墓调查报告……13
邓县彩色画像砖墓……18
双林寺考古记……14

五画

北齐东安王娄睿墓……6
北齐徐显秀墓……9
北齐崔芬壁画墓……17
北周田弘墓……29
北周史君墓……24
北响堂石窟刻经洞：南区 1、2、3 号窟考古报告……4
北燕冯素弗墓……11
北魏洛阳永宁寺……19
北魏洛阳永宁寺 1979 ~ 1994 年考古发掘报告……18
宁夏固原北周宇文猛墓……30

六画

西安北周安伽墓……23
安阳北朝墓葬……19

七画

余杭小横山东晋南朝墓……15

八画

武威天梯山石窟……27
定兴县北齐石柱……3

九画

咸阳十六国墓……24

十画

海宁智标塔……14

十一画

曹操高陵考古发现与研究……19
鄂城六朝墓……21
梁代陵墓考……12

十二画

朝阳北塔：考古发掘与维修工程报告……11
敦煌祁家湾——西晋十六国墓葬发掘报告……26
敦煌佛爷庙湾：西晋画像砖墓……27

十四画

嘉峪关壁画墓发掘报告……26
磁县湾漳北朝壁画墓……3

考古简报篇名首字索引

一、本索引包括本卷下编所收考古简报；

二、本索引依考古简报首字笔画为序；

三、每一条目后的数字，为该考古简报在本卷中的页数。

一画

1976 年集安洞沟高句丽墓清理 …… 145
2004 年度学院石台子山城高句丽墓葬发掘简报 …… 119
2008 年集安市国内城社区办公楼地点高句丽居住址的发掘 …… 150

三画

三台老马乡和里程乡出土的两晋南北朝文物 …… 502
三峡库区发现六朝大墓 …… 443
三峡库区宝塔河遗址六朝墓葬发掘简报 …… 457
三峡库区秭归小厶姑沱六朝墓清理简报 …… 444
大代鎏金铜造像 …… 36
大同方山北魏永固陵 …… 78
大同东郊北魏元淑墓 …… 80
大同北魏方山思远佛寺遗址发掘报告 …… 89
大同北魏司马金龙墓 …… 76
大同市小站村花圪塔台北魏墓清理简报 …… 79
大同市北魏宋绍祖墓发掘简报 …… 81
大同市郊出土北魏石雕方砚 …… 78
大同市博物馆藏三件北魏石造像 …… 84
大同南郊北魏遗址 …… 77
大同南郊北魏墓群发掘简报 …… 81
大同智家堡北魏墓石椁壁画 …… 82
大同智家堡北魏墓棺板画 …… 84
大同湖东北魏一号墓 …… 85
大同操场城北魏建筑遗址发掘报告 …… 86
大余县出土西晋龙首凤尾青铜镳斗 …… 297
大冶瓦窑塘村南朝墓清理简报 …… 429
大冶市六朝墓清理简报 …… 429
大冶河口镇六朝早期墓 …… 429
大理市荷花寺村西晋墓清理简报 …… 513
山东无棣出土北齐造像 …… 340
山东巨野石佛寺北齐造像刊经碑 …… 343
山东龙口市东梧桐晋墓发掘简报 …… 319
山东平原出土北齐天保七年石造像 …… 338
山东东平洪顶山摩崖刻经考察 …… 334
山东东阿县鱼山曹植墓发现一铭文砖 …… 338
山东乐陵县出土北齐墓志 …… 337
山东阳谷县关庄出土北朝造像碑 …… 339
山东阳信县征集一件东魏佛像 …… 341
山东牟平发现十六国时期文物 …… 318
山东寿光北魏贾思伯墓 …… 322

山东苍山元嘉元年画像石墓……335
山东苍山县晋墓……335
山东邹县发现的北朝铜佛造像……331
山东邹城西晋刘宝墓……332
山东青州出土北朝石刻造像……329
山东青州出土两件北朝彩绘石造像……325
山东青州发现北魏彩绘造像……324
山东枣庄市出土石印母及铜官印……316
山东昌邑保垓寺故址出土石造像……326
山东峄县发现平东将军金印……315
山东兖州金口坝出土南北朝石人……332
山东临沂金雀山画像砖墓……336
山东临沂洗砚池晋墓……337
山东临沭县发现青铜器……336
山东临朐北齐崔芬壁画墓……327
山东临朐北朝画像石墓……328
山东临朐白龙寺遗址发掘简报……329
山东临朐西晋、刘宋纪年墓……327
山东省东阿县曹植墓的发掘……339
山东省诸城县西晋墓清理简报……320
山东省博兴县出土一批北朝造像……340
山东诸城市丁家花园发现北周石莲座……326
山东诸城出土北朝铜造像……321
山东诸城发现北朝造像……321
山东诸城佛教石造像……323
山东章丘市发现东魏石造像……312
山东淄博市发现北魏傅竖眼墓志……315
山东博兴县出土北朝造像等佛教遗物……341
山东惠民出土一批北朝佛教造像……342
山东滕州市三国时期的画像石墓……318
山东滕州市西晋元康九年墓……317
山东滕县出土两批铜印……316
山西大同七里村北魏墓群发掘简报……87
山西大同下深井北魏墓发掘简报……84
山西大同云波里路北魏壁画墓发掘简报……90
山西大同文瀛路北魏壁画墓发掘简报……92
山西大同石家寨北魏司马金龙墓……77
山西大同北魏西册田制陶遗址调查简报……89
山西大同市大同县陈庄北魏墓发掘简报……91
山西大同市北魏平城明堂遗址 1995 年的发掘……83
山西大同阳高北魏尉迟定州墓发掘简报……91
山西大同县湖东北魏墓（M11）发掘简报……92

山西大同迎宾大道北魏墓群……88
山西大同沙岭北魏壁画墓发掘简报……87
山西大同沙岭新村北魏墓地发掘简报……93
山西大同南郊区田村北魏墓发掘简报……90
山西大同南郊出土北魏鎏金铜器……79
山西长治市故县村出土一批西晋器物……102
山西左权石佛寺石窟与“高欢云洞”石窟……99
山西平定开河寺石窟……95
山西曲沃县秦村发现的北魏墓……105
山西祁县白圭北齐韩裔墓……96
山西运城十里铺砖墓清理简报……106
山西运城发现北周刻石题记……107
山西运城柏口窑出土佛道造像碑……106
山西沁县南涅水的北魏石刻造像……101
山西怀仁北魏丹扬王墓及花纹砖……94
山西灵丘县发现北魏“南巡御射碑”……80
山西昔阳石马寺石窟及摩崖造像……100
山西昔阳出土一批北朝石造像……98
山西垣曲县宋村发现西魏造像基座……107
山西省武乡县党城村出土七件北朝铜造像……102
山西高平石堂会石窟……104
山西高平羊头山石窟调查报告……103
山西朔州水泉梁北齐壁画墓发掘简报……94
山西榆社石窟寺调查……100
山西榆社县发现北魏画像石棺……98
山西襄汾出土东魏天平二年裴良墓志……105
广东曲江东晋、南朝墓简报……470
广东罗定县鹤咀山南朝墓……479
广东乳源县虎头岭南朝墓清理简报……470
广东始兴发现南朝买地券……471
广东始兴县发现一座晋墓……473
广东始兴县老虎岭古墓清理简报……471
广东始兴县南朝墓清理简报……472
广东始兴县清理两座晋墓……472
广东始兴县缫丝厂东晋南朝墓的发掘……473
广东深圳宝安南朝墓发掘简报……469
广东遂溪县发现南朝窖藏金银器……476
广东新兴县南朝墓……478
广东韶关东岗岭墓地 M1 发掘简报……474
广东肇庆四会市六朝墓葬发掘简报……476
广东肇庆市康乐中路 M8 发掘报告……477
广东鹤山市大冈发现东晋南朝墓……475

广东鹤山市雅瑶东晋墓……………………………………………………………………………475
广西永福县寿城南朝墓……………………………………………………………………………484
广西出土的六朝青瓷……………………………………………………………………………480
广西壮族自治区梧州市富民坊南朝墓………………………………………………………………486
广西壮族自治区融安县南朝墓……………………………………………………………………481
广西苍梧倒水南朝墓……………………………………………………………………………487
广西钟山县发现一座西晋纪年墓…………………………………………………………………488
广西钟山县西门岭发现六朝墓……………………………………………………………………489
广西贺县两座东吴墓……………………………………………………………………………487
广西恭城县黄岭大湾地南朝墓……………………………………………………………………485
广西恭城新街长茶地南朝墓………………………………………………………………………483
广西梧州市晋代砖室墓……………………………………………………………………………485
广西融安安宁南朝墓发掘简报……………………………………………………………………482
广西藤县跑马坪发现南朝墓………………………………………………………………………486
广州市下塘狮带岗晋墓发掘简报…………………………………………………………………468
广州沙河顶西晋墓………………………………………………………………………………467
广州沙河镇狮子岗晋墓……………………………………………………………………………467
广州南越国宫署遗址东晋南朝的铁甲和皮甲………………………………………………………468
广昌一座南朝墓出土辟雍砚及花纹砖………………………………………………………………307
马鞍山市马钢二钢厂东晋谢沈家族墓群发掘简报…………………………………………………269

四画

天门赵家岭三座残墓的清理………………………………………………………………………458
无锡赤墩里东晋墓………………………………………………………………………………216
韦孝宽墓志………………………………………………………………………………………518
云南大理市喜洲镇发现两座西晋纪年墓……………………………………………………………514
云南省昭通后海子东晋壁画墓清理简报……………………………………………………………512
扎马钉……………………………………………………………………………………………551
太原开化村北齐洞室墓发掘简报……………………………………………………………………75
太原北齐狄湛墓…………………………………………………………………………………71
太原北齐库狄业墓………………………………………………………………………………73
太原北齐张海翼墓………………………………………………………………………………74
太原北齐贺拔昌墓………………………………………………………………………………72
太原北齐徐显秀墓发掘简报………………………………………………………………………73
太原市北齐娄叡墓发掘简报………………………………………………………………………69
太原市尖草坪西晋墓……………………………………………………………………………71
太原市南郊清理北齐墓葬一座……………………………………………………………………69
太原市晋阳古城遗址出土北朝汉白玉石造像…………………………………………………………70
太原西南郊北齐洞室墓……………………………………………………………………………75
太原南郊北齐壁画墓……………………………………………………………………………70
太康县发现东魏造像碑……………………………………………………………………………420
内蒙古乌审旗郭家梁大夏国田煛墓…………………………………………………………………115

内蒙古乌审旗郭家梁村北魏墓葬发掘简报……115
内蒙古巴林左旗南杨家营子的遗址和墓葬……112
内蒙古白灵淖城圐圙北魏古城遗址调查与试掘……110
内蒙古包头市北魏姚齐姬墓……112
内蒙古伊盟准格尔旗石子湾古城调查……113
内蒙古兴和县叭沟村鲜卑时期墓葬……117
内蒙古陈巴尔虎旗完工索木发现古墓葬……116
内蒙古呼和浩特北魏墓……108
内蒙古呼和浩特美岱村北魏墓……108
内蒙古和林格尔西沟子村北魏墓……109
内蒙古科左中旗六家子鲜卑墓群……113
内蒙古凉城县小坝子滩金银器窖藏……118
内蒙古商都县发现北魏窖藏……117
长安县北朝墓葬清理简报……518
长沙市新港晋墓的清理……460
长沙赤峰山 3、4 号墓……459
六朝武昌城试掘简报……428
孔望山出土北朝造像……223
巴县白市驿发现蜀汉砖室墓……492

五画

甘肃玉门金鸡梁十六国墓发掘简报……571
甘肃玉门官庄魏晋墓葬发掘简报……571
甘肃正宁县出土北周佛像……572
甘肃宁县出土北朝石造像……573
甘肃安西旱湖垴墓地、窑址发掘简报……569
甘肃张家川发现“大赵神平二年”墓……559
甘肃武山水帘洞石窟群……560
甘肃武威十六国墓葬清理记……563
甘肃武威出土一件魏晋时期彩画灰陶盆……561
甘肃武威发现北凉“临松令印”……563
甘肃武威旱滩坡出土前凉文物……562
甘肃武威南滩魏晋墓……561
甘肃泾川王母宫石窟调查报告……566
甘肃泾川南石窟调查报告……566
甘肃高台地埂坡晋墓发掘简报……565
甘肃高台县骆驼城墓葬的发掘……564
甘肃高台骆驼城画像砖墓调查……564
甘肃酒泉三坝湾魏晋墓葬发掘简报……570
甘肃酒泉西沟村魏晋墓发掘报告……569
甘肃酒泉孙家石滩魏晋墓发掘简报……570
甘南发现铁蹼足器……577

石子湾北魏古城的方位、文化遗存及其它……114
龙门路洞调查报告……376
平乐银山岭晋墓……483
东晋四蛙宾军官鼓介绍……227
东康原始社会遗址发掘报告……157
北齐王胜族造像碑……37
北齐库狄迴洛墓……97
北齐赵郡王高睿造像及相关文物遗存……44
北周王令猥造像碑……560
北周宇文俭墓清理发掘简报……542
北周武帝孝陵发掘简报……539
北周建德二年观音石像座……536
北周莫仁相、莫仁诞墓发掘简报……532
北周郭生墓发掘简报……546
北京王府仓北齐墓……36
北京北部山区的古长城遗址……38
北京市石景山区八角村魏晋墓……37
北京市顺义县大营村西晋墓葬发掘简报……36
北京西郊西晋王浚妻华芳墓清理简报……35
北票新发现的三燕马具……136
北魏正光六年张宝珠等造像……320
北魏正光四年翟兴祖等人造像碑……360
北魏汉化新窟——宾阳洞……355
北魏宁懋石室和墓志……356
北魏永宁寺塔基发掘简报……357
北魏刘贤墓志……130
北魏孝文帝长陵的调查和钻探
——“洛阳邙山陵墓群考古调查与勘测”项目工作报告……379
北魏洛阳外廓城和水道的勘查……368
北魏洛阳永宁寺西门遗址发掘纪要……372
北魏洛阳城内出土的瓷器与釉陶器……365
北魏宣武帝景陵发掘报告……367
北魏寇猛墓志……369
北魏董富妻郭氏墓……373
四川广元鞍子梁西晋崖墓的清理……503
四川江油出土三件有铭铜弩机……502
四川汶川出土的南朝佛教石造像……506
四川忠县涂井蜀汉崖墓……491
四川荥经县同心村巴蜀墓的清理……505
四川昭化宝轮镇南北朝时期的崖墓……503
四川崇庆县五道渠蜀汉墓……498
四川绵阳市园艺乡发现南朝墓……502

四川绵阳西山六朝崖墓……501
包头固阳县发现北魏墓群……110
汉川严家山发现西晋墓……452
汉中市崔家营西魏墓清理记……550
汉魏许都故城窖藏铜钱……416
汉魏洛阳城北魏建春门遗址的发掘……362
宁安县东康遗址第二次发掘记……158
宁波慈溪发现西晋纪年墓……238
宁夏固原北周李贤夫妇墓发掘简报……581
宁夏固原北魏墓清理简报……580
宁夏固原县出土的铜鍑……583
宁夏固原县发掘一座北周墓……583
宁夏彭阳红河乡出土一批石造像……582
宁夏彭阳县出土北魏负标墓志砖……583
记后魏邢伟墓出土物及邢蛮墓的发现……65
记新发现的嘉峪关毛庄子魏晋墓木板画……558
辽宁大连营城子石板墓发掘简报……120
辽宁本溪县小市中心街高句丽墓……122
辽宁本溪晋墓……121
辽宁北票仓粮窖鲜卑墓……132
辽宁北票县西官营子北燕冯素弗墓……127
辽宁北票房身村晋墓发掘简报……127
辽宁北票喇嘛洞墓地1998年发掘报告……136
辽宁辽阳南环街壁画墓……126
辽宁省喀左县博物馆收藏的几件北魏耘锄……134
辽宁朝阳田草沟晋墓……134
辽宁朝阳发现十六国时期后燕崔遹墓碑……128
辽宁朝阳发现北燕、北魏墓……130
辽宁朝阳后燕崔遹墓的发现……128
辽宁朝阳两晋十六国时期墓葬清理简报……131
辽宁朝阳袁台子北燕墓……133
辽宁锦州市前山十六国时期墓葬的清理……124
辽阳上王家村晋代壁画墓清理简报……125
辽阳市三道壕西晋墓清理简报……131
辽阳发现三座壁画墓……125

六画

吉林市龙潭山高句丽山城及其附近卫城调查报告……138
吉林省集安洞沟古墓群七星山墓区两座古墓的考察……147
吉林浑江永安遗址发掘报告……151
吉林集安五盔坟四号墓……145
吉林集安长川二号封土墓发掘纪要……143

吉林集安的两座高句丽墓……141
吉林集安新发现的高句丽碑……151
吉林辑安五盔坟四号和五号墓清理略记……139
吉林辑安通沟第十二号高句丽壁画墓……139
吉林辑安麻线沟一号壁画墓……140
老河口市芦营六朝窑址清理简报……432
巩县石窟寺新发现……351
扬州胥浦六朝墓……226
西安三国曹魏纪年墓清理简报……527
西安韦曲高望堆北朝墓发掘简报……530
西安东郊田王晋墓清理简报……517
西安北周凉州萨保史君墓发掘简报……524
西安北周康业墓发掘简报……527
西安北郊北周安伽墓发掘简报……521
西安北郊北朝墓清理简报……525
西安北郊出土北周白石观音造像……519
西安北郊出土北周佛造像……521
西安北郊出土北朝佛教造像……520
西安北郊晋唐墓葬发掘简报……523
西安市十六国至北朝时期长安城宫城遗址的钻探与试掘……528
西安市东郊出土北周佛立像……525
西安市北周史君石椁墓……523
西安出土一尊北周石雕佛像……519
西安发现的北周安伽墓……522
西安曲江雁南二路西晋墓发掘简报……530
西安南郊北魏北周墓发掘简报……528
西安南郊西晋墓发掘简报……526
西安南郊茅坡新城西晋墓清理简报……533
西安南郊草厂坡村北朝墓的发掘……516
西安南郊郭杜镇西晋墓发掘简报……532
西安南郊清理两座十六国墓葬……530
西安南郊清理两座小型北周墓……531
西安咸阳国际机场专用高速公路十六国墓发掘简报……545
西安航天城北朝墓发掘简报……533
西安窦寨村北周佛教石刻造像……529
西昌小花山出土的墓砖……507
西昌市西郊乡发现成汉墓……507
西晋苏华芝墓……378
西晋帝陵勘察记……359
成都东门大桥出土佛顶尊胜陀罗尼石经幢……499
成都市西安路南朝石刻造像清理简报……498
成都市商业街南朝石刻造像……499

当阳长坂坡一号墓发掘简报……440
吐鲁番北凉武宣王沮渠蒙逊夫人彭氏墓……585
华阴潼关出土北魏杨氏墓志考证……548
后晋兵部尚书任景述墓志考释……520
合肥市三国新城遗址的勘探和发掘……260
合肥出土三国城防器械……259
合肥西晋年砖墓……259
旬阳出土的独孤信多面体煤精组印……554
庄浪龙眼山摩崖造像……567
庆阳寺沟石窟"佛洞"介绍……572
关于匈奴印的资料……63
江宁县秣陵公社发现西晋太康四年墓……169
江西九江县发现六朝半洲城遗址……295
江西九江县发现六朝寻阳城址……295
江西九江黄土岭两座东晋墓……294
江西大余清理一座南朝宋纪年墓……298
江西丰城龙雾洲瓷窑调查……306
江西丰城发现东晋青瓷博山炉……306
江西宁都发现南朝梁墓……296
江西永丰出土一批青瓷器……301
江西吉水城郊2号西晋墓……302
江西吉安县南朝齐墓……302
江西会昌县东晋墓……299
江西安远发现南朝墓葬……298
江西抚州镇发现东晋墓……307
江西波阳西晋纪年墓……308
江西南昌东吴墓清理简记……289
江西南昌市东吴高荣墓的发掘……288
江西南昌市发现三座晋墓……290
江西南昌市郊吴永安六年墓……286
江西南昌市郊的两座晋墓……289
江西南昌市郊南朝墓发掘简报……286
江西南昌市南郊汉六朝墓清理简报……287
江西南昌县发现三国吴墓……291
江西南昌晋墓……287
江西南昌徐家坊六朝墓清理简报……287
江西南康市横寨乡发现南朝墓……300
江西修水发现南朝墓……294
江西高安清理一座南朝墓……305
江西清江经楼南朝纪年墓……305
江西清江南朝墓……304
江西清江洋湖晋墓和南朝墓……304

江西清江晋墓……303
江西瑞昌马头西晋墓……294
江西靖安虎山西晋、南朝墓……305
江西新干县西晋墓……302
江西新干金鸡岭晋墓南朝墓……301
江西赣县白鹭南朝墓……299
江西赣县南齐墓……297
江西赣县南朝宋墓……299
江西赣县南朝宋墓的清理……300
江安县黄龙乡魏晋石室墓……504
江苏丹阳县胡桥、建山两座南朝墓葬……231
江苏丹阳胡桥南朝大墓及砖刻壁画……229
江苏丹徒东晋窖藏铜钱……230
江苏六合瓜埠西晋墓清理简报……170
江苏六合南朝画像砖墓……187
江苏邗江发现两座南朝画像砖墓……225
江苏仪征三茅晋墓……225
江苏句容西晋元康四年墓……230
江苏句容县发现东吴铸钱遗物……231
江苏句容陈家村西晋南朝墓……228
江苏江宁东善桥南朝墓……171
江苏江宁出土一批西晋青瓷……170
江苏江宁县下坊村东晋墓的清理……190
江苏江宁县张家山西晋墓……177
江苏江宁官家山六朝早期墓……178
江苏吴县何山东晋墓……222
江苏吴县狮子山四号西晋墓……222
江苏金坛县方麓东吴墓……220
江苏泗阳打鼓墩樊氏画像石墓……235
江苏宜兴晋墓发掘报告——兼论出土的青瓷器……214
江苏宜兴晋墓的第二次发掘……215
江苏建湖县发现晋东海王墓……224
江苏南京邓府山吴墓和柳塘村西晋墓……184
江苏南京卡子门外六朝早期墓……184
江苏南京北郊郭家山五号墓清理简报……181
江苏南京仙鹤观东晋墓……194
江苏南京市五台山东晋墓出土玉璧……189
江苏南京市中华门外铁心桥出土南朝刘宋墓志……188
江苏南京市北郊郭家山东吴纪年墓……192
江苏南京市白龙山南朝墓……193
江苏南京市尧化镇六朝早期墓……191
江苏南京市江宁县下坊村发现东吴青瓷器……188

江苏南京市花神庙南朝墓发掘简报……189
江苏南京市板桥镇杨家山西晋双室墓……191
江苏南京市富贵山六朝墓地发掘简报……190
江苏南京郭家山八号墓清理简报……196
江苏泰州出土一组南朝青瓷器……234
江苏徐州市户部山青瓷窑址调查简报……217
江苏徐州市楚岳山庄北齐墓发掘简报……218
江苏徐州发现北齐铜造像……216
江苏徐州佛山画像石墓……218
江苏常州南郊画像、花纹砖墓……221
江苏梁太清二年窖藏铜器……232
江苏溧阳发现东晋墓志……219
江苏溧阳孙吴凤凰元年墓……219
江苏溧阳果园东晋墓……219
江苏镇江谏壁砖瓦厂东晋墓……234
江苏灌云发现东晋纪年砖……223
江夏流芳东吴墓清理发掘报告……427
江陵纪南城出土黄武元年弩……438
江陵黄山南朝墓……437
安阳北齐和绍隆夫妇合葬墓清理简报……408
安阳出土南北朝古钱窖藏……407
安阳孝民屯晋墓发掘报告……406
安康长岭出土的南朝演奏歌舞俑……556
安徽马鞍山上湖村东晋墓发掘简报……268
安徽马鞍山东吴朱然墓发掘简报……265
安徽马鞍山东晋墓清理……264
安徽马鞍山市佳山东吴墓清理简报……266
安徽马鞍山宋山东吴墓发掘简报……267
安徽马鞍山桃冲村三座晋墓清理简报……266
安徽当涂县刘山村发现一座东晋墓葬……267
安徽当涂青山六朝墓发掘简报……269
安徽全椒县卜集东吴砖室墓……270
安徽含山县道士观西晋墓地发掘简报……272
安徽青阳县清理一座西晋残墓……275
安徽和县西晋纪年墓……271
安徽肥西县发现吴太平元年神兽镜……260
安徽南陵县麻桥东吴墓……261
安徽省凤台县发现一座西晋墓……263
安徽亳州市发现一座曹操宗族墓……274
安徽亳县咸平寺发现北齐石刻造像碑……273
安徽淮南发现南朝墓……263
安徽繁昌发现三国吴将严圭铜洗……261

安徽繁昌顺风山林场南朝墓发掘简报……262
许都古城遗址出土四方官印……416
访均山青瓷古窑……214
苏州市五龙山发现晋代墓葬……221
邺南城出土的北朝铁甲胄……52
余姚西晋太康八年墓出土文物……240
应城市高庙南朝墓清理简报……453
应城杨岭新四砖瓦厂南朝墓……454
应城狮子山遗址试掘简报……453
沈阳市石台子高句丽山城2002年III区发掘简报……120
沁阳县西向发现北朝墓及画像石棺床……420

七画

阿城地区魏晋南北朝时期遗址……153

八画

武汉地区四座南朝纪年墓……422
武汉江夏龙泉南朝墓发掘报告……428
武汉黄陂滠口古墓清理简报……425
武当山玉虚宫教兵场内南北朝墓葬清理简报……436
武昌石牌岭南朝墓清理简报……424
武昌东北郊六朝墓清理……423
武昌东湖三宫殿梁墓清理简报……425
武昌莲溪寺东吴墓清理简报……422
武威出土的一批窖藏古币及“凉造新泉”……562
青州龙兴寺佛教造像窖藏清理简报……325
青岛工人积极保护历史文物……312
青海西宁市发现一座北朝墓……578
青海西宁波斯萨珊朝银币出土情况……578
杭州晋兴宁二年墓发掘简报……236
枣庄市出土梵文铜镜和北朝铜佛像……317
枣庄市近年发现的一批古代石人……316
固原县新集公社出土一批北魏佛教造像……581
兖州发现北齐造像记……332
郑州上街水厂晋墓发掘简报……350
郑州市发现两批北朝石刻造像……346
郑州出土一批北朝铜造像……347
郑州发现东魏造像碑……345
郑州发现北魏石刻……347
河北内邱出土北朝石神兽……60
河北内邱县出土一方官印……60
河北正定县出土前燕元玺四年刻字墓砖……43

河北平山北齐崔昂墓调查报告……40
河北北魏太和十一年铭石造像……67
河北邢台西晋墓发掘简报……61
河北曲阳发现北魏墓……62
河北迁安县发现北魏墓志……45
河北邺城南附近出土北朝石造像……46
河北邺城遗址赵彭城北朝佛寺与北吴庄佛教造像埋藏坑……58
河北张家口下花园石窟……65
河北尚义县出土西晋铜印……63
河北威县发现北朝佛造像……61
河北临漳邺北城遗址勘探发掘简报……48
河北临漳邺城遗址出土的北朝铜造像……50
河北临漳县邺城遗址东魏北齐佛寺塔基的发现与发掘……54
河北临漳县邺城遗址赵彭城北朝佛寺 2010 ~ 2011 年的发掘……58
河北临漳县邺城遗址赵彭城北朝佛寺遗址的勘探与发掘……57
河北临漳县邺南城朱明门遗址的发掘……51
河北临漳县邺南城遗址勘探与发掘……53
河北临漳县曹村窑址考察报告……59
河北省吴桥四座北朝墓葬……66
河北省征集的部分十六国北朝佛教铜造像……40
河北省宽城县出土北魏铜造像……64
河北获鹿发现北魏东梁州刺史阎静迁葬墓……43
河北宽城出土北魏铜造像……64
河北景县北魏高氏墓发掘简报……67
河北蔚县北魏太平真君五年朱业微石造像……63
河北磁县东陈村东魏墓……45
河北磁县东陈村北齐尧峻墓……48
河北磁县东魏茹茹公主墓发掘简报……47
河北磁县北齐元良墓……53
河北磁县北朝墓群发现东魏皇族元祜墓……55
河北磁县高润墓……46
河北磁县湾漳北朝大型壁画墓的发掘与研究……51
河北磁县湾漳北朝墓……49
河北赞皇东魏李希宗墓……41
河北藁城县发现一批北齐石造像……42
河南卫辉大司马墓地晋墓（M18）发掘简报……404
河南卫辉市大司马村晋墓发掘简报……405
河南巩义市晋墓发掘报告……350
河南巩义站街晋墓……351
河南巩县石窟的新发现……345
河南安阳北齐范粹墓发掘简报……405
河南安阳市西高穴曹操高陵……410

河南安阳市固岸墓地Ⅱ区 51 号东魏墓……409
河南安阳县东魏赵明度墓……412
河南安阳县北齐贾进墓……413
河南安阳县固岸墓地 2 号墓发掘简报……409
河南安阳县清理一座北齐墓……406
河南安阳宝山寺北齐双石塔……407
河南孟津县马村晋墓的发掘……391
河南孟津县刘家井村西晋墓的发掘……397
河南荥阳苜蓿洼墓地西晋墓 M18 发掘简报……352
河南南乐出土北朝文物……415
河南南阳东关晋墓……417
河南南阳市东关晋墓发掘简报……419
河南省孟县出土北魏司马悦墓志……400
河南省南阳住宅修缮公司晋墓发掘简报……418
河南省新乡县发现的三国铜器……403
河南洛阳北魏元乂墓调查……355
河南洛阳市北魏洛阳城津阳门内大道遗址发掘简报……386
河南洛阳市邙山“大汉冢”东汉陵区西晋纪年墓……388
河南洛阳市汉魏故城发现北魏宫城三号建筑遗址……388
河南洛阳市汉魏故城发现北魏宫城五号建筑遗址……394
河南洛阳市汉魏故城发现北魏宫城四号建筑遗址……397
河南洛阳市汉魏故城新发现北魏宫城二号建筑遗址……385
河南洛阳市汉魏故城魏晋时期宫城西墙与河渠遗迹……395
河南洛阳市发现东晋窖藏……373
河南洛阳市吉利区两座北魏墓的发掘……392
河南洛阳汉魏故城北魏宫城阊阖门遗址……377
河南偃师市首阳山西晋帝陵陪葬墓……387
河南偃师西晋支伯姬墓发掘简报……384
河南偃师杏园村的两座魏晋墓……360
河南偃师两座北魏墓发掘简报……367
河南偃师县杏园村的四座北魏墓……364
河南偃师南蔡庄北魏墓……364
河南淇县出土一件北魏铜双耳釜……402
河南淇县高村发现泰始九年铭文神兽镜……403
河南渑池宜阳两县发现大批古钱……344
河南焦作山阳北路西晋墓发掘简报……401
河南焦作化电集团西晋墓发掘简报……401
河南新乡市发现一座魏晋墓葬……404
河南新乡县所见两尊造像……403
河南新安西沃石窟勘测报告……375
河南新安西晋墓（C12M262）发掘简报……378
河南新安县西沃石窟……361

河南新安县晋墓发掘简报……375
河南濮阳北齐李云墓出土的瓷器和墓志……415
宝丰县发现一批窖藏铜钱……398
宜兴发现六朝青瓷窑址……214
宜兴县汤渡村古青瓷窑址试掘简报……215
宜昌东吴墓中出土的佛像散记……423
宜昌市一中三国吴墓清理简报……441
宜昌市六朝墓清理简报……442
房县郭家庄南齐纪年墓发掘简报……436
孟县出土北魏司马悦墓志……399
陕北发现一批北朝石窟和摩崖造像……516
陕西长武出土一批北魏佛教石造像……545
陕西长武县出土太和元年地券……537
陕西华阴北魏杨舒墓发掘简报……548
陕西华阴县晋墓清理简报……547
陕西安康长岭南朝墓清理简报……555
陕西安康市出土龟纽银印……555
陕西安康市张家坎南朝墓葬发掘纪要……556
陕西安塞云山品寺石窟调查报告……549
陕西安塞县大佛寺石窟调查简报……549
陕西扶风县崇正镇发现古城……535
陕西岐山出土西晋官印……535
陕西城固蜀汉墓葬清理记……551
陕西咸阳市文林小区前秦朱氏家族墓的发掘……544
陕西咸阳市头道塬十六国墓葬……545
陕西咸阳发现北朝石辟邪……536
陕西临潼的北朝造像碑……517
陕西省长武县出土一批佛教造像碑……537
陕西省旬阳县大河南东晋墓清理简报……557
陕西蓝田县发现的西魏纪年墓……526
陕西靖边县统万城周边北朝仿木结构壁画墓发掘简报……553
陕西耀县药王山北周张僧妙碑……534
绍兴凤凰山、羊山越窑调查记……252
绍兴县南池公社尹相公山出土一批南朝青瓷器……245

九画

城固发现东晋升平四年墓……552
荆门市麻城镇斗笠岗南朝墓发掘简报……445
荆东高速公路公安县大北山六朝墓葬发掘简报……438
荆州市施家山南朝墓清理简报……438
南北朝四系莲花瓣青瓷壶……246
南阳市妇幼保健院东晋墓……419

南阳市药材市场画像石墓发掘简报……418
南昌火车站东晋墓葬群发掘简报……291
南昌市区清理一座东晋墓……290
南昌青云谱梅湖东晋纪年墓发掘简报……293
南京人台山东晋兴之夫妇墓发掘报告……165
南京大光路孙吴薛秋墓发掘简报……203
南京大学北园东晋墓……169
南京马群六朝墓……178
南京太平门外刘宋明昙憘墓……170
南京长岗村五号墓发掘简报……198
南京六朝墓清理简报……161
南京甘家巷和童家山六朝墓……164
南京北郊东晋温峤墓……196
南京北郊东晋墓发掘简报……175
南京北郊合班村六朝墓清理……161
南京北郊郭家山东晋墓葬发掘简报……174
南京北郊涂家村六朝墓清理简报……164
南京四板村南朝墓清理……161
南京仙鹤山孙吴、西晋墓……202
南京市卫岗西晋墓清理简报……175
南京市尹西村西晋墓……193
南京市石子岗东晋墓的发掘……201
南京市东善桥“凤凰三年”东吴墓……193
南京市江宁区胡村南朝墓……209
南京市灵山南朝墓发掘简报……210
南京市雨花台区西善桥南朝刘宋墓……212
南京市雨花台区孙吴墓……212
南京市雨花台区南朝画像砖墓……208
南京市雨花台区姚家山东晋墓……207
南京市郊张家库东晋墓清理……165
南京市栖霞区东杨坊南朝墓……208
南京市铁心桥王家山东晋晚期墓的发掘……201
南京市郭家山东晋温氏家族墓……206
南京出土南朝椽头装饰瓦件……195
南京发现西晋水井……199
南京老虎山晋墓……162
南京西善桥油坊村南朝大墓的发掘……164
南京西善桥南朝墓……185
南京尧化门南朝梁墓发掘简报……173
南京迈皋桥小营村发现东晋墓……184
南京迈皋桥西晋墓清理……168
南京江宁上坊孙吴墓发掘简报……205

南京江宁上湖孙吴、西晋墓……203
南京江宁县上湖东晋墓……181
南京江宁谷里晋墓发掘简报……204
南京江宁胜太路南朝墓……210
南京江宁晋墓出土瓷器……180
南京江宁鳄儿岗晋墓发掘简报……210
南京近郊六朝墓的清理……160
南京板桥镇石闸湖晋墓清理简报……166
南京雨花台石子岗南朝砖印壁画墓（M5）发掘简报……213
南京雨花台东晋纪年墓发掘简报……204
南京虎踞关、曹后村两座东晋墓……179
南京郊区三座东晋墓……175
南京郊区两座南朝墓……176
南京郊区两座南朝墓清理简报……172
南京油坊桥发现一座南朝画像砖墓……183
南京草场门发现晋墓……178
南京南郊六朝谢琉墓……187
南京南郊六朝谢温墓……186
南京南郊六朝墓葬清理……165
南京钟山南朝坛类建筑遗存一号坛发掘简报……200
南京狮子山、江宁索墅西晋墓……179
南京将军山西晋墓发掘简报……203
南京前新塘南朝墓葬发掘简报……180
南京栖霞山甘家巷六朝墓群……171
南京殷巷西晋纪年墓……198
南京高家山的六朝墓……163
南京通济门外发现南朝墓……162
南京戚家山东晋谢鲲墓简报……166
南京象山 11 号墓清理简报……197
南京象山 5 号、6 号、7 号墓清理简报……168
南京象山东晋王丹虎墓和二、四号墓发掘简报……167
南京梁南平王萧伟墓阙发掘简报……199
南京梁桂阳王肖融夫妇合葬墓……173
南京隐龙山南朝墓……199
南京童家山南朝墓清理简报……177
南京富贵山东晋墓发掘报告……167
南京富贵山发现晋恭帝玄宫石碣……163
南京幕府山东晋墓……183
咸阳平陵十六国墓清理简报……543
咸阳市郊北周独孤浑贞墓志考述……539
咸阳市郊清理一座北朝墓……541
咸阳市胡家沟西魏侯义墓清理简报……538

咸阳市渭城区北周拓跋虎夫妇墓清理记……539
咸阳西魏谢婆仁墓……543
咸阳西魏谢婆仁墓清理简报……542
咸阳师专西晋北朝墓清理简报……541
咸阳师院附中西晋墓清理简报……547
咸阳博物馆征集到“部曲督印”……538
临朐县博物馆收藏的一批北朝造像……329
临淄北朝崔氏墓……313
临淄北朝崔氏墓地第二次清理简报……314
昭通发现晋霍君壁画墓……511
贵州习水县发现的蜀汉岩墓和摩崖题记及岩画……508
贵州平坝马场东晋南朝墓发掘简报……509
贵州平坝县尹关六朝墓……509
重庆万州区上沱口南朝墓葬发掘简报……492
重庆万州区龙门壕墓地发掘简报……497
重庆市江北县出土蜀汉窖藏钱币……491
重庆巫山江东嘴晋墓的发掘……496
重庆奉节县三峡工程库区崖墓的清理……493
重庆忠县邓家沱石阙的初步认识……495
重庆忠县泰始五年石柱……494
重庆晒网坝一座晋代墓葬的发掘……493
重庆晒网坝一座蜀汉墓发掘简报……496
顺德县发现十二角形塔座角腰石……474
勉县出土一件三国魏弩机……550
炳灵寺石窟老君洞北魏壁画清理简报……576
洪湖出土青铜马镫……437
洛阳 30 号墓出土的三角缘画像镜……370
洛阳太原路西晋墓发掘简报……381
洛阳北郊西晋墓……365
洛阳北魏元邵墓……354
洛阳北魏长陵遗址调查……353
洛阳北魏杨机墓出土文物……382
洛阳北魏画像石棺……356
洛阳市东郊两座魏晋墓的发掘……369
洛阳市洛南新区西晋墓（C7M3742）发掘简报……398
洛阳市涧西王湾西晋墓发掘简报……395
洛阳汉魏故城北魏外廓城内丛葬墓发掘……366
洛阳出土一件线刻碑座……362
洛阳出土西晋“合背”五铢铜钱……358
洛阳出土西晋鸡头壶……358
洛阳吉利区西晋墓发掘简报……386
洛阳西郊晋墓的发掘……353

洛阳华山路西晋墓发掘简报……381
洛阳关林皂角树西晋墓……382
洛阳谷水晋墓……372
洛阳谷水晋墓（FM38）发掘简报……376
洛阳谷水晋墓（FM5）发掘简报……374
洛阳谷水晋墓（FM6）发掘简报……374
洛阳纱厂西路北魏 HM555 发掘简报……377
洛阳孟津三十里铺西晋墓发掘报告……369
洛阳孟津大汉冢西晋围沟墓发掘简报……390
洛阳孟津大汉冢曹魏贵族墓……390
洛阳孟津北陈村北魏壁画墓……371
洛阳孟津邙山西晋北魏墓发掘报告……370
洛阳孟津朱仓北魏墓……393
洛阳孟津朱仓西晋墓……393
洛阳孟津晋墓、北魏墓发掘简报……363
洛阳厚载门街西晋墓发掘简报……391
洛阳晋墓的发掘……352
洛阳涧西南村西晋墓……394
洛阳涧河东岸发现的一座西晋墓……382
洛阳曹魏正始八年墓发掘报告……363
洛阳道北二路西晋墓发掘简报……396
洛阳新发现的两座西晋墓发掘简报……383
洛阳衡山路北魏墓发掘简报……384
洛阳衡山路西晋墓发掘简报……380
洛阳瀍河区利民南街西晋墓发掘简报……389
济南市马家庄北齐墓……309
济南市东八里洼北朝壁画墓……310
济南市出土北朝石造像……311
济南出土的黑釉鸡头壶……311
统万城城址勘测记……552

十画

泰安大汶口出土北朝铜鎏金莲花座等文物……333
晋归义羌侯印与晋归义氐王印……575
晋朱曼妻薛买地宅券……242
桂林市东郊南朝墓清理简报……484
桂林发现南齐墓……483
桓仁县考古调查发掘简报……121
栖霞山千佛崖第 13 窟的新发现……185
徐州内华发现南北朝陶俑……217
亳县曹操宗族墓葬……272
益都北齐石室墓线刻画像……320

浙江平阳发现一座晋墓……243
浙江东阳发现南朝陈代石井栏……255
浙江东阳县李宅镇南朝墓……254
浙江宁波市蜈蚣岭吴晋纪年墓葬……241
浙江江山市乌里山发现晋代文物……257
浙江安吉博物馆藏西晋青瓷堆塑罐……245
浙江苍南县藻溪南朝墓……242
浙江余杭小横山南朝画像砖墓 M109 发掘简报……237
浙江余杭沾桥出土陶质五铢钱范……236
浙江奉化市晋纪年墓的清理……241
浙江奉化县南梁墓……239
浙江武义县管湖三国婺州窑……253
浙江武义陶器厂三国墓……253
浙江松阳县周坌村发现三国吴墓……258
浙江瓯海县发现南朝窑址……244
浙江金华古方六朝墓……254
浙江绍兴凤凰山西晋永嘉七年墓……248
浙江绍兴外潮山、馒头山古窑址……251
浙江绍兴出土东吴青瓷器……251
浙江绍兴西晋墓出土一组青瓷器……252
浙江绍兴县出土西晋青瓷器……251
浙江绍兴县西晋墓……247
浙江绍兴坡塘乡后家岭晋太康七年墓……250
浙江绍兴官山岙西晋墓……249
浙江常山县何家西晋纪年墓……256
浙江温州市瓯海区出土东晋铭文砖……244
浙江温州市郊发现南朝墓……243
浙江瑞安梁天监九年墓……240
浙江嵊县大塘岭东吴墓……249
浙江嵊县六朝墓……247
浙江嵊县清理一座西晋残墓……247
浙江新昌十九号南齐墓……246
浙江新昌东晋墓……250
浙江新昌南朝宋墓……246
浙江慈溪西晋墓出土一组青瓷器……239
浙江衢州市三国墓……256
浙江衢县街路村西晋墓……256

十一画

黄冈铝厂南朝墓葬……455
黄骅县北齐常文贵墓清理简报……66
曹操高陵考古发掘主要收获……413

鄂州市五里墩晋墓发掘简报……448
鄂州市观音垅南朝墓发掘简报……449
鄂州市泽林南朝墓……447
鄂城东吴孙将军墓……445
鄂城两座晋墓的发掘……446
鄂钢综合原料场 M30 发掘简报……448
偃师前杜楼北魏石棺墓发掘简报……380
鸿庆寺石窟……417
淇县石佛寺田迈造像……402
梁朝桂阳王萧象墓……182
淄博和庄北朝墓葬出土青釉莲花瓷尊……313
密县发现东魏造像石龛……346
密县超化寺北齐造像碑……349
绵竹县出土南齐纪年砖……500
绵阳北郊龟山发现六朝墓……501

十二画

博爱县出土的晋代石柱……399
彭阳新集北魏墓……582
朝阳十二台乡砖厂 88M1 发掘简报……135
朝阳三合成出土的前燕文物……135
朝阳发现的北燕墓……137
朝阳前燕奉车都尉墓……132
朝阳袁台子东晋壁画墓……129
黑龙江友谊县凤林城址 1998 年发掘简报……156
黑龙江齐齐哈尔市发现“魏丁零率善佰长”印……154
黑龙江省友谊县凤林古城调查……155
黑龙江省宾县索离沟遗址发掘简报……154
黑龙江省鹤岗市及绥滨、萝北县考古调查简报……155
集安下解放第 31 号高句丽壁画墓……148
集安万宝汀墓区 242 号古墓清理简报……142
集安市太王镇新红村一座高句丽阶坛积石圹室墓（M28）的……150
集安出土的高句丽瓦当及其年代……146
集安县两座高句丽积石墓的清理……141
集安禹山 540 号墓清理报告……149
集安洞沟三座壁画墓……142
集安洞沟古墓群禹山墓区 2112 号墓……149
集安洞沟两座树立石碑的高句丽古墓……143
集安高句丽国内城址的调查与试掘……144
集安麻线安子沟高句丽墓葬调查与清理……148
焦作圆觉寺旧址出土的北齐石佛像……400
释北齐宜阳国太妃傅华墓志铭……310

敦煌佛爷庙湾五凉时期墓葬发掘简报……568
敦煌晋墓……568
湖北长阳县发现一批窖藏古钱……439
湖北巴东出土三国银印……457
湖北汉川严家山发现西晋墓葬……452
湖北汉阳出土的晋代鎏金铜带具……426
湖北汉阳蔡甸一号墓清理……423
湖北老河口市李楼西晋纪年墓……431
湖北赤壁古家岭东吴墓发掘报告……456
湖北均县“双塚”清理简报……435
湖北谷城六朝画像砖墓发掘简报……433
湖北沔阳县出土“青羊”铜镜……458
湖北枝江巫回台东晋墓的发掘……441
湖北枝江县拽车庙东晋永和元年墓……442
湖北枝江姚家港晋墓……440
湖北枣阳市王湾魏晋墓清理简报……430
湖北宜昌发现一面神兽纹铜镜……439
湖北宜昌县土城青铜器窖藏坑……443
湖北荆门市十里铺镇何桥古城遗址试掘简报……444
湖北黄陂出土东吴青瓷跪俑……426
湖北黄陂横店南朝墓清理记……425
湖北黄梅县松林咀西晋纪年墓……455
湖北鄂州市吴王城内三座古井的发掘……451
湖北鄂州市塘角头六朝墓……450
湖北鄂州郭家细湾六朝墓……451
湖北鄂州鄂钢饮料厂一号墓发掘报告……449
湖北鄂城四座吴墓发掘报告……446
湖北鄂城吴晋墓发掘简报……447
湖北新洲旧街镇发现两座西晋墓……427
湖北蕲春县蕲州土台一号墓……454
湖北襄阳城内三国时期的多室墓清理报告……431
湖北襄樊樊城菜越三国墓发掘简报……433
湖南长沙左家塘西晋墓……460
湖南安乡西晋刘弘墓……464
湖南攸县出土东吴窖藏文物……461
湖南邵阳南朝纪年砖室墓……462
湖南临武县马塘出土三国吴镜……466
湖南资兴晋南朝墓……465
湖南常德东吴墓……464
湖南望城县东吴墓……460
湖南湘阴城关镇西晋墓……463
湖南靖州县晋墓出土储粮罐……466

湖南衡东城关南朝墓清理简报 …… 461
湖南澧县六朝墓出土陶困陶磨 …… 463
湖南襄樊樊城菜越三国墓发掘报告 …… 434
登封嵩岳寺塔地宫清理简报 …… 348

十三画

蒲圻赤壁西晋纪年金氏墓 …… 456
榆林发现一件南朝刘宋鎏金铜佛像 …… 553
嵩岳寺塔 …… 346
锦州北魏墓清理简报 …… 122
锦州前燕李廆墓清理简报 …… 123
新发现的北魏《大代持节豳州刺史山公寺碑》 …… 574
新发现的北魏刺绣 …… 568
新郑发现一件东晋青瓷狮尊 …… 349
新郑发现南北朝造像碑 …… 348
新郑县出土北齐造像碑 …… 345
新疆北部的岩画 …… 585
新疆巩留县发现一件青铜武士俑 …… 591
新疆吐鲁番地区阿斯塔那古墓群西 408、409 号墓 …… 586
新疆库车友谊路魏晋十六国时期墓葬 2007 年发掘简报 …… 589
新疆拜城克孜尔干佛洞新 1 号窟 …… 588
新疆鄯善县吐峪沟石窟寺遗址 …… 587
新疆鄯善县吐峪沟东区北侧石窟发掘研究 …… 587
福州东郊发现南朝墓 …… 278
福州发现本省最早的窑址 …… 276
福州闽侯发现南朝墓 …… 279
福州屏山南朝墓 …… 278
福建连江县发现西晋纪年墓 …… 279
福建松政县发现西晋墓 …… 281
福建建瓯木椁梁墓 …… 281
福建建瓯水西山南朝墓 …… 281
福建建瓯水南机砖厂南朝墓 …… 284
福建建瓯阳泽晋墓清理简报 …… 283
福建政和石屯六朝墓发掘简报 …… 284
福建政和松源、新口南朝墓 …… 282
福建荆溪庙后山古墓清理 …… 276
福建南安丰州狮子山东晋墓 …… 280
福建南安市皇冠山六朝墓群的发掘 …… 280
福建省霞浦县发现三国农具模型 …… 285
福建闽侯关口桥头山发现古墓 …… 277
福建闽侯南屿南朝墓 …… 278
福建浦城吕处坞晋墓清理简报 …… 282

福建福州郊区南朝墓……277

十四画

嘉峪关新城十二、十三号画像砖墓发掘简报……558
磁县出土北齐赵炽墓志……56
嘎仙洞祝文刻石与嵩山高灵庙碑……159
韶关发现南朝刘宋纪年铭文砖……473

十五画及以上

镇江东吴西晋墓……232
镇江东晋画像砖墓……229
镇江市东晋刘剋墓的清理……228
镇江市东晋晋陵罗城的调查和试掘……233
镇江阳彭山东晋墓……227
襄阳贾家冲画像砖墓……430
襄樊檀溪周家湾南朝墓……432
藤县清理一座晋代墓葬……487
耀县出土北朝莲花纹瓦当范……534

隋唐五代卷

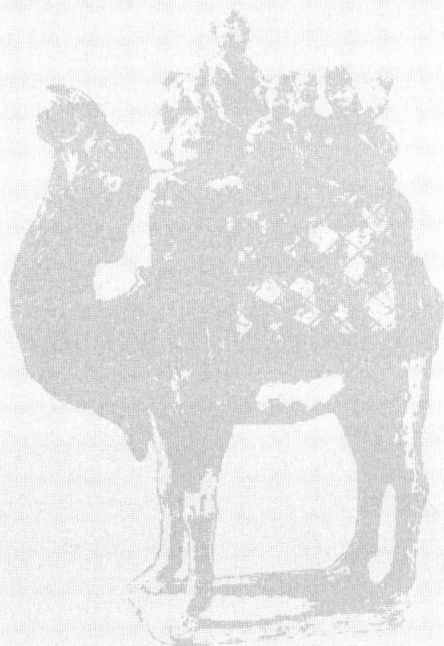

考古详报书名首字索引

一、本索引包括本卷上编所收考古详报；

二、本索引依考古详报首字笔画为序；

三、每一条目后的数字，为该考古详报在本卷中的页数。

二画

八连城：2004 ~ 2009 年度渤海国东京故址田野考古报告 …… 13

四画

五代王处直墓 …… 3
五代冯晖墓 …… 33
五代李茂贞夫妇墓 …… 37
五代吴越国康陵 …… 20
五代黄堡窑址 …… 32
太原隋虞弘墓 …… 5
长沙窑 …… 25
六顶山与渤海城：唐代渤海国的贵族墓地与都城遗址 …… 14
六顶山渤海墓葬：2004 ~ 2009 年清理发掘报告 …… 17

五画

四川邛崃龙兴寺：2005 ~ 2006 年考古发掘报告 …… 28
宁安虹鳟鱼场 1992 ~ 1995 年度渤海墓地考古发掘报告 …… 15

六画

邢台隋代邢窑 …… 4
吉林集安高句丽墓葬报告集 …… 11
西古城：2000 ~ 2005 年度渤海国中京显德府故址田野考古报告 …… 11
西安郊区隋唐墓 …… 31
吐鲁番考古记 …… 43
江西南丰白舍窑——饶家山窑址 …… 21
安岳卧佛院考古调查与研究 …… 28

七画

吴忠西郊唐墓 …… 41
佛光寺东大殿建筑勘察研究报告 …… 6
灵岩寺 …… 22

八画

固原南郊隋唐墓地 …… 41
法门寺考古发掘报告 …… 36
陕西凤翔隋唐墓：1983 ~ 1990 年田野考古发掘报告 …… 36

九画

南唐二陵发掘报告 …… 18
前蜀王建墓发掘报告 …… 27
洛阳红山唐墓 …… 24

十画

都兰吐蕃墓……40
唐大明宫遗址考古发现与研究……36
唐长安大明宫……30
唐长安城郊隋唐墓……31
唐长安醴泉坊三彩窑址……38
唐节愍太子墓发掘报告……34
唐史道洛墓……42
唐代黄堡窑址……32
唐代薛儆墓发掘报告……5
唐玄奘法师骨塔发掘奉移经过专册……30
唐华清宫……33
唐安国相王孺人壁画墓发掘报告……23
唐李宪墓发掘报告……35
唐金乡县主墓……33
唐惠庄太子李㧑墓发掘报告……35
唐惠昭太子陵发掘报告……32
唐新城长公主墓发掘报告……34
海拉尔谢尔塔拉墓地……8

十一画

晚唐钱宽夫妇墓……19
隋仁寿宫·唐九成宫——考古发掘报告……37
隋唐洛阳城：1959 ~ 2001 年考古发掘报告……23

十二画

朝阳隋唐墓葬发现与研究……9
渤海上京城……14

十三画

雷峰塔遗址……19

十五画及以上

潼关税村隋代壁画墓……38
藏王陵……29

考古简报篇名首字索引

一、本索引包括本卷下编所收考古简报；

二、本索引依考古简报首字笔画为序；

三、每一条目后的数字，为该考古简报在本卷中的页数。

一画

1959 ~ 1960 年唐大明宫发掘简报 …… 511
1973 年吐鲁番阿斯塔那古墓群发掘简报 …… 713
1981 年河南洛阳隋唐东都夹城发掘简报 …… 287
1986 年新疆吐鲁番阿斯塔那古墓群发掘简报 …… 715
1987 年隋唐东都城发掘简报 …… 299
1996 年海林细鳞河遗址发掘的主要收获 …… 140
2002 年唐昭陵北司马门遗址发掘简报 …… 670
2004 年广汉烟堆子遗址晚唐、五代墓地发掘简报 …… 454

二画

乃东县切龙则木墓群 G 组 M1 殉马坑清理简报 …… 489

三画

三门峡三里桥村 11 号唐墓 …… 376
三门峡市水工厂唐墓的发掘 …… 375
三门峡市两座唐墓发掘简报 …… 375
三台发现唐代观音寺遗址 …… 456
三台县牌坊垭唐代崖墓清理简报 …… 457
下关市佛图塔实测和清理报告 …… 483
大同市南关唐墓 …… 84
大足尖山子、圣水寺摩岩造像调查简报 …… 433
大足尖山子发现初唐石刻造像 …… 433
大邑县出土唐代墓葬 …… 444
大理海东罗荃塔塔基发掘报告 …… 484
上海市郊出土唐代遗物 …… 151
山东平阴发现大隋皇帝舍利宝塔石函 …… 236
山东平度隋船清理简报 …… 238
山东东平县出土唐寿州窑黄釉席纹瓷注壶 …… 245
山东东平理明窝摩崖造像 …… 245
山东宁津发现纪年唐墓 …… 248
山东曲阜、泗水隋唐瓷窑址调查 …… 242
山东安丘发现隋代墓铭 …… 240
山东阳谷县关庄唐代石塔 …… 249
山东寿光县西文家出土唐代石刻造像 …… 240
山东青州市郑母镇发现一座唐墓 …… 241
山东临邑发现唐墓志 …… 248
山东临沂市发现唐代石碑 …… 247
山东临沂市药材站发现两座唐墓 …… 247
山东省惠民县出土定光佛舍利棺 …… 252
山东泰安近年出土的瓷器 …… 246

山东高唐县出土唐代货币……250
山东章丘隋代周皆墓……236
山东博兴龙华寺遗址调查简报……251
山东博兴县近年出土的青瓷器……251
山东博兴的一处铜佛像窖藏……250
山东微山县出土唐代碑刻……244
山东微山县出土隋代造像碑……245
山东嘉祥发现唐徐师謇墓……243
山东嘉祥县出土唐三彩……244
山东嘉祥英山一号隋墓清理简报——隋代墓室壁画的首次发现……241
山东嘉祥英山二号隋墓清理简报……242
山东嘉祥唐墓出土瓷器……243
山西大同振华南街唐墓……83
山西大同新发现的四座唐墓……85
山西五台山佛光寺大殿发现唐、五代的题记和唐代壁画……86
山西太原晋源镇三座唐壁画墓……82
山西长治北石槽唐墓……89
山西长治北石槽唐墓……91
山西长治市北郊唐崔拏墓……91
山西长治市唐代冯廓墓……92
山西长治唐王休泰墓……90
山西长治唐代王惠墓……94
山西长治唐代舍利棺的发现……88
山西长治唐墓清理略记……90
山西平陆圣人涧发现唐代鎏金铜造像窖藏……100
山西平陆县出土一批隋唐佛道铜造像……100
山西平顺县古建筑勘察记……88
山西平顺县荐福寺遗址出土的唐代佛教石造像……98
山西平鲁出土一批唐代金铤……86
山西汾阳唐曹怡墓发掘简报……87
山西沁源隋代韩贵和墓……93
山西临猗发现两幅五代绢画……99
山西省平顺县大云寺的壁画与彩画……89
山西浑源县界庄唐代瓷窑……85
山西晋城碧落寺石窟调查记……99
山西稷山出土崇化寺唐开元石经幢……101
山西襄垣唐代李石夫妇合葬墓……97
山西襄垣唐代浩氏家族墓……96
山西襄垣唐墓（2003M1）……95
山西襄垣隋代浩喆墓……95
千年古寺扎玛尔吉如拉康……491
千阳县发现大批唐代鎏金铜造像……622

千阳坡头唐墓清理简报……631
川扬河古船发掘简报……151
广元观音岩石窟调查记……461
广东电白县霞洞墟唐墓简报……419
广东电白唐代许夫人墓……420
广东曲江县发现一座唐墓……418
广东曲江南华寺古墓发掘简报……417
广东阳春县发现南汉钱范……422
广东英德浛洸镇隋唐墓发掘……423
广东省韶关市发现两件唐代铜镜……418
广东高明唐代窑址发掘简报……419
广东梅县古墓葬和古窑址调查、发掘简报……421
广东韶关罗源洞唐墓……417
广东潮安北郊唐代窑址……423
广西上林出土佛教铜造像……425
广西永福县南雄村出土唐代铜镜……427
广西全州县发现纪年唐墓……426
广西壮族自治区钦州隋唐墓……430
广西兴安县红卫村发现纪年唐墓……427
广西贺州市铁屎坪钱监遗址的试掘……428
广西恭城县豸游村出土唐代铜镜……427
广西隆安县发现唐代铜官印……425
广州东山又发现一批南汉铅钱……415
广州动物园古墓群发掘简报……414
广州南汉德陵、康陵发掘简报……415
广州皇帝岗唐木椁墓清理简报……414

四画

丰富多彩的石刻造像——四川安岳毗卢洞调查纪要……472
天水市发现隋唐屏风石棺床墓……697
天津军粮城发现的唐代墓葬……51
天津蓟县邦均两座古墓的清理……51
云南安宁县小石庄唐墓清理简报……481
云南河口县发现一面铜鼓……482
五代后蜀孙汉韶墓……446
五代闽国铜钟……220
五代钱氏捍海塘发掘简报……185
太原市龙山童子寺遗址发掘简报……82
太原市金胜村第六号唐代壁画墓……78
太原市南郊唐代壁画墓清理简报……80
太原西郊出土唐青釉人物狮子扁壶……79
太原金胜村 337 号唐代壁画墓……80

太原南郊金胜村三号唐墓……79
太原南郊金胜村唐墓……78
太原隋代虞弘墓清理简报……81
内江清溪摩崖造像与古清溪县治……464
内蒙古巴林右旗李家园子村出土唐印……105
内蒙古昭盟发现“大唐营州都督许公德政之碑”碑额……105
内蒙古清水河县山跳峁墓地……103
内蒙古清水河塔尔梁五代壁画墓发掘简报……104
长安发现唐智该法师碑……527
长安地区新发现的唐墓壁画……611
长安县东曹村出土的唐代文物……580
长安县出土唐工部尚书杜公长女墓志……538
长安县南里王村唐韦泂墓发掘记……506
长安县南里王村唐壁画墓……542
长安唐代二龙塔调查记……549
长沙瓦渣坪唐代窑址调查记……399
长沙发现隋代钱币……405
长沙赤峰山2号唐墓简介……399
长沙烈士公园发现五代灰坑……401
长沙铜官镇窑……402
长武县郭村出土唐张智慧墓志……646
长武郭村发现唐张智慧墓……648
长治市西郊唐代李度、宋嘉进墓……93
长治县宋家庄唐代范澄夫妇墓……92
介绍几件陕西出土的唐代青瓷器……508
介绍广东灵山县出土的古代铜鼓……429
丹棱郑山——刘嘴大石包造像……468
凤翔出土一批唐三彩和陶俑……627
凤翔铁丰唐墓发掘简报……634
凤翔翟家寺隋唐墓葬发掘简报……635
户县出土唐三彩俑……568
巴中发现隋唐崖墓……471
巴中西龛石窟调查记……471
巴中县发现唐代合金镜……470

五画

正定出土五代巨型石龟碑座及残碑……56
邛崃十方堂窑遗址五号窑包的建筑、窑炉遗迹……453
邛崃县发现鎏金铜造像窖藏……445
甘肃天水市发现唐代永安寺舍利塔地宫……696
甘肃宁县出土唐代彩绘俑……703
甘肃庄浪铜虎符……699

甘肃庆城唐代游击将军穆泰墓 …… 703
甘肃武威发现隋唐墓志 …… 698
甘肃武威南营发现大唐武氏墓志 …… 697
甘肃秦安发现唐代瑞兽葡萄镜 …… 701
甘肃秦安县唐墓清理简报 …… 699
甘肃崇信武康王庙 …… 701
甘南藏族自治州出土唐代花砖 …… 704
石家庄市郊发现唐代窖藏钱币 …… 53
石家庄市振头村发现唐代贴花人物瓷壶 …… 52
龙门 565 号窟（惠简洞）调查简报 …… 321
龙门石窟东山擂鼓台区乐舞资料的新发现 …… 336
龙门石窟新发现王玄策造像题记 …… 281
龙门石窟新发现四个洞窟 …… 320
龙门奉先寺遗址调查记 …… 294
龙门敬善寺的新发现 …… 278
北京万佛堂孔水洞调查 …… 47
北京丰台唐史思明墓 …… 48
北京市海淀区八里庄唐墓 …… 50
北京出土青釉红陶人首四足鱼身俑 …… 47
北京近年发现的几座唐墓 …… 49
北京近年来发现的几座唐墓 …… 48
四川万县唐墓 …… 432
四川广元县皇泽寺石窟调查纪要 …… 459
四川广元县皇泽寺调查记 …… 459
四川广元皇泽寺新发现的唐代石刻摩崖造像 …… 464
四川什邡县出土金腰带 …… 454
四川丹棱县龙鹄山发现唐代崖墓 …… 469
四川巴中县石窟调查记 …… 470
四川邛崃石笋山唐代摩崖造像 …… 445
四川石渠县新发现吐蕃石刻群调查简报 …… 475
四川乐山出土的五代陶棺 …… 465
四川西昌北山出土古代铜镜 …… 479
四川西昌市郊小山火葬墓群试掘记 …… 477
四川西昌高枧唐代瓦窑发掘简报 …… 476
四川成都市西郊化成村唐墓的清理 …… 448
四川江油发现一批窖藏钱币 …… 455
四川安岳卧佛沟唐代石刻造像和佛经 …… 472
四川青神县唐墓清理记 …… 467
四川茂县点将台唐代佛教摩崖造像调查简报 …… 475
四川茂汶县的唐代石刻造像 …… 473
四川松潘县松林坡唐代墓葬的清理 …… 474
四川忠县临江岩发现唐代摩崖石刻 …… 432

四川省安岳县庵堂寺摩崖造像调查简报……473
四川剑阁武连横梁子摩崖造像……461
四川冕宁县发现吐蕃石刻……477
四川绵阳碧水寺唐代摩崖造像调查……457
四川彭州龙兴寺出土石造像……449
仪陇出土唐代朱雀葡萄佛手铜镜……466
白居易故居出土出茶器……310
白居易故居出土的经幢……322
宁安市虹鳟鱼场渤海墓地征集的几件陶器……144
宁安兴隆寺大雄宝殿基址发掘……141
宁夏固原九龙山隋墓发掘简报……709
宁夏固原市南塬唐墓发掘简报……709
宁夏固原唐史道德墓清理简报……708
宁夏固原唐梁元珍墓……708
宁夏须弥山圆光寺石窟……707
宁夏盐池唐墓发掘简报……707
礼泉寺遗址出土佛教造像……567
礼泉县烟霞乡出土的两件释迦、药师纪年像座……668
记五代吴越国的另一官窑——浙江上虞县窑寺前窑址……192
永安遗址两座砖雕墓的考古发掘……57
永康陵调查……663
辽宁抚顺市施家墓地发掘简报……109
辽宁沈阳市石台子高句丽山城第一次发掘简报……108
辽宁省朝阳市文化路唐代窑址……116
辽宁昭盟喀喇沁旗发现唐代鎏金银器……113
辽宁铁岭市催阵堡山城调查……111
辽宁朝阳五座唐墓……114
辽宁朝阳市黄河路唐墓的清理……115
辽宁朝阳出土唐三彩三足罐……113
辽宁朝阳西大营子唐墓……111
辽宁朝阳唐韩贞墓……112
辽宁朝阳唐墓出土农业文物……114

六画

吉林永吉县查里巴村发现两座渤海墓……117
吉林永吉查里巴靺鞨墓地……118
吉林辽源市龙首山城内考古调查简报……119
吉林安图县仲坪遗址发掘……126
吉林汪清县红云渤海建筑遗址的发掘……125
吉林和龙市龙海渤海王室墓葬发掘简报……128
吉林省汪清县兴隆村的二十四块石遗址……125
吉林省和龙县北大渤海墓葬……124

吉林省珲春市甩弯子渤海房址清理简报……124
吉林省蛟河市七道河村渤海建筑遗址清理简报……117
吉林珲春市八连城内城建筑基址的发掘……127
吉林集安发现一处渤海时期遗址……120
吉林敦化六顶山渤海古墓……121
吉林敦化市六顶山墓群 2004 年发掘简报……126
吉林敦化牡丹江上游渤海遗址调查记……122
巩义市大小黄冶唐代三彩器窑址调查……260
巩义市出土唐代九品宫人墓志……262
巩义市孝南春秋与唐代墓葬清理简报……260
巩义市食品厂唐墓发掘简报……267
巩义市铝厂唐墓发掘简报……264
巩义涉村唐墓发掘简报……274
巩义常庄变电站大周时期墓葬发掘简报……269
巩义铝厂唐墓发掘简报……268
巩县唐三彩窑址调查……256
巩县黄冶“唐三彩”窑址试掘……255
扬州邗江县杨庙唐墓……168
扬州市东凤瓦厂唐墓出土的文物……168
扬州市郊出土一件唐白釉彩盖罐……163
扬州司徒庙镇清理一座唐代墓葬……170
扬州出土一批唐代彩绘俑……164
扬州出土古代波斯釉陶器……170
扬州出土的唐代水盂和水注……169
扬州出土的唐代铜镜……165
扬州出土唐代瑞兽铭文铜镜……172
扬州出土唐青瓷褐彩牛车……177
扬州发现一批唐代金首饰……171
扬州发现两座唐墓……163
扬州发现的一件唐青花瓷片……170
扬州近年发现的两方五代墓志……175
扬州近年发现的唐墓……173
扬州城东路出土五代金佛像……177
扬州城考古工作简报……172
扬州唐代木桥遗址清理简报……166
扬州唐代寺庙遗址的发现和发掘……166
扬州唐城手工业作坊遗址第二、三次发掘简报……165
扬州唐城遗址 1975 年考古工作简报……163
扬州新出土两件唐代青花瓷碗残片……169
扬州新出土的几面唐镜……171
扬州新近出土的一批唐代文物……176
西平唐墓发掘简报……382

西北大学田家炳高资培训中心楼基出土唐代文物……576
西北大学出土唐代文物……566
西北大学发现唐代连珠宝相花瓦当范……529
西北大学发现唐代连珠宝相花瓦当范……539
西北大学发现唐代砖垒渗井……529
西北大学校北门唐代遗迹的发掘……589
西北大学校园里的唐代遗迹与遗物……560
西延铁路甘泉段汉唐墓清理简报……689
西安三桥车辆厂工地发现唐裴利物夫妇墓……547
西安上塔坡唐王府君墓发掘简报……613
西安小雁塔东院出土唐荐福寺遗物……590
西安马家沟唐太州司马阎识微夫妇墓发掘简报……611
西安王家坟唐代唐安公主墓……552
西安凤栖原唐郭仲文墓发掘简报……605
西安火烧壁发现晚唐“官”字款白瓷……532
西安东郊三座唐墓清理记……519
西安东郊出土唐许遂忠墓志……527
西安东郊出土唐李敬实墓志……528
西安东郊出土韩索郎墓志……561
西安东郊发现一座唐墓……553
西安东郊红旗电机厂唐墓……553
西安东郊唐天宝十一年墓出土的瓷器……550
西安东郊唐韦美美墓发掘记……556
西安东郊唐苏思勗墓清理简报……509
西安东郊唐温绰、温思暕墓发掘简报……571
西安东郊唐墓出土的花鸟螺钿镜……584
西安东郊黄河机械厂唐墓清理简报……555
西安东郊黄河机器制造厂唐五代墓发掘简报……553
西安东郊清理的两座唐墓……557
西安东郊隋李椿夫妇墓清理简报……528
西安东郊隋舍利墓清理简报……536
西安北郊发现唐代金花银盘……512
西安北郊唐水道清理简报……506
西安白鹿原墓葬发掘报告……504
西安市长安区唐乾符三年天水赵氏墓发掘简报……602
西安市长安区晚唐时期令狐家族墓葬发掘简报……603
西安市玉祥门出土的几件石、瓷器……539
西安市东郊枣园苏村出土唐代齐瓘墓前碑石……599
西安市西郊杨家围墙唐墓 M1 发掘简报……607
西安市西郊唐代砖瓦窑址……511
西安市西郊曹家堡唐墓清理简报……532
西安市西窑头村唐墓清理记……514

西安市周围出土的三合唐墓志……545
西安市南郊马腾空唐墓发掘简报……594
西安市南郊茅坡村发现一座唐墓……581
西安市唐大明宫含元殿遗址以南的考古新发现……596
西安市唐长安城大明宫太液池遗址……585
西安市唐长安城大明宫丹凤门遗址的发掘……591
西安市唐长安城大明宫兴安门遗址……611
西安市唐故奚质子热瓌墓……612
西安出土文安公主等墓志及郭彦塔铭……537
西安出土回纥府君李忠义墓志……546
西安出土唐代李勉奉进银器……524
西安发现一批唐代金银器……578
西安发现的唐长安佛堂院残碑……573
西安发现唐三彩窑址……567
西安发现唐代礼佛奏乐图石刻佛座……524
西安发现唐代金杯……522
西安发现晚唐祆教徒的汉、婆罗钵文合璧墓志……513
西安西大街古井出土唐代遗物……598
西安西北政法学院南校区 34 号唐墓发掘简报……570
西安西郊中堡村唐墓清理简报……509
西安西郊出土两合唐宫人墓志……521
西安西郊出土的唐代玉带……557
西安西郊出土唐“宣徽酒坊”银酒注……520
西安西郊出土唐代手写经咒绢画……524
西安西郊枣园唐墓清理简报……569
西安西郊陕棉十厂唐壁画墓清理简报……573
西安西郊热电厂二号唐墓发掘简报……568
西安西郊热电厂基建工地隋唐墓葬清理简报……546
西安西郊唐西昌县令夫人史氏墓……537
西安西郊唐卑失十囊墓清理简报……531
西安西郊唐突骑施奉德可汗王子墓发掘简报……606
西安西郊唐墓……543
西安西郊隋李静训墓发掘简报……507
西安曲江发现唐尼真如塔铭……534
西安曲江池出土唐代铁铠甲……517
西安羊头镇唐李爽墓的发掘……505
西安狄寨出土唐三彩……560
西安净水厂唐墓清理简报……545
西安南郊三爻村发现四座唐墓……523
西安南郊出土一批唐代瓷器……539
西安南郊发现唐“打作匠臣杨存实作”银铤……520
西安南郊何家村发现唐代窖藏文物……514

西安南郊唐韦君夫人等墓葬清理简报……542
西安南郊唐史君夫人颜氏墓发掘简报……597
西安南郊唐代张夫人墓发掘简报……607
西安南郊唐贞观十七年王怜夫妇合葬墓发掘简报……605
西安南郊唐墓（M31）发掘简报……581
西安南郊隋苏统师墓发掘简报……601
西安南郊隋李裕墓发掘简报……599
西安南郊傅村隋唐墓发掘简报……601
西安南郊新出土的唐代银平脱蚌盒……590
西安南郊新发现的唐长安新昌坊“盈”字款瓷器及相关问题……574
西安秦川机械厂唐墓清理简报……551
西安郭家滩隋姬威墓清理简报……505
西安唐大明宫太液池南岸遗址发现大型廊院建筑遗存……582
西安唐长安城大明宫太液池遗址的新发现……587
西安唐长安城太平坊隋唐时期遗迹的清理……586
西安唐代曹氏墓及出土的狮形香熏……572
西安唐金乡县主墓清理简报……563
西安唐殿中侍御医蒋少卿及夫人宝手墓发掘简报……604
西安硫酸厂唐墓发掘简报……570
西安紫薇田园都市工地唐墓清理简报……592
西安新出土唐代铜镜……602
西安新发现的东罗马金币……549
西安慈恩寺内的唐代砖瓦窑址……531
西昌北山古代火葬墓出土铜俑……478
西昌发现古代火葬墓……478
西藏乃东县的几处石棺葬……493
西藏乃东结桑村发现古墓葬……491
西藏乃东普努沟古墓群清理简报……489
西藏工布江达县色沃岩画调查简报……503
西藏工布江达县洛哇傍卡摩崖造像考古调查简报……503
西藏山南隆子县石棺墓的调查与清理……494
西藏扎囊斯孔村墓葬群的调查与试掘……496
西藏文管会藏吐蕃时期鎏金铜钵……491
西藏白朗发现一件瑞兽葡萄镜……499
西藏吉堆吐蕃墓地的调查与分析……494
西藏吉隆县发现唐显庆三年《大唐天竺使出铭》……499
西藏穷结县藏王诸陵调查简记……493
西藏阿里托林寺……501
西藏拉萨市曲贡村石室墓发掘简报……487
西藏拉萨发现石窟寺……486
西藏林芝县多布石棺墓清理简报……502
西藏洛扎吐蕃摩崖石刻与吐蕃墓地的调查与研究……498

西藏洛扎县吉堆墓地与吐蕃摩崖刻石考古调查简报 498
西藏朗县列山墓地的调查和试掘 501
西藏琼结吐蕃王陵的勘测与研究 496
西藏察雅县丹玛札摩崖造像考古调查简报 488
西藏摩崖造像调查简报 487
成都无缝钢管厂发现五代后蜀墓 446
成都化工厂隋墓清理简报 445
成都市五代墓出土尊胜陀罗尼石刻 447
成都市龙泉驿五代前蜀王宗侃夫妇墓 451
成都市东郊后蜀张虔钊墓 441
成都市发现窖藏唐代钱币 442
成都市西郊土桥村筒车田唐墓 448
成都市金沙村唐墓发掘简报 450
成都市南郊唐代爨公墓清理简报 449
成都永陵出土石人 440
成都发现隋唐小型铜棺 443
成都西郊发现唐代石刻 440
夹江新发现的唐代摩崖造像 465
吐鲁番出土的草编粽子 716
吐鲁番县阿斯塔那——哈拉和卓古墓群清理简报 712
吐鲁番阿斯塔那古墓群 360 号墓出土文书 714
吐鲁番阿斯塔那唐墓中有重要发现 711
延长发现一批隋唐佛教石造像 686
华清古宫出土隋鎏金铜佛 534
华蓥市发现古代铜铃 467
伊川鸦岭唐齐国太夫人墓 308
舟山群岛发现一件唐代双鸾纹铜镜 198
合肥出土寿州窑早期产品 200
合肥西郊隋墓 200
合肥隋开皇三年张静墓 201
旬阳发现唐代鎏金铜造像窖藏 694
交河城调查记 710
江西于都东坑、窑塘古窑址调查 228
江西丰城市窑里、罗坊五代青瓷窑址 232
江西乐平龙南两县发现古窑址 225
江西吉水房后山隋代墓葬发掘简报 228
江西南昌、赣州、黎川的唐墓 223
江西南昌唐墓 224
江西南昌碑迹山唐代木椁墓清理 223
江西铅山县古埠唐代瓷窑 233
江西铜鼓发现唐代窑址 231
江西清江上阳水库发现隋代墓 231

江西清江隋墓……231
江西清江隋墓发掘简报……230
江西彭泽出土唐代瑞兽葡萄纹铜镜……226
江西景德镇丽阳蛇山五代窑址清理简报……225
江西瑞昌隋墓……226
江西新余市发现一面唐代宝相花铜镜……227
江西樟树发现隋唐窑址……232
江苏丹徒丁卯桥出土唐代银器窖藏……179
江苏邗江蔡庄五代墓清理简报……167
江苏仪征胥浦发现唐墓……173
江苏句容行香发现唐代铜棺、银椁……181
江苏扬州五台山唐墓……162
江苏扬州市文化宫唐代建筑基址发掘简报……174
江苏扬州市曹庄隋炀帝墓……178
江苏吴县姚桥头唐墓……160
江苏武进发现唐三彩高颈瓶……158
江苏武进县湖塘乡发现隋唐墓……157
江苏宝应出土唐代“真子飞霜”铜镜……167
江苏宝应县泾河出土南唐木屋……162
江苏南京市出土的唐代琅琊王氏家族墓志……154
江苏徐州市花马庄唐墓……156
江苏徐州市茅村隋开皇三年刘鉴墓……156
江苏常州半月岛五代墓……158
江苏铜山县茅村隋墓……155
江苏镇江甘露寺铁塔塔基发掘记……178
江苏镇江市花山湾古城遗址1991年发掘简报……181
江苏镇江唐墓……180
江陵雨台山出土唐代云龙纹青铜镜……393
安阳市发现隋代大型家族墓地……367
安阳市戚家庄隋唐窑址发掘简报……368
安阳市第二制药厂唐墓发掘简报……366
安阳出土唐代窖藏钱币研究……368
安阳西郊刘家庄唐墓……366
安阳活水村隋墓清理简报……365
安阳隋张盛墓发掘记……362
安阳隋墓发掘报告……365
安陆王子山唐吴王妃杨氏墓……395
安陆县发现唐代王妃墓……394
安康出土一唐鎏金铜佛像……693
安塞出土唐代谢寿墓志铭……688
安徽无为县发现一座唐墓……207
安徽六安东三十铺隋画像砖墓……208

安徽怀宁县发现唐人马球图铜镜……203
安徽青阳县发现一座南唐砖室墓……209
安徽和县发现唐代墓志……207
安徽南陵清理一座唐墓……202
安徽省贵池市发现三方唐代官印……209
安徽亳县隋墓……208
安徽望江发现一件四神镜……203
安徽望江发现隋代铜镜……204
安徽望江县出土隋代鸡首壶……204
安徽望江县城北村出土一件唐代铜镜……205
安徽巢湖市半汤乡发现唐墓……207
安徽巢湖市唐代砖室墓……206
安徽繁昌县闸口村发现一座唐墓……202
如皋发现的唐代木船……161

七画

扶风贤官村唐鎏金铜造像窖藏……625
扶风法门寺唐代地宫发掘简报……626
扶风法门寺塔唐代地宫发掘简报……625
赤德松赞墓碑清理简报……490
邯郸地区发现一批古钱……58
苍溪出土唐代官印……460
苍溪县阳岳寺摩崖石刻造像调查简报……463
苏州七子山五代墓发掘简报……159
苏州市郊出土唐三彩扁壶……159
苏州市郊出土唐三彩扁壶……160
连云港市出土唐代石雕人物罐……161
岐山县博物馆藏隋代石造像……628
岐山郑家村唐元师奖墓清理简报……629
牡丹江市郊江西遗址调查简报……138
余姚出土一件唐代墓志罐……188
含光门段明城断面考古调查报告……594
沔阳出土的唐代铜镜……397
沙市市郊发现唐代墓塔……392
沈阳市石台子高句丽山城蓄水设施遗址……109
初唐画家王定墓志铭……513
灵台舍利石棺……700
阿斯塔那 336 号墓出土的几件泥俑……712

八画

武汉市东湖岳家嘴隋墓发掘简报……383
武汉江夏流芳唐墓清理发掘简报……386

武汉测绘学院隋墓发掘简报......383
武昌石牌岭唐墓清理简报......384
武昌县郑店乡关山村发现隋墓......384
武周延载伍松超地券......179
武陟出土两方唐代墓志......354
青龙寺遗址出土“盈”字款珍贵白瓷器......564
青城发现唐代八卦铜镜......468
“拉萨朵仁”吐蕃祭坛与墓葬的调查及分析......495
林县洪谷寺唐塔调查......364
松潘县出土唐代开元通宝钱币......474
松赞干布、赤松德赞陵调查记......492
杭州、临安五代墓中的天文图和秘色瓷......184
杭州三台山五代墓......184
杭州雷峰塔五代地宫发掘简报......186
杭州慈云岭资贤寺摩崖龛像......185
旺苍县佛子崖摩崖石刻造像调查简报......462
旺苍县普济镇佛爷洞摩崖石刻造像调查简报......463
和龙县龙海古迹调查......123
郑州上街区唐墓发掘简报......254
郑州上街峡窝唐墓发掘简报......273
郑州古荥师家河唐墓清理简报......266
郑州市几座隋墓的发掘......262
郑州市上街铝厂唐墓发掘简报......263
郑州市区西北部两座唐墓发掘简报......275
郑州市区两座唐墓发掘简报......265
郑州市郭庄唐代李晊墓清理简报......258
郑州地区发现的几座唐墓......261
郑州西郊唐墓发掘简报......265
郑州唐丁彻墓发掘简报......266
郑州新天地唐墓（M6）发掘简报......274
郑乾意夫妇墓发掘简报......614
郑韩故城新郑市二中唐墓......270
法门寺调查简报......624
法门寺塔第二次清理简报......624
河北大名县发现何弘敬墓志......60
河北元氏县使庄村唐墓......56
河北文安麻各庄唐墓......75
河北正定开元寺发现初唐地宫......54
河北正定舍利寺塔基地宫清理简报......54
河北平山县西岳村隋唐崔氏墓......55
河北永年清理一座唐墓......58
河北邢台中兴西大街唐墓......66

河北邢台市唐墓的清理……65
河北曲阳八会寺隋代刻经龛……67
河北曲阳五代壁画墓发掘简报……68
河北曲阳发现隋代墓志及瓷器……66
河北阳原金家庄唐墓……70
河北邯郸鼓山常乐寺遗址清理简报……59
河北沧县前营村唐墓……74
河北怀来县寺湾唐墓……70
河北张家口市宣化区发现唐代石棺墓……71
河北易县北韩村唐墓……67
河北易县张格庄出土的唐代铁农具……67
河北肥乡发现唐代椒石佛造像……60
河北河间出土隋唐鎏金铜造像……74
河北南和东贾郭唐墓……64
河北南和唐代郭祥墓……65
河北临城七座唐墓……63
河北省正定县出土隋代舍利石函……53
河北宣化纪年唐墓发掘简报……71
河北盐山县出土唐代铜镜……75
河北晋县唐墓……52
河北宽城出土两件唐代银器……73
河北廊坊市大城县出土四方隋唐墓志……76
河北清河丘家那唐墓……64
河北献县唐墓清理简报……73
河北蔚县九宫口唐墓……70
河北蔚县榆涧唐墓……69
河北磁县贾壁村隋青瓷窑址初探……58
河南三门峡市印染厂唐墓清理简报……376
河南三门峡市清理一座纪年唐墓……377
河南上蔡县贾庄唐墓清理简报……380
河南平顶山苗候唐墓发掘简报……352
河南永城市侯岭唐代木船……378
河南巩义市老城砖厂唐墓发掘简报……271
河南巩义市夹津口隋墓清理简报……270
河南巩义唐墓发掘简报……275
河南巩县大、小黄治村唐三彩窑址的调查简报……256
河南巩县古窑址调查记要……253
河南伊川发现一座唐墓……288
河南安阳市北关唐代壁画墓发掘简报……370
河南安阳市两座隋墓发掘报告……367
河南安阳市置度村八号隋墓发掘简报……369
河南安阳修定寺唐墓……364

河南安阳隋代瓷窑址的试掘……363
河南安阳隋墓清理简记……363
河南扶沟县唐赵洪达墓……379
河南郑州市上街唐墓的清理……262
河南宝丰县文化馆收集到几件隋代铜质造像……352
河南孟县店上村唐墓……355
河南孟县堤北头唐代程最墓发掘简报……356
河南孟津县大杨树村唐墓……337
河南孟津县上店村唐代壁画墓……349
河南荥阳大海寺出土的石刻造像……255
河南荥阳市薛村遗址唐代纪年墓……346
河南荥阳茹茴发现唐代瓷窑址……259
河南荥阳唐代邛州刺史赵德明墓……273
河南荥阳唐代邛州刺史赵德明墓……346
河南南阳市地税局唐墓发掘简报……378
河南临汝县发现一座唐墓……353
河南省平玉县发现四神八卦镜……381
河南省巩义市芝田两座唐墓发掘简报……264
河南省巩义市孝西村唐墓发掘简报……263
河南省巩县出土的唐代书名陶俑……254
河南省禹州市神垕镇下白峪窑址发掘简报……372
河南省清丰县发现一批大周证圣元年石刻造像……371
河南省淅川县西岭隋画像砖墓……377
河南省储备局四三一处国库唐墓发掘简报……272
河南禹州唐郭超岸墓出土瓷器……373
河南禹州新峰墓地唐墓发掘简报……373
河南洛阳市中州路北唐宋建筑基址发掘简报……327
河南洛阳市龙门北市香行像窟的考察……323
河南洛阳市龙门镇唐墓发掘简报……342
河南洛阳市东北郊隋代仓窖遗址的发掘……340
河南洛阳市东郊十里铺村唐墓……338
河南洛阳市白马寺唐代窑址发掘简报……328
河南洛阳市关林 1305 号唐墓的清理……331
河南洛阳市关林镇唐代烧瓦窑址的发掘……340
河南洛阳市瀍河东岸唐代窑址发掘简报……314
河南洛阳市瀍河西岸唐代砖瓦窑址……341
河南洛阳市隋唐东都外郭城五座窑址的发掘……343
河南洛阳市隋唐东都应天门遗址 2001 ～ 2002 年发掘简报……337
河南洛阳市隋唐东都重光北门遗址的发掘……339
河南洛阳市隋唐城宣政门遗址的发掘……332
河南洛阳市隋唐洛阳皇城东垣的清理……332
河南洛阳涧西谷水唐墓清理简报……286

河南洛阳隋唐东都皇城遗址出土的红陶器……329
河南洛阳隋唐城宣仁门遗址的发掘……318
河南息县唐墓出土瓷器……379
河南偃师市杏园村唐墓的发掘……311
河南偃师市高龙逯寨出土唐代墓志……312
河南偃师杏园村的六座纪年唐墓……292
河南偃师杏园村的两座唐墓……289
河南偃师县四座唐墓发掘简报……302
河南偃师县隋唐墓发掘简报……293
河南偃师唐严仁墓……301
河南偃师唐柳凯墓……301
河南偃师唐墓发掘报告……310
河南商丘汴河济阳镇段考古调查发掘简报……379
河南淇县靳庄发现一座唐墓……358
河南尉氏出土窖藏史思明钱币……276
河南焦作博爱聂村唐墓发掘报告……357
河南温县唐代杨履庭墓发掘简报……353
河南登封市法王寺二号塔地宫发掘简报……268
河南新乡市凤泉区王门唐墓发掘简报……361
河南新乡市仿木结构砖室墓发掘简报……362
河南新乡市南华小区唐墓发掘简报……361
河南新乡市唐代墓葬发掘报告……360
河南新安县十里村唐墓发现三彩鸳鸯壶……281
河南新安县磁涧出土的唐三彩……295
河南新安铁门镇发现的石雕像……288
河南新郑市摩托城唐墓发掘简报……269
河南新郑县荆王庄发现两座唐代石塔……258
河南新郑清理一座唐墓……267
河南濮阳县城出土唐代墓志……371
河洛地区出土唐代瓷器概述……253
宝鸡剧院出土唐瓷碗……634
陕北洛川县出土唐代白胎陶俑……690
陕西千阳县上店发现唐代铜佛造像窖藏……633
陕西长安县南里王村与咸阳飞机场出土大量隋唐珍贵文物……558
陕西长安隋宋忻夫妇合葬墓清理简报……551
陕西长武出土一批唐代鎏金铜造像……662
陕西长武郭村唐墓……665
陕西凤翔县城南郊唐墓群发掘简报……626
陕西户县西坡村唐墓清理简报……536
陕西礼泉唐张士贵墓……645
陕西永寿孟村发现隋代铜镜……647
陕西西安唐长安城圜丘遗址的发掘……569

陕西延长的一批唐代窖藏造像碑调查……691
陕西延安新出土唐吐火罗人罗何含墓志……692
陕西兴平发现唐郭英奇墓志……659
陕西扶风发现钱币窖藏……635
陕西岐山蔡家坡石窟考古调查报告……635
陕西陇县东南乡党家庄唐墓发掘简报……627
陕西青龙寺佛教造像碑……554
陕西咸阳唐苏君墓发掘……637
陕西咸阳隋鹿善夫妇墓发掘简报……673
陕西临潼邢家村发现唐代鎏金铜造像窖藏……526
陕西省第三印染厂两座唐墓清理简报……556
陕西高陵县耿镇出土唐《东渭桥记》残碑……525
陕西唐大明宫含耀门遗址发掘记……535
陕西彬县五代冯晖墓彩绘砖雕……656
陕西彬县发现唐代巨碑……657
陕西铜川市唐窦及墓发掘简报……621
陕西铜川唐玉华宫遗址调查……615
陕西铜川黄堡耀州窑遗址发现五代“官”款青瓷……620
陕西商州市发现唐代墓葬群……695
陕西商洛地区出土一件唐代双鸾奔马镜……694
陕西淳化金川湾三阶教刻经石窟……665
陕西韩城小金盆村唐代白氏家族墓清理记……676
陕西蓝田发现一批唐代金银器……519
陕西蒲城县发现高力士残碑……676
陕西潼关税村隋代壁画墓发掘简报……682
陕西耀县柳沟唐墓……619
陕西麟游县东川寺、白家河、石鼓峡的佛教遗迹……632
陕西麟游县慈善寺南崖佛龛与《敬福经》的调查……632
陕西麟游县麟溪桥佛教摩崖造像……629
陕西麟游慈善寺石窟的初步调查……628
陕县唐代姚懿墓发掘报告……374

九画

赵冬曦墓志铭……257
荥阳发现一大批隋五铢……257
荥阳后王庄唐墓发掘简报……272
南乐县前王落古墓葬清理简报……370
南昌地区唐墓器物简介……224
南京九华山古铜矿遗址调查报告……153
南京市西善桥发现五代闽国王氏族人墓志……154
南京钱家渡丁山发现唐墓……153
南部县出土唐代三彩陶俑……466

查果西沟摩崖造像 2009 年考古调查简报……488
咸阳市出土一件唐代金壶……647
咸阳市渭城区出土的唐墓志……655
咸阳市渭城区出土唐代陶质龟砚……654
咸阳发现大批唐代货币……647
咸阳师专唐墓清理简报……659
咸阳隋代萧绍墓……668
临潼关山唐墓清理简报……521
临潼唐庆山寺舍利塔基精室清理记……530
临潼唐庆山寺塔基出土百余件珍贵文物……530
昭陵出土唐代铜钱……650
昭陵发现陪葬宫人墓……649
昭陵陪葬墓调查记……642
钟祥出土唐代铜镜和熨斗……393
重庆三峡库区唐代佛教石刻造像调查报告……435
重庆万州中坝子遗址发现唐代佛教金铜造像……434
重庆市万州区武陵中嘴遗址发掘报告……437
重庆市云阳县硐村佛教摩崖造像……435
重庆地区唐代佛教摩崖龛像调查……439
重庆潼南县千佛寺摩崖造像清理简报……437
泉州市防洪堤工地上发现隋代砖墓……215
泉州河市公社发现唐墓……216
饶阳县王桥村隋墓清理简报……77
闽南新发现的历史建筑物……211
前蜀晋晖墓清理简报……443
洛川出土唐代鎏金铜造像……690
洛川县寺家河唐代佛教密宗造像石窟……688
洛阳王城大道唐墓（IM2084）发掘简报……326
洛阳龙门双窑……296
洛阳龙门张沟唐墓发掘简报……342
洛阳龙门香山寺遗址的调查与试掘……291
洛阳龙门唐安菩夫妇墓……285
洛阳龙门新村出土隋代墓志……345
洛阳龙康小区唐墓（C7M2151）发掘简报……334
洛阳东马沟出土隋代石雕老君像……290
洛阳东郊发现唐代瓦当范……308
洛阳北郊唐颍川陈氏墓发掘简报……315
洛阳北郊唐墓……330
洛阳北郊清理的一座晚唐墓……314
洛阳市东明小区 C5M1542 唐墓……324
洛阳市北郊唐代墓葬的发掘……311
洛阳市关林唐墓（C7M1526）发掘简报……345

洛阳出土唐管元惠神道碑……285
洛阳发现“郑”刘开妻孟夫人墓志……315
洛阳发现一座后周墓……307
洛阳发现的一件唐代山水禽兽纹铜镜……343
洛阳发现郑开明二年墓……281
洛阳发现唐代林存古墓志……328
洛阳发现唐代咸亨三年石塔……350
洛阳发现唐代窖穴建筑遗址……286
洛阳发现唐城厚载门……277
洛阳发现隋唐城夹城城墙……287
洛阳地区唐代石雕塔……320
洛阳伊川大庄唐墓（M3）发掘简报……326
洛阳伊川后晋孙璠墓发掘简报……336
洛阳伊川县出土的唐代墓志和神道碑……306
洛阳后梁高继蟾墓发掘简报……307
洛阳关林 59 号墓……280
洛阳关林大道徐屯东段唐墓发掘简报……331
洛阳关林大道唐墓（C7M1724）发掘简报……334
洛阳关林唐代陈晖墓发掘简报……350
洛阳关林唐墓……283
洛阳关林镇唐墓发掘报告……344
洛阳红山工业园区唐墓发掘简报……347
洛阳杨文村唐墓 C5M1045 发掘简报……324
洛阳含嘉仓 1988 年发掘简报……300
洛阳岳家村 30 号唐墓出土波斯萨珊朝银币……333
洛阳孟津西山头唐墓……300
洛阳孟津西山头唐墓发掘报告……303
洛阳孟津朝阳送庄唐墓简报……342
洛阳徐村发现一批唐代石刻造像……290
洛阳唐东都上阳宫园林遗址发掘简报……313
洛阳唐东都圆壁城南门遗址发掘简报……317
洛阳唐东都履道坊白居易故居发掘简报……305
洛阳唐卢照己墓发掘简报……335
洛阳唐安菩墓的一批与农牧业有关的文物……291
洛阳涧西区唐代墓葬发掘简报……348
洛阳清理一座唐墓……278
洛阳隋唐东都城 1982 ~ 1986 年考古工作纪要……298
洛阳隋唐东都皇城内的仓窖遗址……283
洛阳隋唐含嘉仓的发掘……279
洛阳隋唐含嘉仓遗址……279
洛阳隋唐宫城内的烧瓦窑……280
洛阳新区厚载门唐墓发掘简报……348

洛阳新近出土两件三彩莲花盘……284
洛南新区龙盛小区唐墓 M12 发掘简报……349
济南玉函山隋代摩崖龛窟造像……237
济南市大佛寺调查记……235
济南市洪家楼出土的一批隋代瓷器……235
济南隋代吕道贵兄弟墓……237
眉山县伏东胡营墓葬清理简报……469

十画

珲春市东六洞二号遗址发掘简报……123
盐亭县发现唐代《嫘祖圣地》碑志……456
都昌周溪唐窑遗址……227
哲里木盟发现的鲜卑遗存……106
晋西南地区发现一批小型佛道石造像……101
原唐长安城平康坊新发现陶窑遗址……593
唐“净土变相”线刻画像石……518
唐大明宫发掘简报……507
唐大明宫含元殿遗址 1995 ~ 1996 年发掘报告……564
唐太府少卿郭锜夫妇墓发掘简报……613
唐中和五年石经幢……261
唐牛浦墓志……574
唐长安大明宫含元殿原状的探讨……515
唐长安西明寺遗址发掘简报……544
唐长安兴庆宫发掘记……508
唐长安青龙寺遗址……541
唐长安城大明宫太液池遗址发掘简报……575
唐长安城大明宫太液池遗址考古新收获……575
唐长安城太平坊东南隅出土遗物……565
唐长安城东市遗址出土金铤……519
唐长安城发现坊里道路遗迹……562
唐长安城发掘新收获……532
唐长安城地基初步探测……504
唐长安城西市遗址发掘……510
唐长安城兴化坊遗址钻探简报……515
唐长安城安定坊发掘记……540
唐长安城崇化坊遗址发掘简报……592
唐长安南郊韦慎名墓清理简报……577
唐长安醴泉寺遗址出土的鎏金铜造像……583
唐末五代闽王王审知夫妇墓清理简报……213
唐节愍太子墓发掘简报……681
唐东都上阳宫内出土石蟾蜍……295
唐东都武则天明堂遗址发掘简报……296

唐东都乾元门遗址发掘简报……304
唐代天文家瞿昙譔墓的发现……517
唐代长安城平康坊出土的鎏金茶托子……508
唐代长安城明德门遗址发掘简报……515
唐代长沙铜官窑址调查……403
唐代玉华宫遗址发现鎏金铜造像……620
唐代邢窑窑址考察与初步探讨……62
唐代邢窑遗址调查报告……61
唐代花枝铜镜……408
唐代张九龄墓发掘简报……416
唐代张文俱墓发掘报告……351
唐代和运墓志考释……689
唐代故济州司马郝君夫人达奚令婉墓发掘简报……610
唐代故高阳郡君许氏夫人墓发掘简报……615
唐代慕容威墓志浅释……706
唐玄宗泰陵陵园遗址考古勘探、发掘简报……684
唐永泰公主墓发掘简报……638
唐永泰公主墓志铭……637
唐永康陵调查记……661
唐司马睿墓清理简报……526
唐西州岸头府果毅都尉杨敏墓志考……687
唐贞顺皇后敬陵石椁……604
唐贞陵调查记……648
唐华清宫汤池遗址第一期发掘简报……543
唐华清宫汤池遗址第二期发掘简报……552
唐华清宫调查记……522
唐华清宫梨国、小汤遗址发掘简报……566
唐刘自政墓清理简记……700
唐兴宁陵调查记……396
唐安元寿夫妇墓发掘简报……650
唐孙承嗣夫妇墓发掘简报……588
唐严州刺史华文弘夫妇合葬墓……579
唐李凤墓发掘简报……675
唐李寿墓发掘简报……641
唐李承乾墓发掘简报……652
唐杨谏臣墓出土的几件文物……648
唐张仲晖墓发掘简报……654
唐张泰夫妇墓发掘简报……614
唐阿史那忠墓发掘简报……643
唐青龙寺遗址发掘简报……516
唐青龙寺遗址踏察记略……512
唐青釉蓝彩执壶……174

唐范孟容墓发掘简报……588
唐郑夫人墓志考释——兼释《卢轺墓志》……309
唐郑仁泰墓发掘简报……641
唐房陵大长公主墓清理简报……677
唐建陵探测工作简报……639
唐肃宗建陵出土一件兽面脊头瓦……669
唐肃宗建陵出土石生肖俑……664
唐肃宗建陵出土石武将头……667
唐契苾明墓发掘记……660
唐昭应县城调查……540
唐昭陵长乐公主墓……651
唐昭陵李勣（徐懋功）墓清理简报……662
唐昭陵段璧墓清理简报……653
唐昭陵陪葬蒋王妃元氏墓发现题记石柱……666
唐昭陵新城长公主墓发掘简报……657
唐贴金画彩石刻造像……510
唐顺陵勘查记……638
唐独孤公夫人清河张氏墓清理简报……558
唐洛阳宫城出土哀帝玉册……299
唐姚无陂墓发掘简报……571
唐恭陵实测纪要……293
唐恭陵哀皇后墓部分出土文物……323
唐桥陵勘查记……645
唐徐恽及夫人姚氏墓志考述……319
唐殷仲容夫妇墓发掘简报……597
唐高力士墓发掘简报……679
唐高祖谥号玉牌……577
唐高祖献陵陵园遗址考古勘探与发掘简报……672
唐高祖献陵陵园遗址考古勘探与发掘简报……674
唐郭仲恭及夫人金堂长公主墓发掘简报……609
唐乾封二年王婆造像碑……295
唐乾陵勘查记……636
唐崔元略夫妇合葬墓……325
唐崇陵调查简报……658
唐康文通墓发掘简报……580
唐章怀太子墓发掘简报……640
唐章陵调查简报……680
唐尉迟敬德墓发掘简报……644
唐越王李贞墓发掘简报……642
唐董僧利墓清理简报……547
唐惠庄太子墓发掘简报……678
唐惠昭太子墓清理简报……555

唐遂州司马董务忠墓清理简报……562
唐献陵踏青记……661
唐嗣虢王李邕墓发掘简报……685
唐嗣虢王李邕墓前遗址发掘简报……683
唐嗣濮王李欣墓发掘简报……389
唐裴氏小娘子墓出土文物……559
唐睿宗贵妃豆卢氏墓发掘简报……307
唐睿宗桥陵陵园遗址考古勘探、发掘简报……683
唐翠微宫遗址考古调查简报……547
唐蕃会盟碑碑座出土……486
唐薛元嘏夫妇墓发掘简报……600
唐鎏金铜羊和鎏金铁心铜龙……534
唐懿德太子墓发掘简报……640
阅马场五代吴国墓……385
烟台市芝罘区发现一座石椁墓……239
浙江义乌发现唐代窖藏铜镜……194
浙江长兴县发现一批唐代银器……190
浙江古建筑调查记略……183
浙江龙游、衢县两处唐代古窑址调查……195
浙江龙游方坦唐乳浊釉瓷窑址调查……196
浙江东阳南市塔出土青瓷……194
浙江乐清县发现五代土坑墓……189
浙江宁波市出土一批唐代瓷器……186
浙江宁波市唐宋子城遗址……188
浙江宁海发现一件“真子飞霜”铜镜……187
浙江永嘉龙下唐代青瓷窑址发掘简报……190
浙江舟山发现唐代窖藏钱币……197
浙江丽水唐代土坑墓……199
浙江临安板桥的五代墓……183
浙江临海发现一件五代青瓷盘口壶……198
浙江诸暨发现唐代铭文铜钟……192
浙江诸暨县唐代土坑墓……193
浙江常山县发现隋代舞乐纹墓砖……196
浙江象山唐代青瓷窑址调查……187
浙江淳安县朱塔发现唐代窖藏银器……185
浙江温州市西山出土的唐代独木舟……189
浙江嵊县发现隋代纪年墓……193
浙江嵊泗出土唐代窖藏铜质鹿纹带饰……198
浙江德清发现唐代黑釉粮罂……191
浙江衢州市隋唐墓清理简报……195
浦城出土唐代铜镳斗……220
海林市细鳞河遗址……139

海林市柴河羊草沟墓群……139
海林羊草沟征集的几件渤海时期文物……144

十一画

焉耆国都、焉耆都督府治所与焉耆镇城——博格达沁古城调查……725
黄石市新下陆一号唐墓……386
黄龙县发现一面月宫纹镜……686
黄州市王家坊唐墓的清理……395
乾陵勘查情况……636
彬县出土唐代郭顺墓志铭……654
彬县出土隋造像碑……651
常州市出土唐三彩瓶……157
铜川市陈炉出土唐代银器……617
铜川市黄堡镇出土唐代金花银碗……616
铜川黄堡发现唐三彩作坊和窑炉……618
偃师出土颜真卿撰并书郭虚己墓志……317
偃师县沟口头砖厂唐墓发掘简报……316
偃师唐李元璥夫妇墓发掘简报……291
淇县出土一件彩釉斑瓷壶……358
淳化县发现开皇十四年造像……652
隋开皇三年鎏金佛造像与石造像……631
隋元威夫妇墓发掘简报……671
隋仁寿宫唐九成宫 37 号殿址的发掘……630
隋文帝陵、祠勘察记……623
隋正觉寺遗址出土的石造像……533
隋东都洛阳回洛仓的考古勘察……330
隋吕思礼夫妇合葬墓清理简报……583
隋罗达墓清理简报……525
隋唐长安城含光门北侧地层的考古调查……595
隋唐长安城实际寺遗址出土文物……535
隋唐东都应天门遗址发掘简报……298
隋唐东都城址的勘查和发掘……277
“隋唐东都城址的勘查和发掘”续记……282
隋唐东都城遗址出土一件龟形澄泥残砚……288
隋唐东都洛阳城外廓城砖瓦窑址 1992 年清理简报……316
隋唐皇城含光门西过水涵洞遗址考古调查报告……595
隋唐洛阳含嘉仓城德猷门遗址的发掘……284
隋唐洛阳城东城内唐代砖瓦窑址发掘简报……302
隋唐洛阳城永通门遗址发掘简报……312
隋唐洛阳城城垣 1995 ~ 1997 年发掘简报……322
隆尧唐陵、《光业寺碑》与李唐祖籍……62
绵阳市西山玉女泉摩崖造像调查报告……457

绵遂高速公路（三台段）后底山隋代崖墓群发掘简报……458
绵遂高速公路（三台段）果园山崖墓发掘简报……458

十二画

博爱县石佛滩隋代摩崖造像调查简报……356
朝阳双塔区唐墓……115
嵌金铁马蹬……48
黑龙江东宁县大城子渤海墓发掘简报……132
黑龙江东宁县小地营遗址渤海房址……143
黑龙江宁安、林口发现的古墓葬群……131
黑龙江宁安市虹鳟鱼场墓地的发掘……137
黑龙江宁安市渤海上京龙泉府宫城第三宫殿遗址的发掘……142
黑龙江宁安市渤海国上京龙泉府宫城4号宫殿遗址的发掘……145
黑龙江牡丹江市郊出土唐代铜镜……136
黑龙江省宁安市东莲花村渤海墓葬……143
黑龙江省牡丹江桦林石场沟墓地……136
黑龙江省逊克县河西古城第三次调查简报……150
黑龙江省海林市山咀子渤海墓葬……149
黑龙江省海林市羊草沟墓地的发掘……141
黑龙江省萝北县团结墓葬清理简报……130
黑龙江海林北站渤海墓试掘……134
集安县老虎哨古墓……120
焦作赵张弓出土唐三彩三足罐……355
敦煌佛爷庙湾唐代模印砖墓……702
遂平县又发现一面唐代透光镜……381
湖北安陆发现唐双耳葡萄铜壶……395
湖北沔阳发现隋代四神镜……397
湖北武昌马房山隋墓清理简报……384
湖北京山县孙桥镇出土一面唐代铜镜……394
湖北宜城市皇城村出土唐代文物……387
湖北郧县后房村唐代崖墓群调查与发掘……390
湖北郧县唐李徽、阎婉墓发掘简报……389
湖北监利县出土一批唐代漆器……392
湖北浠水胡油铺唐墓发掘简报……396
湖州飞英塔发现一批壁藏五代文物……191
湖南长沙牛角塘唐墓……400
湖南长沙左家公山一带唐墓发掘简报……400
湖南长沙市郊五代墓清理简报……401
湖南长沙近郊隋唐墓清理……402
湖南长沙咸嘉湖唐墓发掘简报……403
湖南安仁发现一座五代墓……411
湖南岳阳桃花山唐墓……408

湖南郴州市竹叶中唐墓……411
湖南郴州发现两座隋墓……410
湖南郴州发现唐代水井……410
湖南益阳县赫山庙唐墓……409
湖南麻阳县发现唐代窖藏银器……412
湖南望城县长沙窑1999年发掘简报……405
湖南湘阴县隋大业六年墓……407
湖南湘阴唐墓清理简报……407
湖南衡阳发现唐代凤凰双镜……406
渤海上京龙泉府出土的几件文物……146
渤海上京城发现的泥佛像……148
渤海上京城第四阶段考古发掘主要收获……147
渤海上京城御花园南门址被首次发现……137
渤海上京宫城内房址发掘简报……133
渤海上京宫城内房址发掘简报……135
渤海上京宫城第2、3、4号门址发掘简报……132
渤海上京宫城第一宫殿东、西廊庑遗址发掘清理简报……133
渤海旧京城址调查……121
渤海国上京龙泉府遗址1997年考古发掘收获……142
渤海故地再次发现舍利函……146
渤海故都上京龙泉府发现金佛……136
渤海砖瓦窑址发掘报告……134
温县两座唐墓清理简报……354
富平县宫里发现唐代砖瓦窑遗址……677
富平县新发现的唐墓壁画……678
登封嵩岳寺塔天宫清理简报……259

十三画

蓝田发现唐凤衔绶镜……563
蓝田县水陆庵附近出土唐代鎏金铜佛像……523
蓝田县出土唐故忠武将军右卫率邓温墓志铭……550
蓝田新出土舍利石函……548
靖边出土唐杨会石棺和墓志……693
新乡市大里村发现一座唐墓……360
新乡市唐墓清理简报……359
新发现一面唐代透光镜……380
新发现的唐武令璋石椁和墓志……691
新郑市郑韩故城内近年发现的几座唐墓……271
新郑唐代张昭训墓发掘简报……276
新津县出土唐代窖藏铜币……444
新都五代十国钱币窖藏清理报告……450
新疆天山以北岩画述略……710

新疆木垒干沟遗址发掘简报 726
新疆乌恰县发现金条和大批波斯银币 725
新疆民丰大沙漠中的古代遗址 721
新疆考古的发现——伊犁的调查 728
新疆吐鲁番地区木纳尔墓地的发掘 718
新疆吐鲁番地区巴达木墓地发掘简报 719
新疆吐鲁番地区交河故城沟西墓地康氏家族墓 717
新疆吐鲁番阿斯塔那墓地西区 2004 年发掘简报 720
新疆阿斯塔那三座唐墓出土珍贵绢画及文书等文物 713
新疆和田地区策勒县达玛沟佛寺遗址发掘报告 721
新疆和田达玛沟佛寺考古新发现与研究 722
新疆阜康出土唐代青铜犁 726
新疆柏孜克里克千佛洞窟前遗址发掘简报 720
新疆哈巴河县出土唐代铜镜 729
新疆拜城亦狭克沟石窟调查简报 723
新疆策勒县达玛沟 3 号佛寺建筑遗址发掘简报 723
新疆鄯善县吐峪沟发现陶棺葬 714
福州东郊清理一座唐代墓葬 212
福州发现五代十国时期闽铅币和元代秤权、钞版 212
福建永春发现五代墓葬 216
福建武夷山市发现唐墓 221
福建建瓯东游下塘唐窑调查 220
福建泉州市西南郊唐墓清理简报 215
福建泉州市河市镇贞观廿二年唐墓 218
福建将乐县发现唐代窑址 219
福建莆田唐墓 214
福建惠安县上村唐墓的清理 218
福建惠安县曾厝村发现两座隋墓 217
福建厦门市下忠唐墓的清理 213
福建福安、福州郊区的唐墓 222
福建漳浦县刘坂乡唐墓清理简报 219

十五画及以上

德阳马鞍山出土前蜀佛教文物 455
潜山县发现唐代月宫镜 204
潼关县老虎城村一座古代陶窑中出土的隋唐造像 675
鹤壁市发现一座唐代墓葬 359
藏北石棺葬调查试掘简报 500
襄阳县东津陈坡六朝隋唐墓葬发掘简报 387
襄樊太平店发现一合唐代墓志 388
襄樊高新区黄家村唐墓发掘简报 388
耀州窑遗址调查发掘新收获——兼谈对耀州窑的几点新认识 617

耀州窑遗址新发现的五代陶范——兼谈对五代耀州窑的几点认识......620
耀县药王山佛教造像碑......621
耀县药王山隋墓清理记......617
灞河再现隋唐古桥......584

辽金元卷

考古详报书名首字索引

一、本索引包括本卷上编所收考古详报；

二、本索引依考古详报首字笔画为序；

三、每一条目后的数字，为该考古详报在本卷中的页数。

四画

开城安西王府遗址勘探报告……22
元上都……12
元中都：1998～2003年发掘报告……10

五画

东蒙古辽代旧城探考记……11
北京玉河：2007年度考古发掘报告……4
北京龙泉务辽金墓葬发掘报告……4
北京金代皇陵……3
包头燕家梁遗址发掘报告……13
永丰库：元代仓储遗址发掘报告……17
辽代祖陵：2003～2010年度考古调查发掘报告……14
辽陈国公主墓……12

六画

西安韩森寨元代壁画墓……21
关山辽墓……13

七画

库伦辽代壁画墓……11
沈阳八王寺地区考古发掘报告……15

八画

固原开城墓地……22

九画

契丹女尸——豪欠营辽墓清理与研究……11
宣化下八里Ⅱ区辽壁画墓考古发掘报告……9
宣化辽墓：1974～1993年考古发掘报告……9

十画

徐水西黑山金元时期墓地发掘报告……10
凌源小喇嘛沟辽墓……15
绥中三道岗元代沉船……15

十二画

鲁谷金代吕氏家族墓葬发掘报告……6

十三画

蓟县独乐寺……8
福建平潭大练岛元代沉船遗址……19

考古简报篇名首字索引

一、本索引包括本卷下编所收考古简报；

二、本索引依考古简报首字笔画为序；

三、每一条目后的数字，为该考古简报在本卷中的页数。

一画

2003年度元中都皇城南门的发掘 79
一对金代北曲三彩枕 453

二画

九江出土元代烧钞库印 411

三画

三门峡市上村岭发现元代墓葬 481
三台出土元代窖藏 513
三台发现元赵垠祖墓碑 513
大同市南郊金代壁画墓 103
大同西南郊发现三座辽代壁画墓 98
大同金代阎德源墓发掘报告 102
大同城东马家堡发现一座辽壁画墓 99
大庆市大同区考古调查 356
大庆市发现两座古墓 357
大连市出土金代官印 228
大连市新金县发现金代摩崖造像 229
大连寺沟元墓 228
大连地区出土元代铜、铁权 229
上海市青浦县元代任氏墓葬记述 375
上海市普陀区志丹苑元代水闸遗址发掘简报 375
上海南汇海滨出土铁锚 374
山东广饶县出土一面金代铜镜 426
山东广饶县发现金代官印 426
山东长清、平阴元代石刻壁画墓 420
山东寿光县发现元代铜权 429
山东苍山县出土金代“虎威副都尉印” 436
山东苍山县出土金代官印 438
山东利津县发现元代铜权 426
山东邹城市出土元代铜权 435
山东沂水县发现元代铜权 437
山东茌平出土金代官印 442
山东茌平县发现一处元代窖藏 441
山东茌平郗屯出土一批金元器物 442
山东昌乐东山王元代墓葬清理简报 439
山东昌乐发现有龙凤六年铜权 438
山东莒南发现元代铜权 439
山东临淄大武村元墓发掘简报 423
山东济宁出土元代青花玉壶春瓶 433

山东济宁发现两座元代墓葬……434
山东泰安市大汶口镇近年出土的一批铜器……435
山东莱州市出土两方金代官印……428
山东栖霞发现金代窖藏铜钱……428
山东胶南县发现金代官印……422
山东高唐金代虞寅墓发掘简报……440
山东高密出土金代铜印……430
山东益都发现元代铜权……429
山东诸诚县出土窖藏铜钱……429
山东掖县出土元代铜权……427
山东聊城地区出土的古代官印……441
山东章丘市康家村出土金代官印……418
山东章丘青野元代壁画墓清理简报……419
山东淄博出土元代窖藏瓷器……423
山东淄博临淄区元代墓葬发掘简报……424
山东博兴发现元代铜权……443
山东博兴县发现一方金代万户官印……443
山东蒙阴出土元代刻文瓷罐……437
山东微山县出土元代铜权……432
山东微山县出土元代铜权……433
山东微山县发现金代“都统”铜印……432
山东微山县两批古钱币介绍……433
山东嘉祥县元代曹元用墓清理简报……431
山东滕县出土金代官印和铁权……425
山东滕县金苏瑀墓……425
山西大同东风里辽代壁画墓发掘简报……110
山西大同东郊元代崔莹李氏墓……103
山西大同市东郊马家堡辽墓……107
山西大同市辽代军节度使许从赟夫妇壁画墓……106
山西大同市辽墓的发掘……109
山西大同市金代徐龟墓……105
山西大同机车厂辽代壁画墓……108
山西大同西郊的一座金墓……99
山西大同卧虎湾四座辽代壁画墓……101
山西大同郊区五座辽壁画墓……98
山西屯留县康庄工业园区元代壁画墓……125
山西屯留宋村金代壁画墓……123
山西屯留宋村金代壁画墓……124
山西长子县小关村金代纪年壁画墓……124
山西长子县石哲金代壁画墓……120
山西长治市发现金代石棺……120
山西长治市故漳金代纪年墓……119

山西长治市南郊元代壁画墓……122
山西长治市捉马村元代壁画墓……120
山西长治市魏村金代纪年彩绘砖雕墓……125
山西长治安昌金墓……122
山西长治李村沟壁画墓清理……118
山西文水北峪口的一座古墓……115
山西石楼发现的三方官印……116
山西平阳古瓷窑调查……135
山西永和县出土金大安三年石棺……133
山西永济发现金代贞元元年青石棺……138
山西吉县出土金代铜砝码……132
山西兴县红峪村元至大二年壁画墓……117
山西运城西里庄元代壁画墓……139
山西孝义下吐京和梁家庄金、元墓发掘简报……114
山西孝义市发现一座金墓……117
山西应县佛宫寺木塔内发现辽代珍贵文物……111
山西灵丘觉山寺辽代砖塔……105
山西河曲出土四方金代官印……114
山西省大同市元代冯道真、王青墓清理简报……100
山西省长治县郝家庄元墓……121
山西省闻喜县金代砖雕、壁画墓……139
山西侯马金墓发掘简报……130
山西闻喜寺底金墓……140
山西浑源县界庄窑……102
山西绛县发现金代人形瓷枕……137
山西朔县金代火葬墓……112
山西新绛出土“贞祐宝券”铜版……136
山西新绛南范庄、吴岭庄金元墓发掘简报……138
山西新绛寨里村元墓……136
山西稷山金墓发掘简报……137
山西黎城县发现金代“宣差招抚使印”……121
山西霍州市陈村瓷窑址的调查……134
山西霍县发现重要瓷窑……131
山西繁峙岩上寺的金代壁画……113
山西襄汾县曲里村金元墓清理简报……131
山西襄汾县的四座金元时期墓葬……132
山西襄汾县南董金墓清理简报……130
山西襄汾金墓清理简报……133
山西襄汾侯村金代纪年砖雕墓……135
广东海康县出土两件彩绘瓷枕……501
广东潮安出土元代铜印……503
广汉发现元代铜权……512

广西灵山县发现元代铜权……506
广西贺县发现元代石雕佛塔……505
广州沙河双燕岗发现元墓……500
义马市金代砖雕墓发掘简报……482
义县文物保管所收藏一枚金代铜印……242
义县奉国寺大雄殿调查报告……240
义县清河门辽墓发掘报告……238
子长县新发现的元代佛教史料……554

四画

丰宁发现一处辽金时期窖藏……95
天津市宝坻区哈喇庄遗址的发掘……55
天津市蓟县营房村辽墓……54
天津蓟县独乐寺塔……53
元“泉州路总管府”铜权……407
元大都遗迹……31
元上都城址东南砧子山西区墓葬发掘简报……214
元上都调查报告……214
元末农民政权印章和义军遗址……491
元代“内府官物”漆盘……44
元代龙川和尚墓的发现和白马寺内的有关石刻……453
元代仿古龙纹三足索耳鬲炉……45
元代李圭墓志考……535
元代青花双环象耳瓶和三足鼎式炉……514
元代集宁路遗址清理记……205
元代盝顶式建筑模型——唐兀公碑……478
元延祐四年也里世八墓碑考释……387
元任仁发墓志的发现……374
元应昌路故城调查记……149
元铁可父子墓和张弘纲墓……45
元集宁路故城与建筑遗物……206
元集宁路故城出土的窖藏丝织物及其他……206
元赛因赤答忽墓的发掘……455
元察罕帖木儿墓前发现石翁仲……453
云冈石窟建筑遗迹的新发现……101
云南大理发现元代碑刻……526
扎鲁特旗封山屯契丹墓清理简报……195
五常县发现金代窖藏铁器……330
内蒙古扎鲁特旗哲北辽代墓葬群……199
内蒙古扎鲁特旗浩特花辽代壁画墓……199
内蒙古牙克石市莫拐农场发现鸾兽葡萄纹铜镜……203
内蒙古乌兰哈达阿贵山洞壁题记和大黑山摩崖刻石的发现……194

内蒙古乌拉特后旗岩画调查简报……204
内蒙古乌盟南部发现的青铜器和铜印……207
内蒙古巴林左旗出土辽代蔡志顺墓志……171
内蒙古巴林左旗出土彩绘木棺……185
内蒙古巴林左旗辽代祖陵考古发掘的新收获……184
内蒙古巴林左旗辽代祖陵龟趺山建筑基址……188
内蒙古巴林左旗辽代祖陵陵园遗址……186
内蒙古巴林左旗辽代祖陵陵园黑龙门址和四号建筑基址……187
内蒙古巴林左旗发现辽代王士方墓志……180
内蒙古巴林左旗哈拉海场辽代壁画墓清理简报……189
内蒙古巴林左旗前后昭庙的辽代石窟……149
内蒙古巴林左旗滴水壶辽代壁画墓……178
内蒙古巴林右旗友爱辽墓……174
内蒙古巴林右旗出土辽代首都符篆铜牌和石印……179
内蒙古巴林右旗发现辽代《王延福办佛会发愿碑》……174
内蒙古巴林右旗庆州白塔发现辽代佛教文物……170
内蒙古巴林右旗罕山辽代祭祀遗址发掘报告……165
内蒙古巴林右旗虎吐路辽墓……166
内蒙古巴林右旗博物馆收藏的一件辽代骨鱼……183
内蒙古包头市郊麻池出土铜范……143
内蒙古辽中京及西城外出土的文物……146
内蒙古宁城出土辽代三彩壶……159
内蒙古宁城辽邓中举墓……157
内蒙古宁城县发现辽代《大王记结亲事》碑……182
内蒙古宁城县武官营子发现的辽代石函……150
内蒙古发掘辽中京“紫金城”发现许多重要遗迹遗物……147
内蒙古伊金霍洛旗发现西夏窖藏文物……202
内蒙古兴安盟代钦塔拉辽墓出土丝绸服饰……213
内蒙古兴和尖山辽墓发掘简报……208
内蒙古兴和县发现窖藏铜币……208
内蒙古赤峰大营子元代瓷器窖藏……160
内蒙古赤峰市元宝山元代壁画墓……158
内蒙古赤峰沙子山元代壁画墓……169
内蒙古赤峰郊区新地辽墓……167
内蒙古赤峰宝山辽壁画墓发掘简报……176
内蒙古库伦旗七、八号辽墓……191
内蒙古库伦旗发现辽代灵安州城址……195
内蒙古库伦旗后柜金元时期墓葬……196
内蒙古武川县乌兰窑子金墓清理简报……209
内蒙古林西县小哈达辽墓……182
内蒙古林西县出土辽代铜镜……179
内蒙古林西县发现一件辽代陶扁壶……178

内蒙古林西县刘家大院辽墓发掘简报……188
内蒙古和林县发现一座金墓……142
内蒙古昭乌达盟巴林右旗发现辽代银器窖藏……153
内蒙古昭乌达盟敖汉旗北三家辽墓……160
内蒙古昭盟巴林左旗双井沟辽火葬墓……150
内蒙古昭盟辽太祖陵调查散记……151
内蒙古昭盟赤峰三眼井元代壁画墓……155
内蒙古科左中旗小努日木辽墓……198
内蒙古科右前旗、突泉县辽金城址调查……212
内蒙古科右前旗白辛屯古墓古城的调查……210
内蒙古突泉县发现辽代文物……202
内蒙古敖汉旗皮匠沟 1、2 号辽墓……177
内蒙古敖汉旗发现胡人骑狮辽瓷像……166
内蒙古敖汉旗老虎沟金代博州防御使墓……171
内蒙古敖汉旗沙子沟、大横沟辽墓……163
内蒙古敖汉旗英凤沟金代墓地……163
内蒙古哲里木盟发现的几座契丹墓……189
内蒙古翁牛特旗辽代广德公墓……167
内蒙古翁牛特旗梧桐花元代壁画墓……197
内蒙古凉城县水泉辽代墓葬……210
内蒙古凉城县后德胜元墓清理简报……209
内蒙古通辽市半截店辽代火葬墓群……197
内蒙古通辽市吐尔基山辽代墓葬……200
内蒙古通辽市腰伯吐古城调查……201
内蒙古通辽县二林场辽墓……191
内蒙古通辽县余粮堡辽墓……194
内蒙古鄂温克族自治旗发现契丹大字铜牌……204
内蒙古锡林郭勒元上都城址阙式宫殿基址发掘简报……215
内蒙古解放营子辽墓发掘简报……153
内蒙古察右前旗发现辽代碑刻……208
内蒙古额济纳旗出土元代纸币……216
内蒙古霍林河矿区金代界壕边堡发掘报告……190
内蒙古霍林郭勒市辽墓清理简报……195
长治出土金代纪年三彩虎枕……123
长春市石碑岭金代墓地发掘简报……292
长春市郊完颜娄室墓地考古新收获……291
长春市郊南阳堡金代村落址发掘……293
介绍一件元代釉里褐凤鸟纹盖罐……501
介绍几方金代官印……445
介绍韩林儿宋政权的一组文物……403
丹东地区出土的一批古代官印……236
丹东地区发现金末耶律留哥大辽政权铜印……237

丹阳全州公社发现元末红巾军宋政权的铜印……388
乌兰察布盟察右前旗古墓清理记……205
巴林左旗金代临潢路边堡界壕踏查记……164
巴林右旗床金沟5号辽墓发掘简报……180
巴林右旗博物馆收藏的几件辽代石枕和瓷枕……184
双城市东利村发现“滨州邢家”银锭……338
双城县兰棱镇出土一批金代窖藏文物……332

五画

正定藏三彩琉璃塔……58
甘肃庆阳县出土元代银锭……564
甘肃武威市白塔寺遗址1999年的发掘……562
甘肃定西县发现一方元代铜印……565
甘肃临夏金代砖雕墓……566
甘肃省清水县贾川乡董湾村金墓……561
甘肃静宁发现金代墓葬……563
甘肃漳县元代汪世显家族墓葬……564
石家庄市后太保元代史氏墓群发掘简报……58
石家庄市获鹿县发现古钱窖藏……57
龙门奉先寺大卢舍那佛像龛崖顶发现人字形排水防护沟遗址……451
平泉县博物馆藏两方金代官印……93
东宁出土一枚金末官印……368
东胜墓葬发现大元通宝……352
北京大兴区青云店辽墓……50
北京大葆台金代遗址发掘简报……42
北京门头沟区龙泉务发现辽代瓷窑……39
北京天坛公园内发现古墓……30
北京石景山区刘娘府元墓发掘简报……52
北京平谷河北村元墓发掘简报……51
北京市发现金代铜则……39
北京市拣选一组元代铅供器……48
北京市房山县北郑村辽塔清理记……41
北京市斋堂辽壁画墓发掘简报……40
北京市海淀区南辛庄金墓清理简报……48
北京市通县金代墓葬发掘简报……38
北京市密云县元代壁画墓……44
北京出土的辽、金时代铁器……28
北京出土金正隆二年银铤……41
北京出土鎏金银面具……43
北京地区发现辽金时代文物……27
北京西郊白云观遗址……29
北京西郊百万庄辽墓发掘简报……30

北京西便门外发现铜器……29
北京西绦胡同和后桃园的元代居住遗址……37
北京先农坛辽墓……38
北京后英房元代居住遗址……33
北京良乡发现的一处元代窖藏……34
北京昌平县出土元代影青瓷……40
北京昌平陈庄辽墓清理简报……49
北京郊区辽墓发掘简报……27
北京房山区金陵遗址的调查与发掘……51
北京南郊辽赵德钧墓……28
北京顺义安辛庄辽墓发掘简报……49
北京密云冶仙塔塔基清理简报……50
叶县出土一件金代三彩枕……462
四川中江县桥亭街元代瓷器窖藏……512
四川西昌发现元代铁权……521
四川苍溪出土两方元“万州诸军奥鲁之印”……515
四川重庆明玉珍墓……508
四川蓬溪县新发现元代建筑金仙寺……515
四川雷波县糖房坝发现崖葬……519
四川简阳东溪园艺场元墓……518
四平市石岭子城子山山城调查报告……307
白釉褐字四系瓶……337
宁安市沙兰镇发现的女真族遗物……369
宁安市前莲花村金代墓葬清理简报……369
宁安县镜泊湖地区文物普查……366
宁城县黑城古城址调查……156
宁夏灵武县磁窑堡瓷窑址发掘简报……569
记元大都出土文物……34
记元大都发现的八思巴字文物……35
记河南洛阳出土的二方金代官印……457
永乐宫调查日记——附永乐宫大事年表……130
永城县出土一方金代官印……483
辽上京出土许由巢父故事铜镜……167
辽上京出土契丹大字银币……155
辽王氏二方墓志考……263
辽中京西城外的古墓葬……148
辽中京城址发掘的重要收获……147
辽代永州调查记……157
辽代庆陵皇族墓发现小型木雕件……183
辽代耶律延宁墓发掘简报……261
辽代常遵化墓出土的围棋子……274
辽代释迦佛舍利塔内出土的“无垢净光大陀罗尼经”鎏金银板……181

辽宁大连出土官府验记铜镜……230
辽宁义县头台乡亮甲山辽墓清理简报……243
辽宁义县出土的一批瓷器……241
辽宁凤城发现一方金代铜印……237
辽宁凤城县发现金代刻铭铜镜……236
辽宁北票水泉一号辽墓发掘简报……261
辽宁北票白家窝铺辽代墓葬……281
辽宁北票市下瓦房沟发现一座辽墓……276
辽宁北票坤头波罗村发现一辽代石棺……276
辽宁北票黑城子城址及出土的部分文物……279
辽宁北镇县发现辽代铜犁范……241
辽宁辽阳县金厂辽画像石墓……253
辽宁发现金代塔铭刻石……255
辽宁抚顺土口子村元墓……234
辽宁抚顺千金乡唐力村金代遗址发掘简报……235
辽宁昌图古遗址和古城址调查记……256
辽宁昌图县塔东辽代遗址的发掘……258
辽宁岫岩出土一批金代窖藏铜钱……231
辽宁岫岩发现金代铁鏊……232
辽宁岫岩县长兴辽金遗址发掘简报……232
辽宁岫岩县出土的金代窖藏铜钱……233
辽宁岫岩镇辽金遗址……233
辽宁阜新市出土四方金代官印……247
辽宁阜新市发现元代铜权……246
辽宁阜新辽萧仅墓……245
辽宁阜新发现一座金代墓葬……249
辽宁阜新县白玉都辽墓……245
辽宁阜新县辽代平原公主墓与梯子庙 4 号墓……252
辽宁阜新县发现一方金代乣军铜印……245
辽宁阜新县契丹辽墓的清理……247
辽宁阜新海棠山发现契丹小字造像碑……246
辽宁阜新梯子庙二、三号辽墓发掘简报……250
辽宁法库县叶茂台 23 号辽墓发掘简报……227
辽宁法库县叶茂台 8、9 号辽墓……223
辽宁法库县叶茂台辽肖义墓……223
辽宁法库县发现金代铜镜……221
辽宁法库前山辽肖袍鲁墓……220
辽宁建平县古山子辽墓……275
辽宁建平县两处辽墓清理简报……269
辽宁建昌龟山一号辽墓……287
辽宁省本溪市二道沟村金代窖藏文物调查整理简报……235
辽宁省北宁市鲍家乡桃园村大平滩辽墓……242

辽宁省昌图县发现辽代子母铜狮……256
辽宁省法库叶茂台出土契丹民族铜丝网罩……220
辽宁省建平、新民的三座辽墓……218
辽宁省凌源出土金元时期铁器……280
辽宁省调兵山市城子村两座辽墓清理……258
辽宁省朝阳市发现辽代龚祥墓……268
辽宁省朝阳市南大街辽代铜铁器窖藏……274
辽宁铁岭市歪石砬子辽金遗址发掘简报……259
辽宁铁岭地区发现两方金代铜印……256
辽宁铁岭张楼子山城调查……257
辽宁凌海市郑家窝铺发现辽代画像石墓……244
辽宁绥中县城后村金元遗址……286
辽宁康平县发现辽代铜镜……223
辽宁康平县后刘东屯二号辽墓……222
辽宁康平县后刘东屯辽墓……221
辽宁清河门辽肖氏墓地发现的水井……244
辽宁清原县二道沟出土定窑系统瓷器……234
辽宁朝阳木头城子辽代壁画墓……272
辽宁朝阳东五家子王坟沟辽墓清理简报……275
辽宁朝阳北塔天宫地宫清理简报……271
辽宁朝阳市辽刘承嗣族墓……266
辽宁朝阳市金代纪年墓葬的发掘……286
辽宁朝阳市姑营子辽代耿氏家族 3、4 号墓发掘简报……283
辽宁朝阳辽赵氏族墓……262
辽宁朝阳召都巴辽壁画墓……277
辽宁朝阳召都巴金墓……280
辽宁朝阳发现元“柳城耆老”碑……264
辽宁朝阳发现两座辽墓……281
辽宁朝阳西三家辽代遗址发掘简报……282
辽宁朝阳孙家湾辽墓……271
辽宁朝阳杜杖子辽代墓葬发掘简报……285
辽宁朝阳县石匠山辽、金、元时期的摩崖石刻……277
辽宁朝阳县出土一方金代乣军铜印……265
辽宁朝阳县发现辽代张让墓志……263
辽宁朝阳县联合乡金墓……273
辽宁朝阳金代壁画墓……259
辽宁朝阳南塔街出土的金代窖藏文物……279
辽宁朝阳新华路辽代石宫发掘简报……283
辽宁喀左元代道士康泰真墓碑调查记……269
辽宁喀左发现辽金官印……270
辽宁喀左老爷庙石室墓发掘简报……270
辽宁喀左县大城子元代石椁墓……260

辽宁喀左县出土辽代鸡冠壶……267
辽宁喀左县辽王悦墓……260
辽宁喀左县辽代利州城址的调查……273
辽宁喀左县兴隆沟辽墓……267
辽宁喀喇沁左翼自治县元墓……268
辽宁锦州市张扛村辽墓发掘报告……240
辽宁新民县前当铺金元遗址……218
辽宁新宾县木家村发现梵文银杯……234
辽宁彰武县东平村辽墓发掘简报……249
辽宁彰武的三座辽墓……248
辽宁鞍山市羊耳峪辽代画像石墓……231
辽宁鞍山市汪家峪辽画像石墓……230
辽弘法寺僧志柔壁画墓……185
辽庆州古城出土“西京古砚”……155
辽庆州白塔塔身嵌饰的两件纪年铭文铜镜……177
辽阳市发现金代《通慧圆明大师塔铭》……255
辽阳发现辽墓和金墓……254
辽阳等处打捕鹰房红花总管府印……302
辽陈国公主驸马合葬墓发掘简报……192
辽耶律羽之墓发掘简报……172
辽饶州故城调查记……154
辽韩佚墓发掘报告……43

六画

邢台市邢钢元代壁画墓发掘简报……66
吉林九台上河湾考古调查……288
吉林九台卡伦金代窖藏铜钱……290
吉林双辽电厂贮灰场辽金遗址发掘简报……305
吉林双辽县发现两座辽墓……304
吉林双辽县高力戈辽墓群……305
吉林双辽骆驼岭辽墓清理简报……307
吉林东辽县发现辽金文物……308
吉林东辽县尚志金代窑址的清理……309
吉林他虎城调查简记……311
吉林市郊发现的金代窖藏文物……298
吉林市郊红旗果树场遗址发掘简报……303
吉林永吉旧站金代墓调查简报……301
吉林永吉县出土金代双鲤铜镜……297
吉林永吉县出土窖藏铜币……301
吉林出土金代农牧官印和铜镜……312
吉林同发辽墓……317
吉林农安出土金代“济州县令贾”铜镜……289

吉林农安金代窖藏文物……291
吉林扶余县发现金代“利涉县印”……311
吉林扶余岱吉屯元墓第二次清理简报……314
吉林怀德秦家屯古城调查记……304
吉林和龙出土的金代窖藏铜、铁器……320
吉林省公主岭市永青辽墓清理报告……306
吉林省辽源市出土一面辽代铜镜……308
吉林省安图县宝马城遗址试掘简报……323
吉林省农安草房王遗址发掘简报……296
吉林省扶余县西车家店金代遗址的发掘……315
吉林省扶余县的一座辽金墓……310
吉林省扶余县陶西林场遗址发掘简报……316
吉林省饮马河沿岸古文化遗存调查简报……299
吉林省前郭、扶余、德惠考古调查……288
吉林省前郭县金代窖藏瓷器……313
吉林省梨树县八棵树金代遗址发掘报告……307
吉林省德惠市朱城子七队遗址发掘简报……295
吉林省德惠市李春江遗址发掘报告……295
吉林省德惠市迎新遗址考古发掘报告……297
吉林省德惠县天台乡出土“都提控印”……290
吉林省德惠县发现辽金时期银质符牌……290
吉林省德惠县后城子金代古城发掘……293
吉林前郭茅山辽墓……313
吉林珲春县出土东夏铜砖码……320
吉林桦甸出土金代刻款铜镜……300
吉林桦甸出土金代窖藏铜钱……299
吉林通榆县团结屯辽墓……316
吉林梨树县偏脸古城复查记……303
吉林蛟河发现元八思巴文铜印……298
吉林舒兰县古界壕、烽台与城堡……300
吉林敦化市永胜金代遗址一号建筑基址……322
吉林敦化市江东、林胜“二十四块石”遗迹的调查和发掘……322
吉林敦化市敖东城遗址发掘简报……321
吉林辑安县钟家村发现金代文物……309
吉林镇赉县出土金代窖藏文物……319
吉林镇赉县黄家围子遗址发掘简报……318
吉林德惠市城岗子金代古城发掘简报……294
吉林德惠市揽头窝堡遗址六号房址的发掘……294
吉林德惠县出土金代官印……289
巩义市现存三通元碑介绍……447
扬州出土的磁州窑龙凤瓷罐……386
扬州发现元代基督教徒墓碑……386

扬州发现涉及山光寺位置的墓志……386
扬州城根里的元代拉丁文墓碑……384
西安元代安西王府勘查记……530
西安东郊元代壁画墓……537
西安东郊元刘义世墓清理简报……533
西安北郊红庙坡元墓出土一批文物……534
西安电子城出土元代文物……537
西安市北郊金代墓葬发掘简报……535
西安市曲江乡孟村元墓清理简报……538
西安市钟鼓楼广场发现一批金代官印……536
西安出土的元代铜手铳与黑火药……533
西安曲江元代张达夫及其夫人墓发掘简报……541
西安曲江元李新昭墓……534
西安南郊山门口元墓清理简报……535
西安南郊元代王世英墓清理简报……539
西安南郊孟村宋金墓发掘简报……540
西安南郊皇子坡村元代墓葬发掘简报……542
西安南郊夏殿村金代墓葬发掘简报……540
西安南郊潘家庄元墓发掘简报……540
西昌发现元代礼拜寺文物……521
西昌发现元代梵文石碑……519
西昌发现的金代四鼠葡萄铜镜……520
西昌新发现元代经幢……520
西藏阿里札达县帕尔嘎尔布石窟遗址……529
西藏萨迦寺发现的元代纸币……528
成武出土金代五彩瓷人……444
成都发现一批元代瓷器……511
吐列毛杜古城调查试掘报告——兼论金代东北路界壕……211
延安虎头峁元代墓葬清理简报……555
华县馆藏元代官印考……552
会理发现金代摩羯镜……521
齐齐哈尔市梅里斯三合砖厂辽代砖室墓清理简报……345
齐齐哈尔市梅里斯长岗辽墓清理简报……345
齐齐哈尔富拉尔基辽代砖室墓……347
江西丰城县发现元末红巾军铜印……413
江西分宜发现元代铜权……412
江西永丰县元代延祐六年墓……413
江西永新发现元代窖藏瓷器……412
江西抚州发现元代合葬墓……415
江西李渡发现元代烧酒作坊遗址……410
江西波阳出土的元代瓷器……416
江西南昌朱姑桥元墓……410

江西修水发现元代铜铁权……411
江西高安县汉家山元墓……414
江西高安县发现元代天历二年纪年墓……414
江苏无锡市元墓中出土一批文物……378
江苏太仓五座元代石拱桥……381
江苏丹徒元代窖藏瓷器……388
江苏江阴出土元代银器……379
江苏江阴县发现元初铜权……378
江苏吴县元墓清理简报……380
江苏金坛元代青花云龙罐窖藏……385
江苏南通市发现辽瓷皮囊壶……381
江苏徐州大山头元代纪年画像石墓……379
江苏常州出土元代吉州窑釉下彩绘瓷器……380
江苏灌云县发现元代铜权……383
江苏灌云县发现元代铜权……383
江苏灌云县板浦出土“提控之印”……382
江苏赣榆县出土元代铜权……384
江陵发现元代铜秤砣……487
汤阴县发现扁鹊墓碑……474
兴隆县梓木林子发现的契丹文墓志铭……81
安达县昌德公社小南山墓群简介……372
安庆市出土的几件瓷器……399
安陆发现元杨宜中墓……489
安塞县发现一批元代佛教石造像……556
安徽凤台出土一方金代官印……398
安徽六安县花石咀古墓清理简报……402
安徽合肥市发现一面元代铜镜……397
安徽阜阳地区出土八颗金代官印……401
安徽省青阳县发现元代铜权……403
安徽淮南发现金代“尚醞署印”……398
安徽舒城县出土元大德年间铜权……402
许昌文峰路金墓发掘简报……479

七画

扶余市石桥欢迎砖场元墓清理简报……314
抚远三岔口发现古代墓葬群……360
赤峰大窝铺发现一座辽墓……146
赤峰市阿鲁科尔沁旗温多尔敖瑞山辽墓清理简报……169
赤峰市郊区发现的辽墓……168
赤峰市郊石佛山发现辽大康七年石刻……161
赤峰发现的契丹鎏金银器……161
赤峰县大营子辽墓发掘报告……143

赤峰缸瓦窑村辽代瓷窑调查记……151
赤峰敖汉旗出土元代纪年瓦当范……162
邯郸市峰峰矿区出土的两批红绿彩瓷器……64
两颗契丹文铜印……571
连云港海清寺阿育王塔文物出土记……382
岐山县周原发现金代铜印……545
岐山县博物馆藏古代甬钟、镈钟……546
牡丹江中下游考古调查简报……324
牡丹江边墙调查简报……367
近年北京地区发现的几处古代琉璃窑址……47
近年来北京发现的几座辽墓……35
余杭南山造像……391
邹县元代李裕庵墓清理简报……430
库伦旗出土一方辽代墓志……200
沤鲁抹铜镜……319
汾阳北榆苑五岳庙调查简报……116
沈阳市小北街金代墓葬发掘简报……226
沈阳地区新出土的两方铜印……219
沈阳新民辽滨塔塔宫清理简报……225
沁阳出土元代八思巴篆文铜印……485
灵武发现古代藏文经卷……568
阿城小岭发现金代夔纹铁鐎……337
阿城市双城村发现一座金代墓葬……339
阿城出土“大名府”“上京”款金代银锭……329
阿城出土的金代小铜龙……335

八画

武清县出土金元时代银铤……53
拉林河沿岸的辽金遗迹……312
耶律加乙里妃墓志铭……83
林东辽上京临潢府故城内瓷窑址……144
林西县发现金代瓷器窖藏……173
林县新发现一座金代石塔……475
林甸县四合乡渔场金代墓葬调查简报……357
松花江下游奥里米古城及其周围的金代墓葬……350
松花江地区一九八一年文物普查简报……325
杭州市发现元代鲜于枢墓……391
杭州市发现的元代瓷器窖藏……390
呼伦贝尔发现元代“祥州站印”……203
呼和浩特北郊大青山哈拉沁沟发现金代文物……141
呼和浩特市东郊出土的几件元代瓷器……142
罗田蔡家湾元代砖室墓发掘简报……490

和林格尔县土城子试掘记录……141
佳木斯市郊山城遗址调查……361
佳木斯市黎明村辽金墓群出土的文物……363
岳池九龙镇元券顶石室墓清理简报……516
阜新辽萧和墓发掘简报……251
阜新程沟辽墓清理简报……248
金“济州和家造”陶砚……318
金上京出土铜坐龙……329
金上京发现开国庆典所献礼器——人面犁头……339
金上京故城内发现窖藏银器……328
金东北路界壕边堡调查……324
金代乐舞杂剧石刻的新发现……126
金代磁州窑系卧女瓷枕……471
金贞祐三年拾贯文交钞铜版……531
金程震墓碑……454
“金源故地”发现金齐国王墓……331
郑州市东大街元代瓷器灰坑……449
郑州荥阳楚村元代铜模……446
法门寺出土金代香雪堂碑……547
法库叶茂台辽墓记略……219
法库叶茂台第22号辽墓清理简报……224
法库李贝堡辽墓……224
河北三河县辽金元时代墓葬出土遗物……96
河北丰宁小皮匠沟发现辽墓……89
河北丰宁县发现两方古代官印……86
河北丰宁哈拉海沟发现辽墓……87
河北正定发现元代刻铭石狮……57
河北平山县出土两方八思巴文官印……56
河北平山县发现的“至元通行宝钞”铜版……56
河北平泉县小吉沟辽墓……83
河北平泉县发现两方金代官印……91
河北平泉县博物馆藏辽代鸡冠壶……92
河北迁安上芦村辽韩相墓……59
河北任县出土金代“安平都尉之印”……65
河北兴隆县发现金代“签宣抚司事印”……84
河北抚宁县潘庄古瓷窑遗址调查简报……63
河北赤城县出土元代“内府”白釉梅瓶……74
河北赤城县博物馆藏印简介……77
河北怀安下王屯壁画墓发掘简报……72
河北怀安县张家屯辽墓……73
河北张北县清理一座辽代壁画墓……70
河北固安于沿村金宝严寺塔基地宫出土文物……96

河北定兴小店金代窖藏铜钱……68
河北定兴元代窖藏文物……67
河北承德县发现元代铜权……89
河北承德县发现元代窖藏……90
河北承德县发现元代窖藏……92
河北承德县发现四方金代官印……86
河北承德县房深沟发现一座辽墓……92
河北承德县道北沟村辽墓……88
河北省迁安市开发区金代墓葬发掘清理报告……60
河北省抚宁县发现古代官印……62
河北省青龙县出土金代铜烧酒锅……61
河北省承德县发现辽代窖藏……93
河北省承德县发现金元时期窖藏……90
河北省蔚县元代墓葬……70
河北宣化下八里辽金壁画墓……72
河北宣化下八里辽韩师训墓……73
河北宣化元代葛法成墓发掘简报……80
河北宣化邓家台辽墓……75
河北宣化辽代壁画墓……76
河北宣化辽张文藻壁画墓发掘简报……78
河北宣化辽金壁画墓发掘简报……80
河北宣化辽壁画墓发掘简报……69
河北宣化发现金代窖藏文物……71
河北盐山发现元代铜权……95
河北唐山市丰润区施家营遗址考古发掘报告……61
河北宽城出土两件元代铜权……88
河北宽城县发现经幢石塔……85
河北崇礼出土元代铜器……74
河北崇礼县水晶屯发现一座金代石函墓……75
河北涿州元代壁画墓……68
河北涿鹿县辽代壁画墓发掘简报……71
河北隆化县发现金代窖藏铁器……82
河北隆化县发现契丹节度使印……84
河北隆化鸽子洞元代窖藏……94
河北新城县北场村金时立爱和时丰墓发掘记……66
河北满城发现金代“麹使司印”……68
河北滦平辽代渤海冶铁遗址调查……87
河北滦平县发现三方金代官印……90
河北滦平县银窝沟辽墓……91
河北蔚县小五台山金河寺调查记……76
河北磁县发现一座元墓……65
河北磁县南开河村元代木船发掘简报……63

河北遵化县出土古钱币和元代文物……60
河南内黄县发现金代铜权……476
河南内黄县发现金代铜权……476
河南邓县发现大批古钱……482
河南叶县出土元代“唐县拷栳义兵万户府之印”……462
河南沁阳出土元代八思巴篆文铜印……466
河南灵宝县发现金代“总领”帅印一颗……481
河南武陟县小董金代雕砖墓……465
河南林县金墓清理简报……476
河南宝丰出土金代“都统”铜印……463
河南孟县宁玉墓的调查……468
河南荥阳市新店金元水井清理简报……449
河南荥阳金墓发掘简报……448
河南荥阳城关发现两座金墓……447
河南南乐县出土黑釉瓷器……478
河南省林县李家厂、卸甲坪古窑址调查纪略……477
河南省新野县发现行军万户□字之印……482
河南修武大位金代杂剧砖雕墓……468
河南信阳发现元代残墓……483
河南洛阳市出土5枚元代“防奸”铜令牌……459
河南浚县大伾山龙洞摩崖……472
河南浚县出土的窖藏铜钱……472
河南鹿邑涡河船闸金墓发掘简报……484
河南淇县发现两方金代官印……470
河南淮滨发现金元官印……484
河南博爱县发现元代建筑——汤帝殿……465
河南辉县百泉金墓发掘简报……474
河南温县慈胜寺古建调查……466
河南登封市观星台元代大殿基址发掘简报……450
河南嵩县发现金大定董承祖买地券……455
河南新乡出土元代铜权……473
河南新安赵峪村发现金代遗物……451
河南新郑县发现元代铜权……447
宝丰县文化馆收集到一方金代“都统”铜印……462
宜阳发现一座金代纪年壁画墓……460
郓城出土的元代白釉黑花瓷罐……444
承安宝货银币……336
承德发现的契丹符牌……82
承德县三沟村发现辽金窖藏……85
陕北出土一批古钱币……559
陕西千阳发现金明昌四年雕砖画墓……547
陕西户县贺氏墓出土大量元代俑……532

陕西甘泉金代瘗窟清理简报……555
陕西甘泉金代壁画墓……557
陕西甘泉城关镇袁庄村金代纪年画像砖墓群调查简报……558
陕西吴旗出土金与西夏划界碑……557
陕西宝鸡元墓……546
陕西省周至县发现元至元九年铜权……532
陕西洛川县出土金代武官印……554
陕西乾县又发现一块契丹小字《郎君行记》石刻……548
陕西铜川市发现耀州窑纪年陶范……545
陕西铜川陈炉镇发现元代窖藏……543
陕西韩城县出土一枚元代铜印……550
陕西韩城金代僧群墓……551
陕西渭南、扶风出土元至元九年和泰定五年铜权……530
陕西渭南靳尚村金末元初壁画墓发掘简报……553
陕西富平县发现金代铁铸佛像……551
陕西蒲城洞耳村元代壁画墓……551
陕西耀县董家河金墓清理简报……544

九画

契丹大字《北大王墓志》考释……159
赵孟頫书写的“渔庄记”碑石……473
莒县出土元末农民起义军的两颗铜印……436
荥阳杜常村金代砖雕墓……448
南京出土吉州窑瓷枕……377
柳林县出土黑釉铁锈花长颈瓶……115
咸阳市郊新发现的“至正通宝”……549
咸阳瑞祥小区发现的金墓……550
临汝县出土一批金代窖藏铜钱……463
临汝县出土一批窖藏铜钱……464
临汾发现元代银锭铜范……134
昭乌达盟宁城县小刘仗子辽墓发掘简报……148
昭乌达盟辽尚暐符墓清理简报……149
昭盟巴林左旗林东镇金墓……145
昭盟巴林右旗白塔子出土铜镜……145
贵州玉屏出土窖藏铜钱……523
贵州省黔西县发现一枚元代八思巴文官印……524
哈尔滨王岗华滨金墓……330
哈尔滨东郊和宾县发现的金代文物……333
哈尔滨东郊的辽、金遗址和墓葬……326
哈尔滨新香坊墓地出土的金代文物……339
科左后旗呼斯淖契丹墓……189
科尔沁右翼中旗出土金元银铤……212

重庆市两路口劳动村元墓清理简报……509
重庆明玉珍墓出土《玄宫之碑》……508
重庆南岸玄坛庙出土元代影青瓷器……509
顺义县辽净光舍利塔基清理简报……31
保定市发现一批元代瓷器……67
禹州市关王庙大殿调查记……479
侯马一金墓中发现戏台模型……128
侯马元代墓发掘简报……129
侯马金代董氏墓介绍……128
洛川县出土金代武官印……554
洛阳元王述墓清理……452
洛阳龙门奉先寺遗址发掘简报……458
洛阳出土金代官印考……452
洛阳发现元代古道观圣旨碑……460
洛阳伊川元墓发掘简报……454
洛阳伊川雕砖墓发掘简报……460
洛阳孟津县麻屯金墓发掘简报……456
洛阳涧西金墓清理记……450
洛阳道北元墓发掘简报……457
洛阳道北金代砖雕墓……459
洛阳嵩县发现金代买地券……456
济南市区发现金墓……417
济南市司里街元代砖雕壁画墓……419
济南市宋金砖雕壁画墓……420
济南近年发现的元代砖雕壁画墓……417
济南郎茂山路元代家族墓发掘简报……421
济南柴油机厂元代砖雕壁画墓……418
神木出土一颗金代官印……559

十画

泰来县塔子城辽墓……343
秦皇岛市发现一方金代都统府弹压印……62
敖汉旗乃林皋村出土的几件辽代陶瓷器……154
敖汉旗白塔子辽墓……152
敖汉旗出土两件辽代铜镜……170
敖汉旗李家营子出土的金银器……152
莱西发现元至元二十九年铜权……422
晋江地区出土一批元代银锭……406
桦南县龙王庙遗址出土的金代窖藏铁器……362
翁牛特旗发现元青花玉壶春瓷瓶……168
凌源富家屯元墓……264
旅大市发现金元时期文物……228

朔州出土金代墓志……112
浙江义乌出土“龙凤七年”铜权……394
浙江青田县前路街元代窖藏……395
浙江岱山县发现元大德六年铜权……395
浙江临安县发现元代铜钱窖藏……390
浙江海宁元代贾椿墓……392
浙江瑞安发现三件元代铜权……392
浙江新昌董村水晶矿摩崖题刻……393
浙江衢县元代窑址调查……394
海南岛汀迈古瓷窑调查记……507
宽城县出土金元时代文物……86
陵川龙岩寺金代建筑及金代文物……127
通县唐大庄出土金代陶砚……43
通榆出土金马牌饰……317
绥滨三号辽代女真墓群清理与五国部文化探索……351
绥滨永生的金代平民墓……349
绥滨农场九团十二连墓地出土及征集的几件陶器……354
绥滨县奥里米辽金墓葬抢救性发掘……353

十一画

黄县出土“登州军器库记”铜印……427
黄陂县周家田元墓……486
黄陵县发现一件金代瓷枕……553
鄄城县发现的元代窖藏瓷器……480
崇仁县太和寺塔砖铭……415
铜川市耀州窑遗址发现窖藏铜钱……543
银川市出土金代和元代铜钱……568
淳化县发现一批铜钱……548
淳化县发现金代窖藏文物……549
密县超化清理一座金代塔基……446
随州市发现元代铜权……490
随州发现一枚元代铜印……491

十二画

韩德威和耶律元佐墓志铭考释……175
朝阳市开发区仁济药材工地元代墓群发掘简报……282
朝阳市发现元代窖藏瓷器……265
朝阳市林四家子辽墓发掘简报……284
雅安市发现元代窖藏瓷器……517
喀喇沁旗二道沟辽墓清理简报……187
黑龙江双城市车家城子金代城址发掘简报……336
黑龙江双城市房身泡窖藏出土的几件文物……341

黑龙江龙江县二村古墓群调查……344
黑龙江兰西县发现金代文物……371
黑龙江宁安大牡丹屯发掘报告……365
黑龙江克东县金代蒲峪路故城发掘……343
黑龙江阿城巨源金代齐国王墓发掘简报……330
黑龙江阿城县小岭地区金代冶铁遗址……327
黑龙江阿城县半拉城子出的铜火铳……328
黑龙江省大庆市沙家窑发现的辽代墓葬……356
黑龙江省双城市金代银器窖藏……340
黑龙江省双城市单城镇金代钱币窖藏……341
黑龙江省双城市前对面古城的文物……335
黑龙江省龙江县合山乡的辽代石室墓……344
黑龙江省龙江县鲁河新丰砖厂辽墓……346
黑龙江省北安市发现“曷苏昆山谋克之印”……370
黑龙江省宁安县出土金“上京路万户印”……367
黑龙江省同江市团结古城调查……362
黑龙江省齐齐哈尔富拉尔基辽墓清理简报……347
黑龙江省汤原县双兴遗址出土的金代窖藏铁器……364
黑龙江省汤原县发现“沟当公事天字号之印”……364
黑龙江省汤原县复兴遗址调查……363
黑龙江省克山县发现一枚金代官印……347
黑龙江省阿城市双城村金墓群出土文物整理报告……332
黑龙江省阿城市金上京城址出土的武士像铜挂饰……338
黑龙江省哈尔滨市阿城区赵家崴子遗址发掘报告……340
黑龙江省海林市木兰集金代遗址发掘简报……367
黑龙江省绥滨中兴墓群出土的文物……351
黑龙江省绥滨县二九〇农场一队古遗址调查……355
黑龙江省萝北县发现金代“辽东运司”铁权……353
黑龙江省萝北县都鲁河下游文物普查简报……354
黑龙江省密山市出土的两方铜印……348
黑龙江省博物馆征集的一批金代文物……360
黑龙江省博物馆征集的二件石碾轮……358
黑龙江省黑河地区发现的古城址……325
黑龙江省肇东八里城发现的金代文物……373
黑龙江省肇源县大青山遗址发现一批建筑构件……359
黑龙江省肇源县大青山遗址调查……358
黑龙江省鹤岗市邵家店古城——辽代主偎古城考……352
黑龙江省穆棱市自平遗址调查简报……368
黑龙江哈尔滨市郊发现元代瓷器窖藏……333
黑龙江泰来出土“大辽行省委差句当印”……343
黑龙江泰来辽墓清理……342
黑龙江泰来发现辽代砖室墓……345

黑龙江泰来发现的几件辽代陶器……348
黑龙江泰来后窝堡屯辽墓……342
黑龙江桦南县庆发村发现一枚元代八思巴文官印……361
黑龙江畔绥滨中兴古城和金代墓葬……350
黑龙江绥棱出土金代陶冥钱……372
黑龙江嘉荫县靠江屯金代墓葬调查简报……359
黑龙江肇东县八里城清理简报……370
黑龙江肇东县蛤蜊城古墓清理简报……371
黑城新出土的一批元代文书……216
焦作中站区元代靳德茂墓道出土陶俑……469
焦作电厂金墓发掘简报……467
焦作市出土的二合元代墓志略考……469
焦作金代壁画墓发掘简报……465
焦作金墓发掘简报……464
鲁山县发现一批古钱……461
湖北大悟县出土八思巴文元代铜印……488
湖北宜城市出土元代人物堆塑罐……487
湖北蕲春县出土元代银锭……489
湖南宁远出土一枚铜质八思巴文“宁远务”官押……497
湖南宁远县出土一面八思巴文铜镜……498
湖南华容县发现元代铜权……495
湖南安化出土元代铜权……497
湖南祁阳县出土元代马镫……498
湖南城步县出土元代铜权……495
湖南城步苗族自治县出土元代铜权……494
湖南津市发现元代金银器窖藏……495
湖南株洲元代银器……493
湖南桃江发现龙泉窑瓷器窖藏……496
湖南衡南出土元代窖藏银器……494
渤海上京龙泉府发现铜印……366
富锦市出土的金代文物……364
登封少林寺发现铸有日僧邵元题名的铁钟……445

十三画

“蒙古山寨”古城调查简报……334
锦西大卧铺辽金时代画像石墓……239
锦西西孤山辽萧孝忠墓清理简报……239
锦州市发现古钱纹铜镜……243
新发现的三件金、元权……475
新发现的元末陈友谅“汉授天命主公之印”……399
新津县出土金代双鱼铜镜……511
新疆巩乃斯河畔出土石面具……573

新疆伊犁地区霍城县出土的元青花瓷等文物……572
新疆若羌出土两件元代文书……571
慈利县出土的元代铜篦……496
福建南平市三官堂元代纪年墓的清理……408
福建泉州清净寺发现一批伊斯兰教碑……407
福建将乐元代壁画墓……405
福建德化屈斗宫窑址发掘简报……406

十四画

察右前旗豪欠营第六号辽墓清理简报……207

十五画及以上

鹤岗地区发现的几处辽金时期遗址……355
鹤壁市东头村金墓发掘简报……471
镜泊湖附近莺歌岭等地考古调查报告……326
歙县出土两批窖藏元瓷珍品……400
襄城县出土“征行万户之印”……478
濮阳契丹出境碑……477
耀窑赭釉陶罐和青釉象耳瓷瓶……544

宋·西夏卷

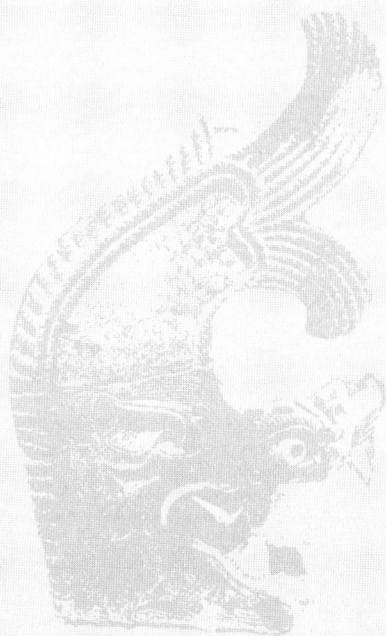

考古详报书名首字索引

一、本索引包括本卷上编所收考古详报；

二、本索引依考古详报首字笔画为序；

三、每一条目后的数字，为该考古详报在本卷中的页数。

三画

山嘴沟西夏石窟……26

五画

北宋陕州漏泽园……13
北宋皇陵……13
北庭高昌回鹘佛寺遗址……28
四川彭州宋代金银器窖藏……19
白沙宋墓……12
宁夏宁武窑发掘报告……24

六画

西夏 3 号陵：地面遗迹发掘报告……26
西夏 6 号陵……27
西夏陵……24
华蓥安丙墓……20
江西南丰白舍窑：饶家山窑址……11
安阳韩琦家族墓地……15

七画

宋代耀州窑址……21
邵武协和大学校内南宋墓发掘研究报告……9

八画

泸县宋墓……19
宝丰清凉寺汝窑……13

九画

南宋太庙遗址：临安城遗址考古发掘报告……5
南宋官窑……4
南宋临安府治与府学遗址……5
南宋恭圣仁烈皇后宅遗址……6
南宋御街遗址……7
临安洪起畏夫妇合葬墓……8
拜寺沟西夏方塔……25
重庆涂山窑……17
泉州湾宋代海船发掘与研究……10
禹州钧台窑……13
闽宁村西夏墓地……25

十画

莫高窟窟前殿堂遗址……23
桂阳刘家岭宋代壁画墓……16
浙江宋墓……6

十二画

遂宁金鱼村南宋窖藏……20
富阳泗洲宋代造纸遗址……7
富弼家族墓地……14

十三画

福州南宋黄昇墓……9

十五画

德安南宋周氏墓……11

考古简报篇名首字索引

一、本索引包括本卷下编所收考古简报；

二、本索引依考古简报首字笔画为序；

三、每一条目后的数字，为该考古简报在本卷中的页数。

一画

1993年蕲春罗州城宋代城垣发掘简报……347

二画

十堰首次发现宋代钱币窖藏……330

三画

三门峡市北宋墓发掘简报……299
三台出土宋代窖藏……413
三台发现北宋古碑……415
三台宋墓出土“三宝”铜印……414
大竹县发现宋代画像砖……436
大足县大钟寺宋代圆雕石刻遗址调查……383
大足宝顶山大佛湾“六耗图”龛调查……385
大足宝顶山小佛湾祖师法身经目塔勘查报告……384
大邑县出土宋代铜牛灯……390
大荔县发现一批北宋铁钱币……479
大荔县段家老君寨墓清理简报……479
大理市收集的四方大理国末期的碑刻……459
大理国彦贡赵兴明为亡母造尊胜墓幢跋……458
万源县发现宋代种茶石刻题记……435
上饶发现雕刻人物的玉带牌……210
上海市松江县兴圣教寺塔地宫发掘简报……74
上海西郊朱行乡发现宋墓……72
上海宋墓……72
上海奉贤县冯桥宋井的清理……75
上海奉贤县发现大批宋瓷……74
上海嘉定宋赵铸夫妇墓……73
上蔡县出土一件宋三彩瓷枕……311
上蔡宋墓……311
山东广饶出土宋代佛教石造像……219
山东广饶关帝庙正殿……219
山东日照县发现窖藏铜钱……227
山东长清县宋代真相院释迦舍利塔地宫……215
山东平邑出土银锭……228
山东阳谷县张大庙遗址的发掘……232
山东苍山县出土一批古铜币……228
山东苍山县发现宋代铜镜……229
山东沂水宋墓……228
山东青州发现宋代铜锭……221
山东招远县发现宋墓……220

山东枣庄市出土的古代铁农具……218
山东肥城发现宋司勋郎李穆夫妇墓志……225
山东兖州市出土的宋代漏泽园墓砖……224
山东临沂市北老屯村宋墓的清理……230
山东临沂市出土一件宋代银锭……230
山东临淄出土宋代窖藏瓷器……217
山东省莒南县发现窖藏铜钱……229
山东省莘县宋塔出土北宋佛经……231
山东济宁市出土一件宋三彩龟形壶……224
山东泰山岱庙出土宋代石刻画……226
山东栖霞市慕家店宋代慕伉墓……221
山东胶州发现大量宋代铁钱……216
山东郯城出土宋代铜奁……229
山东聊城北宋铁塔……231
山东淄博市临淄宋金壁画墓……218
山东淄博出土宋代影青瓷器……217
山东嘉祥山营村发现一座宋代经幢……223
山东嘉祥县钓鱼山发现两座宋墓……222
山西长子慈林镇布村玉皇庙……53
山西长治市五马村宋墓……50
山西长治市故漳村宋代砖雕墓……52
山西长治故县村宋代壁画墓……52
山西介休窑出土的宋金时期印花模范……47
山西平陆县发现的北宋魏闲墓志……56
山西平顺回龙寺测绘调研报告……52
山西孝义县上栅村出土一批古钱币……48
山西芮城永乐宫旧址宋德方、潘德中和“吕祖”墓发掘简报……55
山西汾阳县北偏城宋墓……49
山西临猗双塔寺北宋塔基地宫清理简报……57
山西绛县下村发现一座砖雕墓……57
山西壶关下好牢宋墓……51
山西壶关南村宋代砖雕墓……49
山西晋城青莲寺塑像……54
山西潞城县北关宋代砖雕墓……51
广元南宋墓杂剧、大曲石刻考……418
广东广宁县太公山出土宋代魂坛……367
广东五华县华城屋背岭遗址与龙颈坑窑址……369
广东东莞北宋墓清理简报……370
广东东莞市发现窖藏铜钱……370
广东曲江白土下乡宋窑发掘简报……366
广东罗定县发现窖藏铜镜……373
广东封开县都苗宋代窑址调查……367

广东南雄宋代陶坛墓……366
广东深圳宋墓清理简报……365
广东惠州北宋窑址清理简报……368
广东紫金县宋墓出土石雕……369
广东潮州北宋刘景墓……371
广东潮州笔架山宋代瓷窑……372
广西永福县窑田岭Ⅲ区宋代窑址2010年发掘简报……376
广西兴安县严关宋代窑址调查……375
广西南宁市出土一枚宋代官印……374
广西南宁市郊出土窖藏钱币……374
广西贺县发现一批古代铜钱……377
广西桂平宋瓷窑……378
广安县出土宋代窖藏……431
广安县出土宋代窖藏瓷器……431
广安县宋末大良城遗址考察……430
广济县发现北宋时期地契……345
子长县钟山石窟调查记……482

四画

井研县北宋黄念四郎墓清理简讯……425
天津静海元蒙口宋船的发掘……33
无为宋塔下出土的文物……151
无锡市郊北宋墓……82
无锡市锡惠桥北宋墓……82
云南发现的大理国纪年文物……456
云南巍山县巄屼山南诏遗址的发掘……458
云梦王家山宋墓发掘简报……342
云梦罩子墩宋墓发掘简报……340
太原小井峪宋墓第二次发掘记……46
内蒙古土默特右旗马留村发现西夏铁币……59
内蒙古巴林左旗出土北宋银铤……60
长宁县的宋代岩墓……429
长沙东郊杨家山发现南宋墓……353
长武县出土四件宋代铁釜……476
长葛县石固发现窖藏钧瓷……295
仁寿出土宋代八卦铜镜……443
仁寿发现虞迪简墓志碑……443
仁寿县古佛乡宋墓清理简报……441
介绍一件“张家造”宋代瓷枕……286
介绍一件宋代墨书行草瓷枕……312
介绍几件宋代瓷枕……244
介绍五件宋代瓷枕……290

介绍扬州发现的两合宋墓志……104
丹棱县出土宋代桃形青铜镜……440
丹棱县新发现宋代李温墓……439
凤翔出土一批宋金时期铁造像……471
方城县朱庄宋墓发掘……301
巴中县出土宋代窖藏……446
巴中城区宋墓清理简报……447

五画

邛崃县北宋墓清理简报……391
甘肃天水市王家新窑宋代雕砖墓……499
甘肃华池县发现一批宋瓷……505
甘肃会宁宋墓发掘简报……498
甘肃合水县三座宋墓测绘简报……506
甘肃灵台百里镇出土一批宋代文物……504
甘肃张家川南川宋墓发掘简报……500
甘肃环县宋代彩绘砖雕墓……507
甘肃武威市出土西夏银符牌……504
甘肃武威出土一批铜钱……503
甘肃武威出土一批窖藏钱币……503
甘肃武威发现一批西夏遗物……501
甘肃武威西郊林场西夏墓清理简报……501
甘肃武威县发现窖藏铜钱……502
甘肃省漳县出土一批古铜钱……507
甘肃通渭县发现“绵州防御使印牌”……499
甘肃康乐出土的古代铜印……508
甘肃镇原县发现宋代铜印……506
甘泉县出土一批秧歌舞画像砖……482
石家庄市建华北大街北延工程古墓葬清理简报……35
石棉宰羊乡发现宋代窖藏……445
龙泉新出土的三件北宋早期青瓷器……138
平昌发现南宋小宁城遗址……447
北川县香泉宋墓……413
北宋王拱辰墓及墓志……260
北宋东京内城的初步勘探与测试……253
北宋东京外城的初步勘探与试掘……252
北宋东京城外城城壕护坡勘探简报……255
北宋西京洛阳监护城壕的发掘……271
北宋妇女画像砖……257
北宋杨承信墓志跋……260
北京房山县出土宋三彩枕……32
卢龙县下寨公社贾庄出土大批古铜钱……37

四川三台县永明镇杨凳寺宋墓清理简报……416
四川三台县发现一批宋镜……410
四川三台县发现一座宋墓……409
四川大邑县安仁镇出土宋代窖藏……389
四川广元石刻宋墓清理简报……417
四川广元宋墓石刻……418
四川广元张家沟北宋砖室墓……419
四川广汉县雒城镇宋墓清理简报……406
四川广汉高坪镇双石村北宋砖室墓清理简报……406
四川井研县金井坪宋代墓地发掘简报……426
四川中江县月耳井村宋墓清理简报……407
四川什邡出土宋代银碗……405
四川双充县出土的宋代银铤……390
四川石棉三星遗址宋代遗存发掘简报……446
四川平武发现两处宋代窖藏……413
四川东部乌江流域悬棺葬调查简况……381
四川仪陇县新政镇宋代石室墓清理简报……429
四川西昌三坡火葬墓调查记……452
四川成都北宋宋京夫妇墓……400
四川成都市西郊金鱼村南宋砖室火葬墓……395
四川华蓥许家堝宋墓清理简报……434
四川江油县发现宋代窖藏……410
四川安县、金堂出土的两宋铁钱……408
四川安岳县老鸭山南宋墓清理简报……451
四川汶川县姜维城宋代遗存发掘简报……451
四川荣昌县沙坝子宋墓……381
四川省什邡县出土的宋代瓷器……404
四川省丹棱县出土宋代桃形铜镜……441
四川省蒲江县发现两座宋墓……392
四川重庆涂山锯木湾宋代瓷窑发掘简报……384
四川叙永天池宋墓清理简报……403
四川洪雅宋墓发掘简报……437
四川资中出土一件云纹托月宫铜镜……422
四川资中县大包山宋墓发掘简报……424
四川阆中县出土宋代窖藏……427
四川通江出土宋代彩釉陶佛头像……448
四川涪陵“石鱼”题刻文字的调查……380
四川绵阳出土的宋代“权军”铁器……408
四川绵阳杨家宋墓……412
四川彭山正华村宋墓发掘取得重要收获……444
四川彭州市北宋徐氏墓发掘简报……401
四川彭州宋代青铜器窖藏……401

四川彭县磁峰窑址调查记……388
四川普格县小兴场大石墓……452
四川遂宁金鱼村二号南宋窖藏……421
四川遂宁金鱼村南宋窖藏……420
四川温江发现南宋窖藏……388
四川蒲江县五星镇宋墓清理记……391
四川简阳县发现一座宋墓……449
四川德阳出土的宋代银器简介……404
四川德阳县发现宋代窖藏……405
仪陇县立山乡发现南宋窖藏……428
乐山出土北宋“秦州理元司记”印……424
乐山宋墓清理简报……425
兰溪南宋墓出土的棉毯及其他……130
汉川垌塚出土宋代银锭……339
汉中八里桥水库清理一座宋墓……488
汉中市北郊石马坡南宋墓清理记……487
汉中市金华村清理一座北宋墓……488
宁夏中卫县四眼井出土的西夏文物……524
宁夏石坝发现墨书西夏文银器……512
宁夏石嘴山市西夏城址试掘……521
宁夏西吉县宋代砖雕墓发掘简报……523
宁夏同心县征集一方西夏官印……521
宁夏灵武市回民巷西夏窑址的发掘……520
宁夏灵武县出土的西夏瓷器……514
宁夏灵武县回民巷瓷窑址调查……517
宁夏灵武县磁窑堡瓷窑址调查……514
宁夏青铜峡县发现两幅唐卡……522
宁夏泾源宋墓出土一批精美雕砖……522
宁夏贺兰山贺兰口岩画……515
宁夏贺兰县拜寺沟方塔废墟清理纪要……518
宁夏银川市西夏3号陵园遗址发掘简报……520
记华蓥市阳和乡宋墓出土文物……432
永川发现宋代崖墓……382
辽宁朝阳县石匠山辽、金、元时期的摩崖石刻……64

六画

吉安发现一座北宋纪年墓……201
吉林辑安发现宋钱……67
巩义市芝田宋三彩窑址调查……243
巩义发现北宋石刻……248
巩县西村宋代石棺墓清理简报……241
巩县宋陵……237

巩县宋陵包拯墓调查报告……241
扬州宋大城西门发掘报告……104
扬州城砖文中的韩世忠抗金部队番号……101
扬州施桥发现了古代木船……102
西平县发现一件宋代瓷枕……312
西安长安区郭杜镇清理的三座宋代李唐王朝后裔家族墓……465
西安发现北宋张守节墓志……463
西安西门外发现窖藏铜钱……465
西安西郊热电厂基建工地清理三座宋墓……464
西安曲江新出土北宋郭遘墓志……464
西安乳家庄宋代砖雕墓发掘简报……468
西昌出土宋“高士”图铜镜……453
西夏 8 号陵发掘简报……511
西夏陵区 101 号墓发掘简报……513
西夏陵区 108 号墓发掘简报……511
西夏陵园北端建筑遗址发掘简报……516
西陵峡口发现宋代摩崖石刻……334
西藏日土县丁穹拉康石窟群考古调查简报……460
西藏札达县皮央—东嘎遗址 1997 年调查与发掘……461
达川市发现宋代墓葬……436
达县九岭乡发现宋代墓葬……437
达县瓷碗铺发现宋代窑址……436
成都东郊北宋张确夫妇墓……392
成都北郊甘油村发现北宋宣和六年墓……397
成都市二仙桥南宋墓发掘简报……398
成都市石羊乡新加坡工业园区宋墓发掘简报……396
成都市发现的一处南宋窖藏……389
成都市南郊北宋赵德成墓清理简报……397
曲阜发现宋代瓷俑……222
吕梁县发现罐葬墓群……48
延安市出土宋代腰鼓画像砖……483
华阴出土大批北宋铁钱……480
华蓥市永兴镇驾挡丘宋墓群发掘简报……433
华蓥市高兴镇出土一方古代铜印……432
合江发现宋代玉皇石雕……403
合肥北宋马绍庭夫妻合葬墓……141
合肥市出土宋代金铤和金牌……140
合肥市西郊宋墓的清理……142
旬阳出土宋代名窑瓷器……494
旬阳发现宋代窖藏……494
江西九江北宋墓……195
江西九江市、乐安县发现宋墓……191

江西九江县发现两座北宋墓……196
江西丰城出土的宋代稻谷……202
江西分宜和永丰出土的宋俑……183
江西玉山渎口窑址发掘简报……214
江西乐平宋代壁画墓……187
江西永新北宋刘沆墓发掘报告……200
江西出土的几件宋代吉州窑瓷器……201
江西出土的宋代瓷盒……185
江西发现几座北宋纪年墓……184
江西吉水纪年宋墓出土文物……208
江西武宁县出土的北宋陶鸡……198
江西金溪宋孙大郎墓……209
江西波阳宋墓……210
江西宜春市发现宋墓……203
江西宜春出土南宋袁州铜镜……205
江西宜春出土袁州镜……205
江西宜春首次发现袁州镜……204
江西南丰县桑田宋墓……208
江西南城、清江和永修的宋墓……183
江西临川县宋墓……209
江西星子县宋墓出土宋版古籍……192
江西铅山县盏窑调查……212
江西铅山县莲花山宋墓……212
江西高安市发现北宋瓷器窖藏……206
江西高安市南门村出土一件宋代瓷枕……206
江西高安县发现南宋淳熙六年墓……205
江西浮梁凤凰山宋代窑址发掘简报……188
江西清江出土的南宋青白瓷器……203
江西彭泽宋墓……190
江西景德镇柳家湾古瓷窑址调查……187
江西景德镇竟成铜锣山窑址发掘简报……188
江西景德镇道塘里宋代窑址发掘简报……189
江西婺源县出土的几件北宋瓷器……211
江西瑞昌出土北宋铜权……198
江西瑞昌发现两座北宋纪年墓……191
江西瑞昌发现南宋纪年墓……195
江西瑞昌县发现七座宋代纪年墓……197
江西瑞昌县李洋湖南宋墓……192
江西新余市草溪村出土南宋铜镜……199
江西新建县发现宋代官印……185
江西鄱阳发现宋代戏剧俑……211
江西德兴市宋乾道徐衎墓……213

江西德兴县香屯宋墓......213
江西德安北宋墓......195
江西德安南宋周氏墓清理简报......193
江阴北宋“瑞昌县君”孙四娘子墓......81
江苏无锡兴竹宋墓......83
江苏丹阳出土“弋阳开国”铜印......111
江苏扬州市毛纺织厂古漕河遗址调查......103
江苏扬州市宋大城北门遗址的发掘......107
江苏扬州市宋宝祐城西城门外挡水坝遗迹的发掘......107
江苏扬州宋三城的勘探与试掘......103
江苏扬州宋大城北门水门遗址发掘简报......106
江苏扬州附近出土的宋代铁农具......101
江苏江宁东冯村宋徐的墓清理记......77
江苏江宁东善乡冯村清理两座北宋墓......76
江苏江阴长泾镇宋墓......84
江苏江阴市青阳镇里泾坝宋墓......85
江苏江阴要塞镇澄南出土宋代漆器......83
江苏江阴夏港宋墓清理简报......84
江苏连云港市宋代墓葬的清理......98
江苏吴江出土一批宋瓷......94
江苏吴县藏书公社出土宋代遗物......96
江苏沙洲出土包银竹胎漆碗......95
江苏武进村前南宋墓清理纪要......91
江苏武进县剑湖砖瓦厂宋墓......93
江苏金坛南宋周瑀墓发掘简报......87
江苏南京宋墓记略......76
江苏南通狼山发现宋代驻军题名石刻......97
江苏高资咸淳六年铁刀......111
江苏涟水妙通塔宋代地宫......100
江苏常州北环新村宋木椁墓......94
江苏常州市红梅新村宋墓......93
江苏淮安宋代壁画墓......99
江苏溧阳平桥出土宋代银器窖藏......91
江苏溧阳竹箦北宋李彬夫妇墓......89
江苏镇江市环城东路宋代遗存的发掘......112
江苏镇江谏壁北宋墓出土的瓷器......110
江苏灌云县伊山镇发现一座北宋石棺墓......98
江油发现宋代木构建筑......409
江油发现宋代窖藏......415
江油发现精美宋代窖藏铜器......416
江油县发现宋代窖藏......411
江油县圌山云岩寺飞天藏及藏殿勘查记略......410

江夏乌龙泉宋墓发掘简报……324
江浦黄悦岭南宋张同之夫妇墓……78
汝州张公巷窑的发现与认识……280
汤阴宋墓发掘简报……289
兴安发现古窑址……375
安阳小南海宋代壁画墓……291
安县南宋纪年墓清理记……415
安县塔水镇发现宋代纪年墓……411
安陆毛家山一号宋墓清理简报……339
安陆蒋家山发现宋代墓群……340
安岳发现南宋行状碑……450
安康市上许家台南宋墓发掘简报……495
安徽无为县发现一座宋代砖室墓……153
安徽无为县发现宋代石室墓……152
安徽六安出土南宋银铤……154
安徽全椒西石北宋墓……150
安徽灵璧县发现宋代银铤……151
安徽青阳金龟原北宋滕子京家族墓地清理简报……155
安徽省和县发现古代窖藏铜钱……152
安徽省博物馆发现宋刘豫伪齐的铜官印一方……140
安徽黄山发现宋墓……149
安徽望江出土一批北宋瓷器……145
安徽望江发现一座北宋墓……146
安徽望江县青龙嘴北宋墓……146
安徽舒城县三里村宋墓的清理……154
安徽潜山县太平村北宋潘氏墓……148
安徽潜山县宋代太平塔地宫的清理……147
安徽潜山彰法山宋墓……147
安徽濉溪县董楼宋墓发掘简报……144
安徽繁昌县老坝冲宋墓的发掘……142
安徽繁昌县柯家冲瓷窑遗址发掘简报……143
安徽黟县发现有关方腊起义的碑刻……149
许昌市南关宋代商业遗址的发现……297

七画

麦积山石窟第 4 窟庑殿顶上方悬崖建筑遗迹新发现……500
扶风出土一枚铜印……473
扶风出土的宋金时代金银器……471
扶风伏波窖藏铜钱……473
扶风法门寺出土宋代耀瓷……472
孝感市郊发现宋墓……340
芦山县发现宋代三彩器物……445

苏州出土宋代浮雕木尺……95
苏州发现齐门古水门基础……96
苏州瑞光寺塔再次发现北宋文物……96
苏南茅山出土南宋金牌、银铤……90
岐山县发现古钱币窖藏……475
我国南海发现古代陶瓷……379
谷城出土宋代定窑印花瓷器……328
邻水县合流镇后坝南宋墓清理简报……433
庐江发现宋代影青瓷熏炉……152
沙市西郊荆沙村一座宋墓的清理……332
沈阳市新城子区出土两批铜钱……63
宋《新铸铜人腧穴针灸图经》残石的发现……31
宋太平兴国禅院古钟……434
宋太宗元德李后陵发掘报告……242
宋中书令李昭亮神道碑调查……266
宋代人物瓷枕……275
宋代王尚恭墓志浅说……265
宋代张方平铜印……307
宋代梁全本墓……283
宋苏适墓志及其他……274
宋苏符行状碑及墓砖铭文……439
宋供奉官刘府君墓志铭……333
宋曾巩墓志……207
宋影青瓷观音像……92
宋魏王赵頵夫妻合葬墓……233
灵石县发现的宋代抗金文件……47
即墨市博物馆收藏的一件宋代铜印……216

八画

武汉市东西湖区柏泉北宋墓发掘简报……318
武汉市江夏区陈家垅窑址发掘简报……324
武汉市江夏区段岭庙宋墓发掘简报……323
武汉市青山宋墓清理简报……318
武夷山发现宋代斗茶遗址……177
武安西土山发现宋绍圣二年壁画墓……37
武昌县发现两座北宋瓷窑址……319
武昌县安山宋墓清理简报……320
武昌拆迁宋兴福寺塔……317
武昌卓刀泉两座南宋墓葬的清理……317
武昌傅家坡宋墓发掘简报……319
武威出土一批西夏瓷器……502
武威西郊发现西夏墓……503

武胜县出土宋代窖藏瓷器……430
武胜县谷坝村宋代陶瓷器窖藏发掘简报……432
青川县竹园金子山乡宋墓清理简报……420
青神发现宋代窖藏瓷器……440
青海乌兰县大南湾遗址试掘简报……509
英山县茅竹湾宋墓发掘……345
林县一中宋墓清理简报……290
杭州北大桥宋墓……114
杭州市半山镇水晶山1号宋墓……119
杭州出土宋代金牌……116
杭州老虎洞南宋官窑址……116
杭州南宋临安府街署遗址……117
杭州雷峰塔地宫的清理……117
郏县出土宋代卧童瓷枕……276
盱眙出土宋代影青双螭高足杯……99
固始县发现一方“云巢”铜印……308
固始县发现南宋《重修固始县望京门》碑……308
忠县中坝遗址宋代瓷器窖藏发掘简报……385
罗田县汪家桥宋墓发掘记……344
岱庙发现欧阳修等题跋碑……226
金坛南宋周瑀墓……88
周口市博物馆收藏一件宋代虎形瓷枕……309
兖州兴隆塔北宋地宫发掘简报……225
郑州开元寺宋代塔基清理简报……238
郑州市北二七路两座砖雕宋墓发掘简报……248
郑州宋代水磨遗迹发掘简报……243
郑州卷烟厂两座宋代砖雕墓简报……250
郑州南关外发现一座宋墓……235
郑州黄岗寺北宋纪年壁画墓……249
河北井陉县柿庄宋墓发掘报告……34
河北平山县两岔宋墓……34
河北邢台市出土宋金时期绿釉瓷枕……39
河北邢台市泽丰园小区宋墓的发掘……40
河北邢台发现宋墓和冶铁遗址……39
河北曲阳北镇发现定窑瓷器……41
河北曲阳南平罗北宋政和七年墓清理简报……42
河北迁西县出土北宋官印……36
河北邯郸市峰峰矿区宋代地道清理报告……38
河北易县净觉寺舍利塔地宫清理记……42
河北定县发现两座宋代塔基……40
河北省雄县祁岗村发现古代地道……41
河北宽城县发现瓷器窖藏……44

河北康保县发现一枚北宋铜官印……44
河北清苑发现宋皇祖陵石象生……43
河北遵化县发现一方宋代军印……36
河南三门峡市发现一方宋诗碑记……300
河南上蔡县出土一块宋代买地石券……314
河南卫辉大司马墓地宋墓发掘简报……288
河南开封市宋东京城内汴河故道的初步勘探与试掘……253
河南开封陈留发现北宋二体石经一件……251
河南内黄县出土“张家造”宋代瓷枕……289
河南方城县出土南宋银铤……302
河南方城金汤寨北宋范致祥墓……305
河南邓州市福胜寺塔地宫……306
河南巩县孝义镇发现宋益王墓……233
河南巩县宋陵采石场调查记……239
河南巩县宋陵调查……234
河南巩县稍柴清理一座宋墓……236
河南汤阴发现三件宋代瓷枕……290
河南安阳市宋代韩琦家族墓地……293
河南安阳新安庄西地宋墓发掘简报……291
河南沁阳出土的石狮子……310
河南沁阳县金塚村发现窖藏铜钱……313
河南林州市北宋雕砖壁画墓清理简报……292
河南林州市李家池宋代壁画墓清理简报……293
河南林县的两件北宋瓷枕……288
河南郏县仝楼村三座宋墓发掘简报……278
河南郑州南阳路宋墓发掘简报……250
河南泌阳县宋墓发掘简报……314
河南宝丰发现窖藏汝瓷珍品……276
河南宝丰县李坪村古墓……277
河南宜阳北宋画像石棺……267
河南驻马店市出土一块宋代买地券……313
河南荥阳市晏曲宋代遗址发掘简报……251
河南荥阳孤伯嘴壁画墓发掘简报……245
河南南召鸭河口水库清理宋墓一座……300
河南南阳发现宋墓……301
河南临汝严和店汝窑遗址的发掘……277
河南临颍小商桥调查报告……298
河南省方城县出土一批宋代瓷器……304
河南省方城县出土宋代石俑……304
河南省邓州市北宋赵荣壁画墓……306
河南省巩县石窟寺发现北宋写本佛教文稿和经卷……236
河南省陕县化纤厂宋墓发掘简报……299

河南省临汝县宋代汝窑遗址调查……273
河南省焦作市牛庄瓷窑遗址二号灰坑……282
河南省新乡县丁固城古墓地发掘报告……287
河南禹县发现北宋阳翟县公据刻石……296
河南禹县钧台窑址的发掘……295
河南禹县神垕镇北宋煤矿遗址的发现……296
河南洛宁北宋乐重进画像石棺……264
河南洛阳市唐宫中路宋代大型殿址的发掘……269
河南济源市承留宋代砖雕墓发掘简报……316
河南郸城发现一件汝窑瓷器……310
河南淇县出土白釉加彩童子骑牛……285
河南淇县发现一面宋镜……285
河南尉氏县张氏镇宋墓发掘简报……254
河南焦作白庄宋代壁画墓发掘简报……283
河南焦作宋代刘智亮墓发掘简报……284
河南温县西关宋墓……282
河南滑县宋代古船的发掘……294
河南登封唐庄宋代壁画墓发掘简报……250
河南登封黑山沟宋代壁画墓……246
河南新安县古村北宋壁画墓……264
河南新安县宋村北宋雕砖壁画墓……268
河南新安县梁庄北宋壁画墓……268
河南新密市平陌宋代壁画墓……245
泸州市发现南宋石室墓……402
宝丰县发现北宋对子钱窖藏……275
宝丰清凉寺汝窑址 2000 年发掘简报……278
宝丰清凉寺汝窑遗址的新发现……279
宝鸡市长岭机器厂宋墓清理简报……475
宝鸡市姜城堡宋墓中出土瓷器和铁器……474
定边出土的钱币窖藏……492
试述耀州窑塔坡窑址……469
建始县首次发现湖州镜……352
陕西三原发现一枚宋代官印……478
陕西子洲县出土一枚北宋官印……492
陕西白水北宋妙觉寺塔基及地宫的发掘……480
陕西汉中市王道池村宋墓清理……486
陕西汉阴出土的一批宋代编钟……494
陕西兴平县西郊清理宋墓一座……476
陕西安康北宋墓清理简报……493
陕西安塞新茂台石窟调查简报……485
陕西岐山县发现宋代窖藏铜钱币……472
陕西府谷县出土北宋李夫人墓志……490

陕西宝鸡县县功公社陈家咀大队出土一批宋代文物……470
陕西定边县发现万枚铜钱……490
陕西城固五郎庙宋代砖瓦窑发掘简报……487
陕西省安塞县毛庄科石窟调查简报……484
陕西省略阳县出土的宋瓷……486
陕西洛川土基镇发现北宋壁画墓……483
陕西洛川县潘窑科村宋墓清理简报……485
陕西洋县南宋彭杲夫妇墓……489
陕西铜川市印台区发现瓷器窖藏……470
陕西铜川宋代窑址……468
陕西商县金陵寺宋僧人墓清理简报……496
陕西清涧县发现一件宋代瓷枕……491
陕西蓝田县五里头北宋吕氏家族墓地……467
陕西蒲城县延兴村发现宋代铜镜……478

九画

荆门市南台窖藏铜钱……337
莒县马鬐山出土南宋、金、元之际有关“红袄忠义军”的文物……227
荣县出土宋代鼎形八卦铜镜……402
荥阳司村宋代壁面墓发掘简报……237
荥阳槐西壁画墓发掘简报……247
荥阳翟沟瓷窑遗址调查简报……239
南召云阳宋代雕砖墓……303
南充市嘉陵区木老乡韩家坟宋墓清理简报……428
南宋抗元遗址——剑门苦竹寨……417
南宋虞公著夫妇合葬墓……438
南京太平门外王家湾发现北宋墓……77
南京中华门外宋墓……77
南京市孝卫街北宋墓出土木尺……79
南京市郊区龙潭宋墓……78
南京林学院发现北宋墓……80
南京南郊宋墓……80
南京幕府山宋墓清理简报……79
临潼县胡家寨宋窑清理简报……463
贵州桐梓县马鞍山观音寺宋墓清理简报……454
贵州清镇宋墓清理简报……454
钟家村宋代水井清理简报……322
钟祥发现南宋县尉印章……336
秭归杨家沱遗址发现壁画砖室墓……336
重庆大足龙水镇明光村磨儿坡宋墓清理简报……386
重庆井口宋墓清理简报……380
重庆市合川区观山墓群宋代石室墓发掘简报……387

重庆市涂山宋代瓷窑试掘报告……381
重庆涂山窑——酱园窑址发掘简报……386
泉州、南安发现宋代火葬墓……169
泉州法石发现宋代碇石……170
泉州湾宋代海船发掘简报……169
禹州市坡街宋壁画墓清理简报……297
侯马的一座带壁画宋墓……55
剑阁发现宋代砖井……419
勉县发现一批窖藏古钱币……487
闽侯县怀安村的一座宋墓……157
闽清大安村发现宋代火葬墓……157
洛宁发现一件宋代瓷枕……262
洛宁县发现大批古钱……256
洛阳人民路北宋砖瓦窑址……271
洛阳王城花园出土宋代器物……270
洛阳北宋张君墓画像石棺……259
洛阳市西工区 5692 号北宋墓……270
洛阳邙山宋代壁画墓……263
洛阳发现佛顶尊胜陀罗尼北宋墓幢……269
洛阳发现宋代门址……263
洛阳宋代衙署庭园遗址发掘简报……267
洛阳纱厂路北宋砖瓦窑场遗址发掘简报……259
洛阳南郊皂角树村宋墓……266
洛阳洛龙区关林庙宋代砖雕墓发掘简报……273
洛阳涧河三座宋代仿木构砖室墓……258
洛阳涧河两岸宋墓清理记……256
洛阳博物馆收藏的几件宋代瓷器……262
济南市南郊耿家林北宋残墓出土瓷器……215
济源市东石露头村宋代壁画墓……315
济源连地宋代墓葬的发掘……315
贺兰县拜寺沟西夏遗址调查……519
统万城遗址近几年考古工作收获……493

十画

泰宁县发现了一处宋代木构建筑……165
泰州出土宋吉州窑黑釉盏……112
都江堰市金凤窑址发掘简报……398
莆田窑址初探……163
莱州市出土大量窖藏钱币……220
晋城市城东景观水系项目文物勘探报告……54
郴县旧市发现宋代经卷……361
峨眉山市罗目镇出土宋代窖藏……425

峨眉山市罗目镇宋代窖藏发掘简报……426
息县发现宋代窖藏钱币……308
郫县出土的宋代瓷器窖藏……390
郫县崇兴乡南宋墓……393
徐州雪山寺北宋窖藏纪年文物……86
高安、清江发现两座宋墓……202
准格尔旗发现西夏窖藏……61
唐河县发现两座北宋墓葬……307
资中发现宋代石室墓……423
资中县亢溪乡宋代窖藏清理简报……423
资中县出土宋代铁钱……422
资阳出土南宋诉讼碑……449
淅川发现一批古代铜钱……302
浙江"衢州徐卸五叔青铜照子"铭文镜……135
浙江天台县发现宋贾涉墓志……137
浙江龙泉青瓷山头窑发掘的主要收获……138
浙江平阳县宋墓……122
浙江东阳市胡前山村发现南宋墓……132
浙江兰溪市南宋墓……132
浙江兰溪县北宋石室墓……131
浙江宁海县岔路宋代窑址……120
浙江永嘉发现宋代窖藏银器……123
浙江丽水市发现一座南宋墓……138
浙江金华青瓷窑址调查……129
浙江绍兴市桐梧村南宋墓葬……129
浙江绍兴缪家桥宋井发掘简报……127
浙江临安出土大型瓷瓶……114
浙江临海市发现宋代赵汝适墓志……135
浙江省建德市大洋镇下王村宋墓发掘简报……118
浙江省海宁县东山宋墓清理简报……126
浙江洞头县发现一批宋代银器……124
浙江诸暨南宋董康嗣夫妇墓……128
浙江黄岩灵石寺塔发现北宋戏剧人物砖雕……136
浙江象山县清理北宋黄埔墓……119
浙江淳安发现有关方腊起义的石刻……115
浙江淳安县出土宋代兵器……114
浙江温州青瓷窑址调查……125
浙江瑞安北宋慧光塔出土文物……121
浙江瑞安发现北宋熙宁铜权……122
浙江碧湖宋塔出土文物……137
浙江嘉兴发现南宋铜锣……125
浙江磐安县安文宋墓……131

浙江衢州市发现南宋窖藏……133
浙江衢州市南宋墓出土器物……133
浙江衢县出土北宋铁铸张氏墓记……133
浦城出土的宋代龙虎瓶……172
海盐出土宋朝军印初探……126
浠水发现北宋“舍利宝塔”……344
浠水县城关镇北宋石室墓发掘简报……326
容县博物馆藏宋代瓷碗印模……377

十一画

黄石市发现的宋代窖藏铜钱……343
黄龙县小寺庄发现宋代石窟……484
黄陂县祁家湾镇宋王山北宋时期墓葬群……321
黄陂县滠口开发区俊华药厂工地宋代墓葬清理简报……322
黄陵县发现宋代瓷祖……482
黄梅县清理一座宋代石椁双室墓……348
营山县发现宋代窖藏……427
彬县开元寺塔的建筑年代及其新发现文物……477
鄄城县彼岸寺石幢……298
常州北环新村宋墓出土的漆器……90
常州发现北宋酒税务印……92
鄂西北地区三座古墓……330
银川西夏陵区 3 号陵园东碑亭遗址发掘简报……517
银川缸瓷井西夏窑址……512
银州城址勘测记……513
偃师县酒流沟水库宋墓……255
偃师缑氏永庆寺出土永泰陵采石记碑……258
麻城上马石村宋墓清理简报……349
鹿邑县出土一件宋代瓷枕……309
商州市城区宋代墓葬发掘简报……496
清涧折家坪发现一宋代瓷枕……491
渠县渠南乡宋墓出土文物……435
淳化县出土北宋砖刻墓志……477
涪陵白鹤梁“瑞鳞古迹”题刻……383
涪陵市发现宋代古桥……382
宿松县宋墓出土一批文物……145
密县五虎庙北宋冯京夫妇合葬墓……240
密县北宋三色琉璃塔……236
随州均川镇出土钱币窖藏……351
绵阳刘家乡发现宋代瓷器……412
绵阳刘家河出土的宋代文物……414
绵阳魏城公社出土的宋代窖藏银盘……409

十二画

彭山凤鸣乡发现宋墓……442
彭山发现宋代纪年砖……441
彭山发现南宋窖藏……442
彭山县出土宋代钱币窖藏……443
散关岭上发现铁铠甲……474
雅安发现宋代铁钱窖藏……445
景德镇市郊出土宋瓷俑……186
黑龙江省双城市出土西夏文钱币……69
黑龙江省绥滨中兴墓群出土的文物……70
黑汗王朝时期的两件铜器……526
焦作沁阳南外环路宋墓 M1 发掘简报……284
遂平出土宋代卧童瓷枕及铜镜……311
湖北十堰市焦家院宋墓发掘简报……331
湖北汉川出土宋犀牛望月铜镜……341
湖北老河口王冲宋墓清理简报……328
湖北当阳玉泉铁塔塔基及地宫清理发掘简报……335
湖北江陵宋墓清理……332
湖北阳新县出土宋代银铤……334
湖北红安舒家坳北宋石室墓的清理……349
湖北孝感大湾吉北宋墓……341
湖北孝感市徐家坟宋墓的清理……342
湖北谷城县宋墓出土定窑印花瓷器……329
湖北武汉江夏王麻窑址 1988 ~ 1996 年的发掘……323
湖北武穴市从政村发现一座北宋墓……348
湖北英山“毕卅八”宋墓……349
湖北英山三座宋墓的发掘……346
湖北枝江县发现宋朝时期陶塑坛……334
湖北省武汉市江夏区浮山窑址发掘简报……321
湖北省京山县新市镇发现一北宋时期钱窖……337
湖北郧西校场坡一号宋墓……329
湖北郧县前房遗址发掘简报……331
湖北洪湖市蒋岭北宋墓……332
湖北黄州宋城遗址考古调查报告……350
湖北黄陂县铁门坎遗址宋墓……320
湖北鄂州汀祖南宋吕文显墓发掘简报……338
湖北麻线胡家畈发现一座北宋砖室墓……347
湖北麻城北宋石室墓清理简报……343
湖北麻城市发现北宋麒麟瓷枕……347
湖北蕲春县罗州城村发现宋代金首饰……345
湖北襄樊市郊发现南宋摩崖石刻……326

湖北襄樊羊祜山出土宋代银铤……325
湖北襄樊油坊岗七座宋墓……327
湖南长沙市一中北宋水井发掘简报……353
湖南长沙坡子街南宋木构涵渠遗址发掘简报……354
湖南祁东出土窖藏钱币……356
湖南祁阳县黄泥圹镇发现宋墓……362
湖南邵阳县出土宋代窖藏铜钱……357
湖南省汨罗市发现窖藏铜钱……357
湖南洪江市宋代烟口窑址的发掘……364
湖南郴州宋代窑址发掘……362
湖南桃江发现窖藏铜币……360
湖南益阳县泞湖出土北宋“熙宁五年”青瓷梅瓶……361
湖南常宁县发现宋代窖藏铜钱……355
湖南常德北宋张颙墓……358
湖南常德市郊出土宋代大型铜镜……359
湖南常德市戴家山发现宋墓……359
湖南澧县宋墓出土与农业有关的文物……359
湘西吉首发现窖藏铜钱……364
湘潭发现北宋标准权衡器——铜则……355
温州市北宋白象塔清理报告……123
温州市宋代褐彩青瓷窑址调查……124
温州西郭出土北宋瓷质碑铭……120
温县宋墓发掘简报……281
富弼家族墓地发掘简报……272
窖藏“紫定”印花瓶……60
登封王上壁画墓发掘简报……244
登封发现一批宋代窖藏瓷器……240
登封高村壁画墓清理简报……248

十三画

蓬溪县大英乡发现宋代卓筒小井……420
蒲江北宋宋燧墓出土文物……395
蒲江北宋魏忻、魏大升墓清理简报……396
蒲江发现后蜀李才和北宋魏训买地券……393
蒲江县宋朝散大夫宋德章墓出土文物……394
蒲江惠民监遗址发现宋代的窖藏铁钱……394
嵩县北元村宋代壁画墓……261
简阳发现“邛州印牌”……449
简阳县发现南宋纪年墓……448
郫县石泓寺、阁子头寺石窟调查简报……481
靖州县城区宋代遗址、墓葬发掘简报……363
新乡出土宋代澄泥砚……287

新余出土吉州窑绿釉瓷枕……199
新野出土宋代梅瓶……302
新野县出土宋代瓷瓶……303
新密下庄河宋代壁画墓……246
新疆阿图什县喀喇汗王朝钱币窖藏清理简报……526
新疆和田市发现的喀喇汗朝窖藏铜器……525
福州市北郊南宋墓清理简报……158
福州发现“巨宋绍兴”石桥……159
福州茶园山南宋许峻墓……160
福建三明市岩前村宋代壁画墓……168
福建尤溪发现宋代壁画墓……167
福建尤溪县城关镇埔头村发现北宋纪年壁画墓……167
福建尤溪宋代壁画墓……165
福建尤溪城关宋代壁画墓……166
福建尤溪麻洋宋壁画墓清理简报……166
福建仙游发现宋代蔡襄所植古荔枝树……163
福建邵武沿山宋墓……173
福建罗源陈太尉宫建筑……161
福建建阳市出土宋代铜镜……178
福建建阳县水吉北宋建窑遗址发掘简报……174
福建建阳县水吉建窑遗址 1991 ~ 1992 年度发掘简报……178
福建建瓯市迪口北宋纪年墓……179
福建建瓯出土的铜茶盏……181
福建建瓯县水南宋元墓葬……179
福建建窑发现油滴釉瓷片……177
福建南平大凤发现宋墓……176
福建南平市西芹镇宋墓……175
福建南平市南山镇发现一座宋墓……180
福建南平宋代壁画墓……180
福建南平店口宋墓……176
福建顺昌大坪林场宋墓……173
福建顺昌出土宋代釉下彩瓷器……175
福建顺昌县北宋墓清理简报……174
福建顺昌宋墓……173
福建闽侯县碗窑山宋代窑址的发掘……162
福建闽侯硋油宋代瓷窑调查……158
福建莆田广化寺释迦文佛石塔……164
福建晋江磁灶古窑址……170
福建厦门郊区发现北宋水井……162
福建福州郊区清理南宋朱著墓……159
福建福鼎市太姥山宋代国兴寺遗址的发掘……182
福建漳浦县古窑址调查……171

福建漳浦县发现一座北宋墓……172

十四画

嘉定封滨宋船发掘简报……73

十五画及以上

镇江市区出土的宋代苏州陶捏像……110
镇江市郊出土的几件宋瓷……108
镇江市郊发现南宋墓……108
镇江市南郊北宋章岷墓……109
镇江宋墓出土的两件瓷器……109
鹤壁发现宋代石窟造像……286
衡阳县何家皂北宋墓……356
襄阳磨基山宋墓发掘简报……325
襄樊市区发现一座宋墓……327
耀县发现古瓷窑遗址……469
赣州通山岩调查……207
衢州市发现有关方腊起义的石刻……134

明清卷

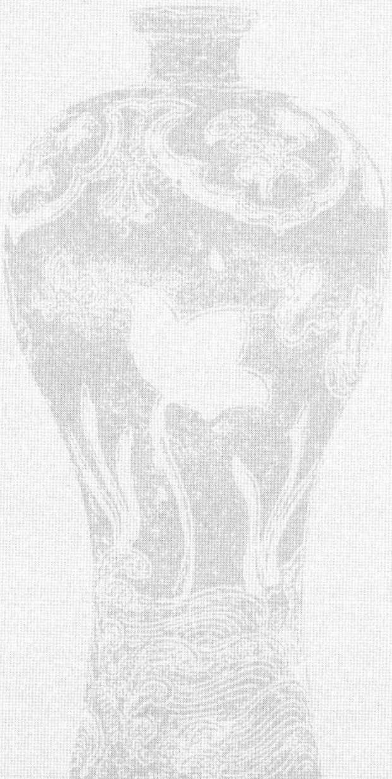

考古详报书名首字索引

一、本索引包括本卷上编所收考古详报；

二、本索引依考古详报首字笔画为序；

三、每一条目后的数字，为该考古详报在本卷中的页数。

二画

十七世纪荷西时期北台湾历史考古研究成果报告……38

三画

上海明墓……13
大荔李氏家族墓地……34

四画

云南元阳六蓬墓地发掘报告……32
内蒙古自治区长城资源调查报告（明长城卷）……10
历史遗踪——正福寺天主教墓地……5
天津市明长城资源调查报告……7
毛家湾：明代瓷器坑考古发掘报告……4
水井街酒坊遗址发掘报告……29
水族墓群调查发掘报告……31

五画

北京工商大学明代太监墓……5
北京皇家建筑遗址发掘报告……6
北京奥运场馆考古发掘报告……4

六画

辽宁省惠宁寺迁建保护工程报告……11
江西明代藩王墓……18
西安南郊明墓……35

七画

张懋夫妇合葬墓……25
扶余明墓：吉林扶余油田砖厂明代墓地发掘报告……12
汶上南旺……22

八画

定陵……3
宝船厂遗址：南京明宝船厂六作塘考古报告……14
忠县石宝寨……28
明蓟镇长城 1981 ～ 1987 年考古报告……7
杭州蒋村古钱币窖藏……15
河北省明长城资源调查报告（涞源卷）……9
青海省明长城资源调查报告……36

九画

泉州留府庭七部棺考证……16
香港大埔碗窑青花瓷遗址：调查及研究……38

十画

圆明园长春园含经堂遗址发掘报告……3
圆明园长春园宫门区遗址发掘报告……5
射洪泰安作坊遗址……29
桂林靖江昭和王陵考古发掘清理报告……27
盐池冯记圈明墓……37
郢靖王墓……26

十一画

梁庄王墓……25
银川沙滩墓地……37

十二画

景东傣族陶氏土司墓地……32
景德镇出土明代御窑瓷器……18
鲁荒王墓……23

十三画

福建木拱桥调查报告……16
蓬莱古船……20

十四画

漳州窑：福建漳州地区明清窑址调查发掘报告之一……16

考古简报篇名首字索引

一、本索引包括本卷下编所收考古简报；

二、本索引依考古简报首字笔画为序；

三、每一条目后的数字，为该考古简报在本卷中的页数。

二画

2004年绵竹剑南春酒坊遗址发掘简报 …… 332

三画

万历五彩洗 …… 44
三台县塔山镇发现明代窖藏 …… 335
三明市发现一批明代石造像 …… 173
三峡水库湖北境内地面文物调查 …… 244
三峡库区狮子包明墓清理简报 …… 259
上海发现一批明成化年间刻印的唱本、传奇 …… 108
上海市出土外国银币和清代银锭 …… 109
上海市卢湾区明潘氏墓发掘简报 …… 107
上海市松江区明墓发掘简报 …… 112
上海市郊明墓清理简报 …… 107
上海打浦桥明墓出土玉器 …… 111
上海松江李塔明代地宫清理简报 …… 111
上海郊区出土明代金花银 …… 110
上海陕西北路发现清墓 …… 111
上海浦东明陆氏墓记述 …… 110
上海浦江花苑遗址清理简报 …… 112
义团溪明播州土司杨辉墓 …… 358
大兴安岭地区出土的一面铜镜 …… 106
大竹出土明代铜器 …… 348
大竹县出土的明代铜器 …… 348
大悟张家湾遗址发掘简报 …… 267
女娲山·女娲庙·女娲墓碑的发现 …… 415
山东东平华严洞造像 …… 208
山东寿光县发现窖藏铜钱币 …… 205
山东沂水明代义官彭杰墓 …… 209
山东昌邑县辛置二村明代墓 …… 205
山东临清出土明代墓志 …… 211
山东冠县发现明初铜铳 …… 211
山东威海发现明初创寨碑 …… 206
山东聊城土桥闸调查发掘简报 …… 212
山东鄄城发现三件清代戏剧雕砖 …… 213
山东滨县出土明杜嵩山墓志 …… 213
山东德州出土铜火铳与火炮 …… 210
山东蓬莱出土明初碗口炮 …… 204
山西太原七府坟明墓清理简报 …… 73
山西文水苍儿会寨峁调查简报 …… 77
山西宁武发现明代铁盔 …… 77

山西省朔县发现明万历三年长城《碑记》……75
山西朔县出土明代法华塑……76
山西浮山出土一组彩釉陶瓷陪葬品……79
山西襄汾县出土明洪武时期的木床……79
川东发现记载地震的碑石……315
广元市元坝区樟树村明墓发掘简报……337
广东东莞明罗亨信家族墓清理简报……298
广东四会发现三座明墓……295
广东汕头市“南澳Ⅰ号”明代沉船……291
广东始兴崖墓的调查报告……292
广东罗定古冶铁炉遗址调查简报……300
广东南雄县发现一座明墓……292
广东英德发现清代合金钢……298
广东高要县发现明初铜、铁铳……294
广东惠阳白马山古瓷窑调查记……295
广东惠阳新庵三村古瓷窑发掘简报……296
广东揭阳明墓发现“蔡伯喈”戏曲抄本……299
广东碣石明墓清理简介……297
广东肇庆发现南明官印……294
广东德庆出土明代银锭……301
广安文庙调查纪要……347
广安县出土明代青花瓷器……345
广州东山明太监韦眷墓清理简报……289
广州番禺县大洲龙船……290
广西三江发现的怀远古城图碑……302
广西牛排岭之战战场及其出土铅弹……307
广西玉林出土南明“平东将军之印”……306
广西兴安县出土明代银杯……303
广西合浦上窑窑址发掘简报……304
广西金田、白沙发现太平天国铸造武器的遗址遗物……308
广西桂平发现明“浔州卫中千户所百户印”……308

四画

马文升墓志考……227
丰图义仓调查记……403
云南大理市苍山玉局峰发现一座明代石室墓……376
云南大理县苍山明墓清理……375
云南大理苍山明墓……375
云南发现明代永乐“元江军民府印”……371
云南永胜县他鲁人城堡与坟林考察……369
云南玉溪发现古瓷窑址……366
云南石屏发现文征明行书《西苑诗》手卷……372

云南呈贡王家营明清墓清理报告……364
云南昆明五华山出土明代官印……365
云南昆明虹山明墓发掘简报……365
云南威信金竹石室墓发掘简报……368
云南建水窑的调查和分析……372
云南昭通文物调查简报……368
云南宾川发现明代铜权……377
云南腾冲出土杨升庵楷书石刻……367
井研县三江镇发现泸沙酒碑……338
长安“社公爷”石雕考察……394
什邡县出土一副明代砝码……331
内江市出土明代兵部尚书阴武卿墓志……337
内蒙古巴林右旗出土金银葬具……82
内蒙古发现的明初铜火铳……81
内蒙古克什克腾旗出土明代铜铳……82
内蒙古赤峰市大明镇发现明初铜铳……83
凤翔三岔村发现清代窖藏瓷器……399
反映明代刘六、刘七农民起义战功的《双忠祠记》碑……234
天门市发现何绍基书写的墓志铭……277
天门县发现清代闸……277
天津市出土老沙皇所立“纪念塔”奠基石……58
天津蓟县吴庄明代墓葬考古发掘简报……60
天津蓟县城关镇明敦典墓……59
太平军永安州中营岭圣库遗址考察记……303
太平军在广西金田村铸造武器的遗址……307
太原风峪口明墓清理……74
少林寺新发现的几件石刻……220
无锡南禅寺出土的明代紫砂器……136
风穴寺“七祖塔”内发现一尊铜佛……225

五画

乐山发现明代大肚弥勒佛摩崖造像……339
乐平窑上华家瓷窑址调查记……184
兰州市上西园明墓清理简报……417
兰州市兰工坪明戴廷仁夫妇墓……418
兰州市明代砖室墓……416
兰州市黄河岸挖掘出明代浮桥铁柱四根……416
北川县发现明代窖藏瓷器……335
北京毛家湾明代瓷器坑发掘简报……55
北京出土的几件明代青花瓷器……45
北京出土的几件明清青花瓷罐……49
北京出土清“千叟宴”银腰牌……48

北京市大兴县出土清代"七二银饼" ……………………………………………… 47

北京市门头沟区发现清代墓葬壁画 ……………………………………………… 53

北京市丰台区明李文贵墓 …………………………………………………………… 56

北京市出土明隆庆青花鱼藻盘 …………………………………………………… 47

北京市郊出土一件明嘉靖青花十六子盖罐 …………………………………… 46

北京市郊明武清侯李伟夫妇墓清理简报 ……………………………………… 46

北京市崇文区出土清代台湾总兵官印 ………………………………………… 47

北京市朝阳区明赵胜夫妇合葬墓发掘简报 …………………………………… 55

北京地区长城航空遥感调查 ……………………………………………………… 52

北京西郊小西天清代墓葬发掘简报 ……………………………………………… 44

北京寿皇殿正脊上的宝盒 ………………………………………………………… 49

北京延庆发现明代马上佛朗机铳 ………………………………………………… 51

北京南苑苇子坑明代墓葬清理简报 ……………………………………………… 44

北京香山明太监刘忠墓 …………………………………………………………… 50

北京圆明园含经堂遗址 2001～2002 年度发掘简报 ………………………… 54

北京慈因寺出土的明代锦缎 ……………………………………………………… 43

发掘明朱檀墓纪实 ………………………………………………………………… 207

叶赫古城调查记 …………………………………………………………………… 91

四川广汉市南兴镇仁寿村明代瓷器窖藏 ……………………………………… 332

四川什邡市蓥华山佛寺明代青花瓷器窖藏 ……………………………………… 333

四川石渠县松格嘛呢石经城调查简报 ………………………………………… 353

四川西昌县发现"大顺"城砖 …………………………………………………… 354

四川宜宾市合江门出土明代铜炮 ………………………………………………… 343

四川宜宾喜捷槽坊头明代白酒作坊遗址发掘简报 …………………………… 344

四川屏山县新江村明代石室墓发掘简报 ……………………………………… 345

四川省彭县南街酱园厂出土窖藏青花瓷器 …………………………………… 324

四川重庆明玉珍墓 ………………………………………………………………… 314

四川珙县洛表公社十具"僰人"悬棺清理简报 ……………………………… 341

四川冕宁县出土明代彩绘陶罐 …………………………………………………… 354

四川崇州万家镇明代窖藏 ………………………………………………………… 327

四川铜梁县明代石椁墓 …………………………………………………………… 312

四川铜梁明张文锦夫妇合葬墓清理简报 ……………………………………… 313

四川铜梁明张叔珮夫妇墓 ………………………………………………………… 316

四川筠连县费人湾一号悬棺清理简报 ………………………………………… 342

四川简阳出土明代道家用印 ……………………………………………………… 350

宁夏同心县出土明庆王圹志 ……………………………………………………… 428

宁夏灵武市古长城调查与试掘 …………………………………………………… 428

宁夏固原出土明代砖刻 …………………………………………………………… 429

宁夏彭阳明代砖塔 ………………………………………………………………… 429

宁陵县华岗出土的明代木船 ……………………………………………………… 238

布达拉宫东侧的四处清代摩崖刻铭 ……………………………………………… 378

正定发现纪昀篆盖的杨宜峹墓志 ………………………………………………… 62

永济发现一块明代版面刻版……80
永登出土明代青花瓷器……417
汉川马口明代石椁墓……266
汉中市出土明清青花瓷片……410
甘孜州发现大西农民政权的一方鎏金铜印……352
甘肃天祝县出土大型铜牦牛……419
甘肃庆阳发现明李梦阳之母高氏墓志铭……422
甘肃庆阳地区境内长城调查与探索……421
甘肃定西出土明代管形火器……423
甘肃岷县发现一方象牙印……423
甘肃省天祝县石门寺发现两件石刻佛像……419
甘肃榆中明肃庄王陵墓调查……418
石家庄市郊陈村明代壁画墓清理简报……61
记江西分宜万年桥……193
辽宁本溪县后金时期九龙山城的调查……88
辽宁省新民县境内清代柳条边遗迹踏查纪略……85
辽宁康平县出土铜钱……86

六画

伊春市乌云河船棺墓调查清理简报……104
会理县发现清代禁止赌博碑……355
兴文县出土铜鼓……342
华县赤水出土的一批佛教铜像……403
吉林扶余发现两座明墓……92
吉林省榆树市上台子墓群发掘报告……90
吉林通榆兴隆山清代公主墓……93
吉林敦化哈尔巴岭发现依克唐阿碑……93
同江市街津口赫哲族墓葬群调查简报……105
安县发现李调元手书碑文……334
安县发现明代浮雕砖室墓……335
安岳名山寺摩崖造像……351
安陆蒋家山古墓发掘简报……267
安徽无为县发现西班牙银币铸范……171
安徽阜阳市出土明代铜佛像……170
安徽阜阳市发现一方清代金印……170
安徽滁州市南小庄发现明墓……169
安徽歙县明代贵夫人墓……168
巩义发现袁世凯手书崔继泽墓表……218
成都下东大街遗址明代早期遗存发掘简报……328
成都凤凰山明墓……324
成都发现一批“大顺通宝”……323
成都市老西门明代桥址发掘简报……327

成都市青白江区明教寺觉皇殿调查报告……329
成都市郊发现“大顺通宝”……323
成都明代蜀僖王陵发掘简报……326
成都梁家巷发现明墓……323
扬州十日的一块墓碑……151
旬阳发现的几方近代碑石墓志……414
旬阳县发现千佛洞……413
江宁县方山发现太平天国壁画……115
江西广丰发掘明郑云梅墓……200
江西玉山、临川和永修县明墓……181
江西宜春市官园清理一座明墓……195
江西南城明益王朱祐槟墓发掘报告……197
江西南城明益庄王墓出土文物……196
江西南城明益定王朱由木墓发掘简报……198
江西南城明益宣王朱翊夫妇合葬墓……197
江西南城明墓出土文物……196
江西铅山县发现几处古瓷窑址……201
江西都昌发现太平天国布告……191
江西景德镇市明清御窑遗址2004年的发掘……187
江西景德镇观音阁明代窑址发掘简报……190
江西景德镇丽阳古城址调查试掘简报……188
江西景德镇丽阳瓷器山明代窑址发掘简报……188
江西景德镇丽阳碓臼山明代纪年墓……189
江西景德镇明清御窑遗址发掘简报……190
江西新建明朱权墓发掘……182
江西德安明代熊氏墓清理简报……192
江西横峰、弋阳窑址调查……200
江阴长泾、青阳出土的明代金银饰……135
江阴县出土的明代医疗器具……132
江苏无锡县明华师伊夫妇墓……134
江苏江阴出土清代窖藏印……139
江苏江阴叶家宕明墓发掘简报……138
江苏江阴明代薛氏家族墓……136
江苏吴县洞庭山发掘清理明许裕甫墓……145
江苏昆山花桥公社赵家桥的“太平天国”石刻……146
江苏武进发现一块有关太平天国的碑石……141
江苏盱眙县明祖陵考古调查简报……150
江苏南京发现明代太监怀忠墓……122
江苏南京市邓府山明佟卜年妻陈氏墓……124
江苏南京市明蕲国公康茂才墓……125
江苏南京市明黔国公沐昌祚、沐睿墓……123
江苏南京市板仓村明墓的发掘……151

江苏南京市南郊两座大型明墓的清理……126
江苏南京市唐家凹明代张云墓……127
江苏南京市戚家山明墓发掘简报……126
江苏南京白马村明代仇成墓发掘简报……131
江苏省江阴县出土一件医疗器具"疝气托"……133
江苏省江阴县出土的明代剪纸艺术折扇……132
江苏省江阴县明墓出土戗金漆盒等文物……133
江苏泰州市明代徐蕃夫妇墓清理简报……153
江苏泰州西郊明胡玉墓出土文物……155
江苏泰州明代刘湘夫妇合葬墓清理简报……154
江苏泰州森森庄明墓发掘简报……155
江苏常州出土明代铜铳铜炮……142
江苏常州怀德南路明墓发掘简报……143
江都明墓出土时大彬六方紫砂壶……152
江陵八岭山明王妃墓清理简报……254
江陵八岭山明代辽简王墓发掘简报……255
西充县出土明代铜器窖藏……339
西充县发现清代银锭窖藏……340
西宁南滩明祁秉忠墓清理情况……425
西安丈八沟发现宋伯鲁书清牛允诚墓志……386
西安三爻村出土明马景魁墓志铭……388
西安财政管理干部培训中心明墓发掘简报……390
西安净水厂明清墓发掘简报……383
西安净水厂明清墓发掘简报……385
西安明代秦藩辅国将军朱秉橘家族墓……393
西安南郊明上洛县主墓发掘简报……394
西安南郊皇明宗室汧阳端懿王朱公镨墓清理简报……389
西安城内出土一批明代窖藏文物……387
西安城西南角出土李自成"永昌通宝"钱……383
西安城墙西门城楼内部隔断遗迹考古调查报告……392
西岳庙一号琉璃瓦窑址发掘简报……406
西岳庙角楼发掘简报……404
西延铁路甘泉段明清墓清理简报……408
西藏加查县达拉岗布寺曲康萨玛大殿遗址发掘简报……380
西藏江孜县白居寺调查报告……380
西藏阿里东嘎佛寺殿堂遗址的考古发掘……381
邢台南宫普彤塔明代铜造像……65
观音滩石刻及摩崖造像……318
讷河发现五子登科青花瓷碗……101
齐齐哈尔市建华区红光村清代夫妻合葬墓发掘简报……99

七画

丽江壁画调查报告……369
孝感三汉清代胡将军墓清理简报……268
宋应星祖父墓志铭……194
应县木塔发现的明永乐二十年大布告……75
应城发现明砖……266
张掖整理保存一批明代藏经……420
张献忠“大顺赤金”戒指……333
张献忠大西政权的文物——“圣谕碑”……331
扶余县明墓发掘简报……92
扶沟道清寺出土两尊石刻造像……240
李卓吾的两颗遗印……175
沁阳市出土的朱载堉残碑……241
沔阳出土明代端砚……276
沙市立新乡荆沙村出土一块明代墓志……255

八画

京山孙桥明墓清理简报……261
依兰巴彦通抗俄要塞调查报告……96
依兰清代抗沙俄靖边营要塞发现拦江铁索绞盘……96
依兰县永和、德丰清墓的发掘……95
周至佛坪厅故城遗址一期考古调查简报……395
周闻夫妇墓志铭……147
固始县发现一批窖藏瓷器……240
定州开元寺塔塔刹发现一批文物……67
定边县发现一件明代铁铳……411
定陵试掘简报（续）……43
宜昌沮水石窟群考察……260
宜城詹营村墓清理简报……249
宜宾地区古代酿酒作坊、遗址调查简报……344
宜宾县草坪村明代郭成石室墓清理简报……343
宝岩寺明代石窟……78
岳池县双鄢乡出土铜器窖藏……346
岳池明墓清理简报……347
延安明杨如桂墓……407
拉萨哲蚌寺藏明清瓷器……379
拉萨磨盘山关帝庙……379
明十三陵边墙山口查勘记……48
明中山王徐达家族墓……121
明王纶墓清理简报……397
明代天地会资料的新发现……420

明代布政使吴念虚夫妇合葬墓清理简报……199
明代李松墓志铭介绍……70
明代河南省长城考察简报……214
明代南京聚宝山琉璃窑……114
明代秦王府遗址出土残瓷……388
明代楚昭王朱桢墓发掘简讯……245
明末郑成功所造铜炮……382
明刘相墓志考略……222
明成化青花串枝花瓷炉……193
明汤和墓清理简报……167
明辽东镇长城东西两端的实地考察……85
明两京司礼监太监牛玉墓发掘简报……67
明兵部尚书赵炳然夫妇合葬墓……336
明兵部尚书阎仲宇夫妇合葬墓……398
明初赣西农宅模型……195
明周王府紫禁城的初步勘探与发掘……218
明昭勇将军戴贤夫妇合葬墓……183
明洪武二十八年"奉天诰命"和马林夫妇雕像……84
明徐达五世孙徐俌夫妇墓……118
明晋王陵园出土金锭……74
明祖陵……157
明祖陵述略……158
明秦王府北门勘查记……389
明秦王府布局形式及现存遗址考察……386
明阎本家族墓志铭……401
明嘉靖陕西《创建军器局记》碑简释……392
明襄阳王墓调查……250
杭州发现一方太平天国木质官印……159
枣庄市出土一件明代铜腰牌……203
武汉市明通城王朱英熔家族墓地发掘简报……249
武汉地区出土的三件瓷器……245
武汉江夏二妃山明景陵王朱孟炤夫妻墓发掘简报……248
武当山古建筑群部分古建筑调查简报……253
武当山新近发现珍贵文物……252
武昌龙泉山明代楚昭王墓发掘简报……247
河北正定发现清梁维本印三枚……61
河北怀来县出土明代火器……68
河北抚宁县出土明代火铳……63
河北宝坻菜园村明墓群……58
河北邯郸出土明刑部尚书张国彦夫妇合葬墓志……64
河北阜城明代廖纪墓清理简报……71
河北宣化发现明吴宽书宣平王夫人张氏墓志……69

河北省宽城县出土明代铜铳……69
河北宽城县发现明代铁炮……70
河北遵化县发现一座明墓……63
河南内乡县发现清代量器——石斗……235
河南内黄县发现一块清代刑戒碑刻……231
河南开封明周王府遗址的初步勘探与试掘……219
河南沁阳发现王铎撰书郑端清世子神道碑残片……242
河南沁阳发现清代台湾知府张玺墓碑……242
河南南召县云阳镇明代纪年墓……237
河南南阳市发现明代琉璃房屋模型……236
河南省灵宝秦岭古金矿遗址调查……234
河南郏县前塚王村明墓发掘简报……232
河南栾川红洞沟银铅锌共生矿冶遗址调查……222
河南商丘市发现明武略将军墓……239
河南新乡市老道井明代101号墓发掘简报……231
泸县发现“熊文灿故里”石刻和“熊氏族谱”……330
泸县龙脑桥……330
绍兴大禹陵及兰亭调查记……165
苏州太仓县明黄元会夫妇合葬墓……147
苏州发现清“织造局”图……145
苏州吴张士诚母曹氏墓清理简报……144
苏州虎丘王锡爵墓清理纪略……145
邹县明鲁王朱檀墓……206
陇县发现了一批明代石刻……397
青海乐都瞿昙寺调查报告……425
青海民和发现“永昌通宝”……427
青海省大通县出土一方明代官印……426

九画

临汝县发现明代桥梁……225
保定出土明代西夏文石幢……66
剑阁发现明代禁止早婚石碑……336
勉县发现“王军门碑”……410
南充县出土明代窖藏……339
南充县出土明代窖藏……341
南平发现保护森林的碑刻……179
南阳明代武略将军墓出土瓷器……236
南阳明溯水郡主墓出土的一批金器……237
南京中华门外明墓清理简报……116
南京尹西村明墓……121
南京太平门外岗子村明墓……119
南京市三汊河附近明代宝船厂遗址中又发现盘车构件……117

南京市两座明墓的清理简报……127
南京市明代四川右布政使倪阜墓的发掘……128
南京市祖堂山明代洪保墓……130
南京江宁县明沐晟墓清理简报……114
南京江宁将军山明代沐斌夫人梅氏墓发掘简报……130
南京西善桥明代长春真人刘渊然墓……130
南京明代吴祯墓发掘简报……120
南京明汪兴祖墓清理简报……117
南京明故宫午门勘测简报……129
南京明故宫出土洪武时期瓷器……118
南昌明代宁靖王夫人吴氏墓发掘简报……184
南通发现古代煎盐工具——盘铁……148
南澳Ⅰ号明代沉船2007年调查与试掘……291
咸丰唐崖土司城址衙署区发掘简报……275
咸阳北杜大铜佛……401
垫江发现警言碑……318
建始县获得明初铜印……274
泉州出土古外币……176
泉州发现的明代“巡检司”印……179
泉州郑和行香碑……174
泉州清净寺奉天坛基址发掘报告……178
洛川土塔调查……409
洛川发现李自成、吴三桂时货币……406
洛阳东花坛三座明代墓葬……221
洛阳东郊明墓……221
洛阳出土明代买地券……224
洛阳发现的王铎篆书墓志铭……223
洛阳道北二路明墓发掘简报……224
济南市五峰山发现明德王墓……202
济源市东街明代壁画墓发掘简报……243
贵州思南明代张守宗夫妇墓清理简报……361
贵州省普定县出土古铜钱……360
贵州苗族和侗族起义军的三件武器……362
贵州道真县出土南明将军印……357
贵州遵义市海龙囤遗址……359
贵阳北横巷清代银锭窖藏……356
郑州五中发现明代石棺墓……217
郑州古荥发现一批窖藏青花瓷器……215
郑州荥阳汜水公社发现明代铜砝码……214
重庆云阳县李家坝Ⅰ区水田遗址发掘简报……320
重庆市九龙坡区出土清代铁秤砣……316
重庆市万盛区发现500年前石刻……319

重庆市巴南区石马湾明墓发掘简报……321
重庆市奉节县鱼复浦遗址发掘报告……319
重庆奉节宝塔坪遗址出土的铭文金牌饰……320
钟山县发现一块明代石碑……305
钟祥明代梁庄王墓的发掘……264
钟祥明显陵调查记……261
陕西大荔八鱼二号石室墓发掘简报……404
陕西大荔八鱼村三号清代石室墓发掘简报……405
陕西发现的两通有关明末农民战争的碑石……382
陕西扶风县出土明代《重修法门寺大乘殿记》碑……399
陕西府谷县明代孤山堡古城考古收获……412
陕西省志丹县发现藏传佛教密宗泥塑彩绘欢喜佛……407
陕西铜川清代炭窠碑刻……396
陕西富县新发现明代道士墓塔……409
陕西韩城西门大顺永昌元年城额……402
陕西耀县出土明嘉靖酱釉描金孔雀牡丹纹执壶……396
陕县发现一批晚清及民国时期钱币……233
香港九龙寨城发掘简报……434
《香山潘氏新建祠堂记》碑……146
秭归楚王城勘探与调查……257
茶马古道新添——冷碛段调查简报……322
荣县乌龟颈明代墓群清理简报……329
荥阳二十里铺明代原武温穆王壁画墓……216
荥阳县新发现一峰园石刻……216
鸦片战争广州战场遗址遗物调查记……289
鸦片战争虎门战场遗迹遗物调查记……288
修武县发现捻军过境碑……226

十画

凉山发现明“播州营”石刻碑记……353
凉山州出土的明代买地券……355
夏言渡河词碑……230
徐州市时尚大道明代遗址调查发掘简报……140
徐州富庶街明代遗址的发掘……139
桂林出土明代青花瓷器……302
桐城县发现明代万历时墓葬……168
浙江宁波出土明代铜印……159
浙江平湖发现署名郑和的《妙法莲华经》长卷……163
浙江永嘉县溪口村明代净水池的清理……161
浙江龙游县出土窖藏明代金杯……165
浙江吴兴南浔镇聚星塔塔基出土一批文物……164
浙江温州市陈村明代项思尧夫妇墓……160

浙江象山县明代海船的清理……160
浙江嘉兴明项氏墓……162
浙江嘉善出土一方南明官印……163
浠水县胡弄村墓群发掘简报……271
海宁发现“太平天国浙江海宁州前军右师左旅帅”木印……162
海瑞祖居祖墓调查报告……310
秦岭深处的一通清代严禁烧山毒河告示碑……414
绥德县出土的明五彩饕餮纹瓷方鼎……411
谈景德镇明御厂故址出土的宣德瓷器……186
阆中出土的明代青花八仙罐……340

十一画

乾县出土明贵州按察副使李寥莪墓志铭……400
崔儒秀墓志浅析……233
常州发现的太平天国官印……141
淄川发现蒲松龄撰青云寺重修二殿记碑刻……202
淄博又发现蒲松龄撰碑刻……203
淮安县明代王镇夫妇合葬墓清理简报……149
清代五彩瓷碗……101
清代道清铁路马涧河拱券桥……228
清代嘉庆年间的乡规民约——《遵示禁赌弥盗碑记》……222
清末云南哀牢山区各族农民反对清朝统治斗争的文物调查……374
清军焚烧金田村后幸存的一堵墙……307
清初吴六奇墓及其殉葬遗物……296
绳金塔地宫出土的清代谷物……183
绵阳市红星街出土明代窖藏……334
黄岩出土明代庆元窑青瓷盖罐……166
黄家湾明代楚王朱氏墓……246

十二画

铜梁县发现明代石椁墓……316
博爱县发现耕织图石刻……226
博爱唐村李岩故里调查……227
厦门“攻剿红夷”摩崖石刻……172
彭山县江口镇岷江河道出土明代银锭……349
景德镇龙珠阁遗址发掘报告……185
景德镇湖田窑考察纪要……185
湖北石首市杨溥墓……256
湖北长阳发现明代窖藏瓷器……258
湖北孝昌石板地明墓发掘简报……269
湖北孝感市窑址发掘简报……269
湖北京山县出土明高骆墓志……263

湖北宜昌县发现明代墓志……258
湖北武当山遇真宫西宫建筑基址发掘简报……253
湖北咸丰唐崖土司城址调查简报……274
湖北咸宁咸安辜家岭瓦窑发掘简报……273
湖北省京山南郊明墓清理简报……262
湖北省郧西县观沟口墓地发掘简报……253
湖北钟祥出土镀金铜龙……261
湖北钟祥明代梁庄王墓发掘简报……264
湖北秭归归州城址调查……259
湖北崇阳发现太平天国布告……273
湖北荆门净业寺僧墓发掘报告……263
湖北荆州明湘献王墓发掘简报……257
湖北新洲县发现明代尸腊……244
湖北蕲春出土一件明代朱书文字上衣……272
湖北蕲春县西驿明代墓葬……271
湖北襄阳发现明太子太保吏部尚书郑继之夫妇墓志铭……251
湖南永顺出土土司官印……285
湖南永顺县老司城遗址……286
湖南石门县发现明代铜军印……282
湖南芷江木油坡明墓群清理报告……284
湖南芷江垅坪明墓清理简报……284
湖南城步苗族自治县发现明代玉印……280
湖南津市新洲镇发现一座明墓……282
湖南望城蚂蚁山明墓发掘简报……279
湖南通道发现南明窖藏银器……283
湖南澧县发现明“华阳王镇抚司之印”……281
湖南衡阳市郊明墓清理简报……280
湘西凤凰发现南国长城“苗疆边墙”……286
湘西凤凰县五寨长官司彭氏墓调查……285
登封卢店明代壁画墓……217
鄂温克岩画……83
雅安市发现三通地方戏曲史石刻碑……350
雅安市发现鼓形铃……349
韩城市发现乾隆嘉庆皇帝三方寿匾……402
黑龙江省发现清代碧玺首饰……100
黑龙江省讷河市学田乡工农村出土的清代青花诗文碗……99
黑龙江省讷河市学田乡工农村出土的清代墨彩小盘……98
黑龙江省讷河市都拉本浅清代墓葬……102
黑龙江省讷河清墓中发现翡翠璧……100
黑龙江省齐齐哈尔市梅里斯音钦清代墓群调查简报……97
黑龙江省依兰县发现抗御沙俄侵略的拦江锁坠石……95
黑龙江省首次发现清代“虎皮”三彩碗……98

黑龙江省绥滨县发现一批明代墓葬……103
黑龙江省富裕县依克明安旗遗址考古调查报告……103

十三画

新乡市郊明潞简王墓及其石刻……229
新乡明潞简王墓调查简报……229
新出土的几方明秦藩王宗族墓志……384
新荷铁路延津段 1998 年考古发掘简报……230
新疆吉木萨尔高昌回鹘佛寺遗址……432
滇西白族火葬墓概况……363
简阳县出土明代铜印……351
简阳县发现明代瓷器窖藏……351
营山县发现明代窖藏瓷器……340
遂平发现一方“瑞峰”石砚……241
靖边县发现一座明代砖拱桥……412
瑷珲富明阿墓出土的一批清代文物……105
福建尤溪出土明张居正篆额的墓志铭……174
福建尤溪县出土一批古铜钱……173
福建尤溪县发现一批窖藏钱币……173
福建安溪古窑址调查……177
福建泉州地区出土的五批外国银币……176
蒲江出土明奉直大夫孙礼墓志铭……325
蒲江县发现清代窖藏银锭……325

十四画

嫩江左岸工农村发现清代金簪……101

十五画及以上

德化县发现明朝地主家族的一本手抄契本……175
播州杨氏墓葬……357
潜江刁市祈湾村明墓清理简报……276
潼南马龙山摩崖造像……313
潼南新胜发现明代石香炉……318
蔡甸区索河明墓发掘简报……246
镇江出土的明代火器……152
鞍山倪家台明崔源族墓的发掘……87
蕲春县西河驿石粉厂明墓清理简报……270
戴缙夫妇墓清理报告……288
濮阳胡干城村李氏墓志……232
襄阳发现《国士刁公、孺人李氏墓志铭》……250

综合卷

考古详报书名首字索引

一、本索引包括本卷上编所收考古详报；

二、本索引依考古详报首字笔画为序；

三、每一条目后的数字，为该考古详报在本卷中的页数。

二画

十七世纪荷西时期北台湾历史考古研究成果报告……228
七星河——三江平原古代遗址调查与勘测报告……45

三画

三门峡地区考古集成……6
三门峡庙底沟唐宋墓葬……88
三门峡南交口……94
三门峡漕运遗迹……78
三峡古栈道……154
三峡湖北段沿江石刻……132
大司空村：第二次发掘报告……92
大同华严寺（上寺）……27
大兴北程庄墓地：北魏、唐、辽、金、清代墓葬发掘报告……13
大运河两岸的历史印记：楚州、高邮考古报告集……49
大连土羊高速公路发掘报告集……38
大河上下：赤水河考古记……180
大治五里界：春秋城址与周国遗址考古报告……118
大南沟：后红山文化墓地发掘报告……36
大理大丰乐……183
万州大坪墓地……155
万家寨水利枢纽工程考古报告集……32
上马墓地……23
上孙家寨汉晋墓……213
上林湖越窑……56
上海唐宋元墓……46
小黑石沟：夏家店上层文化遗址发掘报告……33
山东省历史文化遗址调查与保护研究报告……73
山东省胶东地区引黄调水工程文物保护工作报告……73
山东省高速公路考古报告集（1997）……71
丸都山城：2001 ~ 2003 年集安丸都山城调查试掘报告……42
广汉二龙岗……176
广西文物考古报告集（1950 ~ 1991）……148
广西文物考古报告集（1991 ~ 2010）……148
卫辉大司马墓地……107

四画

丰台王佐遗址……11
丰都镇江汉至六朝墓群……168
天马一曲村（1980 ~ 1989）……24
天长三角圩墓地……65

云阳晒经……157
云南古长城考察记……183
云南边境地区（文山州和红河州）考古调查报告……185
云南考古（1979～2009）……189
云南考古报告集（之二）……185
云南苍洱境考古报告（甲、乙编）……182
云南晋宁石寨山古墓群发掘报告……182
五女山城……36
屯留余吾墓地……29
中日、日中共同尼雅遗迹学术调查报告书（第二卷）……227
中江塔梁子崖墓……172
中国长城遗迹调查报告集……4
中国古代窑址调查发掘报告集……4
中国西部考古记……3
中国早期考古调查报告……6
中国国道项目河南段洛阳至三门峡高速公路文物勘探报告……83
中国新疆山普拉：古代于阗文明的揭示与研究……223
中国新疆的建筑遗址……223
内丘张夺发掘报告……20
内蒙古东南部航空摄影考古报告……32
内蒙古东部（赤峰）区域考古调查阶段性报告……33
水帘洞石窟群……209
长江三峡工程淹没及迁建区文物古迹保护规划报告……6
长沙发掘报告……142
什邡城关战国秦汉墓地……171
丹丹乌里克遗址：中日共同考察研究报告……224
丹江口牛场墓群……135
丹江口潘家岭墓地……136
凤翔孙家南头：周秦墓葬与西汉仓储建筑遗址发掘报告……205
巴中石窟内容总录……172
巴东旧县坪……128
巴东红庙岭……129
巴东李家湾……125
巴东罗坪……119
巴东楠木园……119
巴东雷家坪……125
巴东谭家岭与宋家榜……137
双砣子与岗上：辽东史前文化的发展与研究……36

五画

甘肃省基本建设考古报告集（一）……210
古代和田：中国新疆考古发掘的详细报告……226

古格王国建筑遗址……193
古格故城……193
石台子山城……39
石峡遗址：1973 ~ 1978 年考古发掘报告……147
石家庄元氏、鹿泉墓葬发掘报告……21
龙泉东区窑址发掘报告……56
平邑县南武城故城遗址考古报告（城墙部分）……76
平谷杜辛庄遗址……11
平顶山黑庙墓地……106
东莞虎头村头村青铜时代及明代遗址……145
北阴阳营——新石器时代及商周时期遗址……47
北京寺庙宫观考古发掘报告……10
北京亦庄 X10 号地……14
北京亦庄 X11 号地考古发掘报告……16
北京亦庄考古发掘报告：2003 ~ 2005 年……10
北京段考古发掘报告集……9
北京奥运场馆考古发掘报告……8
北响堂石窟加固保护工程报告……18
四川邛崃龙兴寺 2005 ~ 2006 年考古发掘报告……174
四川考古报告集……171
四川船棺葬发掘报告……170
印记与重塑：镇江博物馆考古报告集（2001 ~ 2009）……49
乐山崖墓和彭山崖墓……170
句容鹅毛岗土墩墓发掘报告……53
句章故城：考古调查与勘探报告……61
包头燕家梁遗址发掘报告……35
立地坡 · 上店耀州窑址……200
半支箭河中游先秦时期遗址……32
汉魏洛阳故城南郊礼制建筑遗址 1962 ~ 1992 年考古发掘报告……95
汉魏洛阳故城闾阖门区域文物钻探报告……95
宁夏灵武窑……214
宁夏灵武窑发掘报告……214
宁德市虹梁式木构廊屋桥考古调查与研究……66
永昌西岗柴湾岗：沙井文化墓葬发掘报告……207
永顺老司城……143
民权牛牧岗与豫东考古……104
民和核桃庄……213
辽宁省道路建设考古报告集（2003）……37
皮央 · 东嘎遗址考古报告……194
发微求真　走进定窑：定窑考古全记录（2009 ~ 2011）……21
台湾省浊水溪与大肚溪流域考古调查报告……228

六画

邢台粮库遗址……17
寺龙口越窑址……55
吉林集安高句丽墓葬报告集……42
老河口九里山秦汉墓……124
巩义芝田晋唐墓葬……86
扬州城——1987 ~ 1998 年考古发掘报告……48
扬州城遗址考古发掘报告（1999 ~ 2013 年）……54
西汉水上游考古调查报告……208
西宁朱家寨遗址……212
西行日记……195
西安长安区韩家湾墓地发掘报告……198
西花园与庙台子……108
西沙水下考古（1998 ~ 1999）……149
西沙文物：中国南海诸岛之一西沙群岛文物调查……149
西拉木伦河流域先秦时期遗址调查与试掘……34
西岳庙……203
西域考古记举要……3
百泉、郭柳与山彪……96
成都十二桥……173
当阳岱家山楚汉墓……118
曲靖八塔台与横大路……184
华宁小直坡墓地……192
华县东阳……202
仰望沅水：清水江考古记……180
后太平：东辽河下游右岸以青铜时代遗存为主的调查与发掘……43
旬邑下魏洛……201
庆阳北石窟寺……207
交河故城：1993、1994 年度考古发掘报告……222
江西玉山渎口婺州窑址……69
汝州洪山庙……83
安宁河流域大石墓……172
安阳鄣邓……101
安徽繁昌窑遗址发掘与研究……64
祁头山……48
阳新大路铺……132
观台磁州窑址……17

七画

寿县史迹考察团调查报告书……62
运城盆地东部聚落考古调查与研究……28

扶风案板遗址发掘报告……198
赤壁土城：战国西汉城址墓地调查勘探发掘报告……115
苏州文物考古新发现——苏州考古发掘报告专辑（2001 ~ 2006）……48
李家崖……204
酉阳邹家坝……167
吴忠北郊北魏唐墓……216
余杭义桥汉六朝墓……57
沣西发掘报告：1955 ~ 1957 年陕西长安县沣西乡考古发掘资料……195
沅陵窑头发掘报告：战国至汉代城址及墓葬……143
汾阳东龙观宋金壁画墓……31
沪杭甬高速公路考古报告……55
怀宁考古记……64
忻州游邀考古……26
忻阜高速公路考古发掘报告……31
陇县原子头……200

八画

奉节白马墓地……168
奉节宝塔坪……165
奉节新浦与老油坊……165
武义陈大塘坑婺州窑址……60
武当山柳树沟墓群……138
武昌放鹰台……111
青海柳湾——乐都柳湾原始社会墓地……212
青藏铁路西藏段田野考古报告……194
茂县营盘山石棺葬墓地……174
林西井沟子：晚期青铜时代墓地的发掘与综合研究……34
枣林岗与堆金台：荆州大堤荆州马山段考古发掘报告……109
昆山绰墩遗址……51
昆明羊甫头墓地……184
国内城：2000 ~ 2003 年集安国内城与民主遗址试掘报告……41
昌平沙河：汉、西晋、唐、元、明、清代墓葬发掘报告……15
固原九龙山汉唐墓葬……216
固原开城墓地……215
固原南塬汉唐墓地……216
忠县仙人洞与土地岩墓地……159
忠县翠屏山崖墓……167
罗布淖尔考古记……218
和龙兴城：新石器及青铜时代遗址发掘报告……40
金沙遗址考古发掘资料集（一）……175
金沙遗址考古发掘资料集（二）……176
乳源泽桥山六朝隋唐墓……145

周原汉唐墓 205
京沪高铁北京段与北京新少年宫考古发掘报告集 16
兖州六里井 71
郑州二里冈 77
郑州大河村 84
郑州宋金壁画墓 87
郑韩故城兴弘花园与热电厂墓地 90
法门寺考古发掘报告 202
河口与振兴：牡丹江莲花水库发掘报告（一） 45
宝鸡建河墓地 202
宜昌杨家湾 137
宜昌路家河：长江三峡考古发掘报告 110
房山南正遗址：拒马河流域战国以降时期遗址发掘报告 9
陕西兴平侯村遗址 200
陕西调查古迹报告 195
陕西铜川耀州窑 196
陕县东周秦汉墓 82
陕南考古报告集 197
驻马店杨庄：中全新世淮河上游的文化遗存与环境信息 83

九画

垣曲上亳 27
垣曲古城东关（黄河小浪底水库山西库区考古报告之二） 25
垣曲盆地聚落考古研究 27
城固宝山：1998 年发掘报告 199
荆门子陵岗 122
荆门罗坡岗与子陵岗 114
荆州荆南寺 124
荆州高台秦汉墓 109
南丫岛深湾——考古遗址调查报告 228
南水北调东线工程山东省文物调查报告 72
南阳一中战国秦汉墓 100
南阳丰泰墓地 98
南阳镇平程庄墓地 98
南京考古资料汇编 54
南京附近考古报告 47
南海神庙古遗址古码头 145
南越宫苑遗址 1995、1997 年考古发掘报告 146
临洮战国秦长城山丹汉、明长城调查报告 208
临淄齐故城 74
昭通田野考古之一 190
贵州田野考古报告集（1993 ~ 2013） 178

贵州董箐考古发掘报告……177
郧县上宝盖……136
郧县老幸福院墓地……122
拜城多岗墓地……227
秭归卜庄河……123
秭归东门头……131
秭归何光嘴……113
秭归庙坪……114
秭归官庄坪……116
秭归柳林溪……113
秭归陶家坡……131
重庆万州老棺丘古墓群发掘报告……168
重庆公路考古报告集……164
重庆库区考古报告集：1997 卷……150
重庆库区考古报告集：1998 卷……152
重庆库区考古报告集：1999 卷……153
重庆库区考古报告集：2000 卷……155
重庆库区考古报告集：2001 卷……159
重庆库区考古报告集：2002 卷……162
重庆涂山窑……155
禹州瓦店……87
禹州新峰墓地……105
侯马乔村墓地（1959 ~ 1996）……25
须弥山石窟……214
独仓山与南王山：土墩墓发掘报告……56
闽侯昙石山遗址第八次发掘报告……66
洞沟古墓群：1997 年调查测绘报告……41
洛阳大遗址研究与保护……93
洛阳王湾：田野考古发掘报告……85
洛阳五女冢：田野考古发掘报告……106
洛阳中州路（西工段）……78
洛阳文物钻探报告（第一辑）……91
洛阳文物钻探报告（第二辑）……92
洛阳文物钻探报告（第三辑）……99
洛阳文物钻探报告（第四辑）……105
洛阳发掘报告：1955 ~ 1960 年洛阳涧滨考古发掘资料……81
洛阳考古集成……87
洛阳周围小石窟全录……96
洛阳瞿家屯发掘报告……96
济青高级公路章丘工段考古发掘报告集……71
浑河下游航空摄影考古报告……35
穿越长三角：京沪、沪宁高铁江苏段考古发掘报告……51

穿越宜溧山地：宁杭高铁江苏段考古发掘报告……52
姚江田野考古……58

十画

耿马石佛洞……188
晋宁石寨山：第五次发掘报告……186
晋绥纪行……4
原州古墓集成……215
徐水东黑山遗址发掘报告……22
胶东考古……71
胶州板桥镇遗址考古文物图集……76
高陵张卜秦汉唐墓……200
郭童岙：越窑遗址发掘报告……59
唐县南放水：夏、周时期遗存发掘报告……20
唐县高昌墓地发掘报告……18
浙江汉六朝墓报告集……58
浚县辛村……79
通古达今之路：宁沪高速公路（江苏段）考古发掘报告文集……47

十一画

黄河小浪底水库文物考古报告集……84
黄河小浪底水库考古报告（二）……89
黄河蒲津渡遗址……30
黄河漕运遗迹：山西段……26
萧山柴岭山土墩墓……59
鄂东北考古报告集……108
铜岭古铜矿遗址发现与研究……69
铜绿山：中国古矿冶遗址……108
铜绿山古矿冶遗址……108
偃师水泉石窟……88
偃师华润电厂考古报告……102
悠悠牂牁：北盘江考古记……181
象山塔山……60
章丘女郎山……75
商洛东龙山……204
清江考古：长阳地区考古发掘报告……115
淇县大马庄墓地……104
淅川下王岗：2008 ~ 2010 年考古发掘报告……80
淅川东沟长岭楚汉墓……97
淅川刘家沟口墓地……97
淅川柳家泉墓地……103
淅川新四队墓地……107

淮北柳孜：运河遗址发掘报告……62
涪陵白鹤梁……169
梁山薛垓墓地……74
梁带村芮国墓地：2007 年度发掘报告……203
淄川考古：北沈马遗址考古发掘报告暨淄川考古研究……72
密云大唐庄：白河流域古代墓葬发掘报告……14
绵阳龛窟：四川绵阳古代造像调查研究报告集……173

十二画

塔里木盆地考古记……218
彭阳海子塬墓地发掘报告……217
斯坦因西域考古记……218
朝天嘴与中堡岛……109
朝阳北塔考古发掘与维修工程报告……37
朝阳袁台子：战国西汉遗址和西周至十六国时期墓葬……38
雁北文物勘察团报告……23
辉县发掘报告……77
辉县孙村遗址……100
辉县孟庄……86
景德镇湖田窑址：1988 ~ 1999 年考古发掘报告……69
集安高句丽王陵：1990 ~ 2003 年集安高句丽王陵调查报告……41
鲁东南沿海地区系统考古调查报告……73
敦煌莫高窟北区石窟……207
湖北库区考古报告集（第一卷）……111
湖北库区考古报告集（第二卷）……116
湖北库区考古报告集（第三卷）……119
湖北库区考古报告集（第五卷）……126
湖北库区考古报告集（第六卷）……127
湖北库区考古报告集（第四卷）……120
湖北南水北调工程考古报告集（第 1 卷）……133
湖北南水北调工程考古报告集（第 3 卷）……139
湖北南水北调工程考古报告集（第 4 卷）……139
湖北南水北调工程考古报告集（第 5 卷）……140
湖北省南水北调工程考古报告集（第 2 卷）……134
湖北省南水北调工程重要考古发现（一）……123
湖南宋元窖藏金银器发现与研究……142
登封王城岗与阳城……81
登封王城岗考古发现与研究（2002 ~ 2005）……90

十三画

蓬莱古船……72
榆树老河深……40

新乡王门墓地……103
新乡老道井墓地……97
新乡李大召：仰韶文化至汉代遗址发掘报告……88
新郑郑国祭祀遗址……89
新疆下坂地墓地……225
新疆文物考古资料汇编……226
新疆古佛寺：1905 ~ 1907 年考察成果……223
新疆考古记……220
新疆考古发掘报告（1957 ~ 1958）……219
新疆克孜尔石窟考古报告（第一卷）……220
新疆萨恩萨伊墓地……225
新疆察吾呼：大型氏族墓地发掘报告……222
慈善寺与麟溪桥：佛教造像窟龛调查研究报告……199
满蒙古迹考……3
福建北部古村落调查报告……67
福建考古资料汇编（1953 ~ 1959）……68
福建连江定海湾沉船考古……68
福建晋江流域考古调查与研究……67

十四画

赫章可乐 2000 年发掘报告……177
磁灶窑址——福建晋江磁灶窑址考古调查发掘报告……68
滹沱河上游先秦遗存调查报告（一）……29
肇庆古墓……146

十五画及以上

蕲春罗州城——2001 年发掘报告……122
镇江营与塔照：拒马河流域先秦考古文化的类型与谱系……8
德清火烧山：原始瓷窑址发掘报告……57
潜山林新战国秦汉墓……64
潜山薛家岗……62
鹤庆象眠山墓地……186
鹤壁鹿楼冶铁遗址……82
豫东杞县发掘报告……84
霍邱堰台：淮河流域周代聚落发掘报告……63
襄阳王坡东周秦汉墓……116
襄阳陈坡……134
瞿塘峡壁题刻保护工程报告……151

考古简报篇名首字索引

一、本索引包括本卷下编所收考古简报；

二、本索引依考古简报首字笔画为序；

三、每一条目后的数字，为该考古简报在本卷中的页数。

一画

1957 年邯郸发掘简报 …… 251
1958 年邢台地区古遗址古墓葬的发现与清理 …… 258
1959 年冬徐州地区考古调查 …… 417
1964 ~ 1965 年燕下都墓葬发掘报告 …… 262
1975 年豫西考古调查 …… 564
1976 年清江下游沿岸考古调查简报 …… 704
1977 年豫东考古纪要 …… 638
1978 年云梦秦汉墓发掘报告 …… 727
1980 年循化撒拉族自治县考古调查 …… 1035
1980 年湖北广水市考古调查报告 …… 750
1981 年凤翔八旗屯墓地发掘简报 …… 973
1982 ~ 1983 年陕西武功黄家河遗址发掘简报 …… 985
1982 年凤翔雍城秦汉遗址调查简报 …… 971
1984 年秋济南大辛庄遗址试掘述要 …… 514
1985 ~ 1986 年三峡坝区三斗坪遗址发掘简报 …… 714
1986 ~ 1987 年湖北房县松嘴战国两汉墓发掘报告 …… 680
1988 年河南濮阳西水坡遗址发掘简报 …… 621
1990 年山西侯马战国、西汉墓发掘简报 …… 287
1990 年吉林省通化县南部考古调查试掘的主要收获 …… 364
1990 年湖南溆浦大江口战国西汉墓发掘简报 …… 783
1991 年河南罗山考古主要收获 …… 641
1992 年福建平潭岛考古调查新收获 …… 478
1994 年山西省曲沃县曲村两周墓葬发掘简报 …… 290
1995 年海林三道河乡河口遗址发掘的主要收获 …… 398
1995 年琉璃河唐—明代居址发掘简报 …… 237
1996 年汉南纱帽山遗址发掘 …… 652
1996 年新疆吐鲁番交河故城沟西墓地汉晋墓葬发掘简报 …… 1053
2002 年度香港西贡沙下遗址 C02 和 D Ⅱ 02 区考古发掘简报 …… 1084
2003 年巴东故县坪遗址发掘简报 …… 760
2003 年河南新乡市火电厂墓地发掘简报 …… 615
2004 年广东中山龙穴遗址发掘简报 …… 813
2004 年四川德阳“绵竹城”遗址调查与试掘 …… 871
2005 年赤峰市三座店古库区考古调查记 …… 306
2005 年度康巴地区考古调查简报 …… 856
2006 年稻城县瓦龙村石棺墓群试掘简报 …… 902
2007 年四川蒲江冶铁遗址试掘简报 …… 863
2008 年山西汾阳东龙观宋金墓地发掘简报 …… 282
2008 年湖北省丹江口市观音坪遗址发掘报告 …… 687
2009 年新疆巴里坤石人子沟遗址 F2 发掘报告 …… 1060
一九五二年秋季郑州二里冈发掘记 …… 566

一九五五年洛阳涧西区北朝及隋唐墓葬发掘报告 …… 586
一九六二年春季吉林辑安考古调查简报 …… 358

二画

九龙县乌拉溪乡石棺葬墓调查清理简报 …… 903

三画

三门峡市李家窑遗址发掘简报 …… 628
三门峡市崤山西路发现三座古墓 …… 627
三台永明乡崖墓调查简报 …… 873
三峡库区旧州河遗址发掘报告 …… 716
三峡的重大考古发现 …… 710
三铜公路工程中耀州窑陶瓷的新发现 …… 968
大连长兴岛西礓坡墓地发掘简报 …… 326
大连发现元明铁炮和铜火铳 …… 325
大连新金县乔东遗址发掘简报 …… 324
大冶上罗村遗址试掘简报 …… 654
大冶市铜绿山卢家垴冶炼遗址发掘简报 …… 659
大冶县三处古遗址调查 …… 655
大冶县新发现一处古城遗址 …… 654
大冶金湖古文化遗址调查 …… 657
大周沙州刺史李无亏墓及征集到的三方唐代墓志 …… 991
大悟吕王城重点调查简报 …… 726
大悟县几处古遗址的调查 …… 725
大悟县古文化遗址调查简报 …… 730
大渡河双江口水电站地下文物遗存调查 …… 901
大渡河瀑布沟水电站淹没区文物调查简报 …… 892
上村岭秦墓和汉墓 …… 627
上海市松江青浦两县古遗址调查 …… 406
上海市金山县戚家墩遗址发掘简报 …… 407
上海青浦区塘郁元明时期码头遗址 …… 410
上海青浦县的古文化遗址和西汉墓 …… 407
上海福泉山唐宋墓 …… 408
上海嘉定法华塔元明地宫清理简报 …… 409
山东广饶西杜疃遗址调查 …… 528
山东广饶佛教石造像 …… 528
山东历城黄石崖摩崖龛窟调查 …… 514
山东日照市两城地区的考古调查 …… 549
山东日照市周代文化遗存 …… 549
山东日照地区系统区域调查的新收获 …… 550
山东长清出土的青铜器 …… 512
山东龙口市阎家店遗址发掘简报 …… 531

山东平阴县古文化遗存调查简报……517
山东平度东岳石村新石器时代遗址与战国墓……519
山东东平白佛山石窟造像调查……545
山东北部小清河下游2010年盐业考古调查简报……512
山东半岛出土的几件古盐业用器……530
山东宁阳西太平村古代瓷窑遗址试掘简报……545
山东成武县古遗址调查简报……561
山东阳谷、东阿县古文化遗址调查……556
山东牟平县北头墓群清理与调查……531
山东寿光龙兴寺遗址出土北朝至隋佛教石造像……536
山东邹平丁公遗址第二、三次发掘简报……559
山东沂水县发现古井……552
山东即墨市北阡遗址2007年发掘简报……519
山东青州市戴家楼战国西汉墓……535
山东青州兴国寺故址出土石造像……537
山东茌平县李孝堂遗址的调查……556
山东枣庄中陈郝瓷窑址……526
山东枣庄市博物馆收藏的战国汉代铜镜……527
山东枣庄出土犁镜铜范……526
山东昌乐县谢家埠遗址的发掘……536
山东昌乐岳家河周墓……534
山东泗水、兖州考古调查简报……538
山东莒县杭头遗址……548
山东临沂市大范庄遗址调查……554
山东临沂朱陈古瓷窑址调查……553
山东临沭县北沟头和寨子遗址调查……552
山东临朐明道寺舍利塔地宫佛教造像清理简报……535
山东临淄后李遗址第一、二次发掘简报……521
山东临淄后李遗址第三、四次发掘简报……521
山东临淄齐故城秦汉铸镜作坊遗址的发掘……524
山东省阳谷县马庙元明墓地发掘简报……558
山东省邹平县古文化遗址调查简报……560
山东省莱芜市古铁矿冶遗址调查……551
山东济宁市玉皇顶遗址发掘简报……543
山东济宁县古遗址……539
山东济宁程子崖遗址发掘简报……541
山东济阳县邝塚遗址调查……513
山东济南市神通寺殿堂遗址的清理……515
山东费县防故城遗址的试掘……554
山东泰山经石峪摩崖刻经及周边题刻的考察……546
山东泰安市龙门口遗址调查……546
山东泰安县中淳于古代瓷窑遗址调查……544

山东莱州市朱郎埠墓群发掘报告……533
山东栖霞市寨里镇泊子村东周和唐代水井清理简报……532
山东郯城县古文化遗址调查简报……553
山东诸城县前寨遗址调查……533
山东聊城地区出土的铜镜……554
山东聊城地区出土的磁州窑瓷器……555
山东黄县归城遗址的调查与发掘……530
山东章丘市王推官庄遗址发掘报告……515
山东章丘市孙家东南遗址的发掘……518
山东章丘市焦家遗址调查……516
山东章丘县董东村遗址试掘简报……516
山东梁山青堌堆发掘简报……538
山东淄博市临淄区国家村战国及汉代墓葬……522
山东淄博市临淄徐家村战国西汉墓的发掘……522
山东淄博市淄川区磁村古窑址试掘简报……520
山东淄博磁村窑址调查……523
山东博兴龙华寺遗址调查简报……559
山东博兴出土百余件北魏至隋代铜造像……558
山东蓬莱县柳格庄墓群发掘简报……529
山东微山县古遗址调查……542
山东微山县汉、宋墓葬清理简报……542
山东微山县发现汉、宋墓葬……543
山东滨州市滨城区五处古遗址的调查……561
山东嘉祥县出土古代铜镜……540
山东嘉祥县发现两方铜印……541
山东滕州市东小宫周代、两汉墓地……527
山东滕县古遗址调查简报……524
山西太原郊区宋、金、元代砖墓……274
山西长治市分水岭古墓的清理……282
山西石楼发现的三方官印……281
山西平定宋、金壁画墓简报……278
山西吉县挂甲山摩崖造像调查简报……290
山西曲沃县广福院发现宋金（齐）佛经……288
山西寿阳出土一批东魏至唐代铜造像……279
山西汾阳、孝义两县考古调查和杏花村遗址的发掘……281
山西沁县发现了一批石刻造像……283
山西垣曲龙王崖遗址的两次发掘……291
山西垣曲县宁家坡遗址发掘纪要……293
山西侯马上马墓地发掘简报（1963 ~ 1986 年）……286
山西侯马市虒祁墓地的发掘……289
山西闻喜汀店新石器及周代遗址……290
山西娄烦、离石、柳林三县考古调查……272

山西壶关县上好牢村宋金时期墓葬……284
山西夏县宋金墓的发掘……294
山西夏县辕村遗址发掘简报……293
山西朔县秦汉墓发掘简报……277
山西潞城县潞河东周、汉墓……283
山西隰县七里脚千佛洞石窟调查……288
山西襄汾赵康附近古城址调查……285
广元市瓷窑铺窑址发掘简报……876
广元出土佛教石刻造像……878
广元皇泽寺石窟调查报告……877
广元新发现的佛教造像……875
广东三水市银洲贝丘遗址发掘简报……805
广东五华县仰天狮山遗址发掘简报……810
广东从化县发现古遗址……791
广东石湾古窑址调查……803
广东东莞市三处贝丘遗址调查……812
广东北部山地区新石器时代遗存……788
广东乐昌市对面山东周秦汉墓……799
广东出土的古代陶坛……789
广东西江两岸地区古文化遗址的调查……789
广东佛山市郊澜石唐至明墓发掘记……802
广东佛山鼓颡岗宋元明墓记略……801
广东英德、连阳南齐和隋唐古墓的发掘……812
广东和平县晋至五代墓葬的清理……811
广东始兴县晋、南朝、唐墓清理简报……799
广东南海市西樵山佛子庙遗址的发掘……805
广东南海市鲩鱼岗贝丘遗址的发掘……804
广东南海县西樵山遗址……803
广东南海县灶岗贝丘遗址发掘简报……804
广东省西沙群岛文物调查简报……827
广东省和平县古文化遗存调查……811
广东珠海、汕头出土的元、明瓷器……790
广东高要晋墓和博罗唐墓……807
广东海丰县发现玉琮和青铜兵器……810
广东陵水、顺德、揭西出土的宋代瓷器、渔猎工具和元代钞版……791
广东梅县大埔县考古调查……809
广东梅县市唐宋窑址……809
广东博罗银岗遗址发掘简报……808
广东揭阳东晋、南朝、唐墓发掘简报……814
广东新会官冲古代窑址……806
广东韶关六朝隋唐墓葬清理简报……798
广东韶关市郊古墓发掘报告……798

广东潮州古瓷窑址调查……814
广汉三星堆遗址……869
广西平南县石脚山遗址发掘简报……823
广西防城潭蓬出土唐、元、明代文物……822
广西近年来发现的四件铜鼓……817
广西南丹县里湖岩洞葬调查报告……821
广西贵港马鞍岭梁君垌汉至南朝墓发掘报告……824
广西桂州窑遗址……819
广西崖洞葬调查报告……818
广州市南越国宫署遗址 2003 年发掘简报……794
广州南越国宫署遗址 2000 年发掘报告……792
广州秦汉造船工场遗址试掘……792
广州黄花岗汉唐墓葬发掘报告……793
子午道秦岭北段栈道遗迹调查简报……955

四画

天津市武清县兰城遗址的钻探与试掘……242
天津地区出土的古代铜镜……241
天津军粮城海口汉唐遗迹调查……240
天津宝坻县牛道口遗址调查发掘简报……239
天彭文物考察散记……858
无极甄氏诸墓的发现及其有关问题……244
无锡市环城河古井清理……415
云南大理市凤仪镇大丰乐墓地的发掘……935
云南大理市海东银梭岛遗址发掘简报……934
云南玉溪元末明初龙窑的发掘……924
云南玉溪古窑遗址调查……923
云南江川李家山古墓群发掘简报……923
云南泸西县和尚塔火葬墓的清理……930
云南宜良县孙家山火葬墓发掘简报……921
云南省水富县小河崖墓发掘报告……928
云南省巧家县小东门墓地清理简报……928
云南省龙陵县大花石遗址发掘简报……927
云南省建水县碗窑村古窑址调查……929
云南昭通马厂和闸心场遗址调查简报……927
云南剑川县海门口遗址第三次发掘……933
云南姚安首次出土一批编钟……931
云南晋宁石寨山古遗址及墓葬……920
云南晋宁石寨山第五次抢救性清理发掘简报……921
云南祥云县检村石棺墓……932
云南禄丰发现元明瓷窑……931
云南滇池地区聚落遗址 2008 年调查简报……922

云南滇池盆地 2010 年聚落考古调查简报……922
云南澄江县发现火葬墓……925
云南澄江县金莲山墓地 2008 ~ 2009 年发掘简报……926
云梦龙岗秦汉墓地第一次发掘简报……731
云梦楚王城遗址发掘简讯……728
太原小井峪宋、明墓第一次发掘记……273
太原西南郊清理的汉至元代墓葬……273
中国西安、洛阳汉唐陵墓的调查与发掘……231
内乡县大窑店瓷窑遗址的调查……632
内江市岩墓情况综述……879
内蒙古乌兰察布盟石虎山遗址发掘纪要……314
内蒙古乌盟南部发现的青铜器和铜印……312
内蒙古北部地区发现的新石器……315
内蒙古白岔河沿岸新发现的动物岩画……302
内蒙古宁城县南山根 102 号石椁墓……300
内蒙古西北部秦汉长城调查记……295
内蒙古朱开沟遗址……309
内蒙古伊盟达拉特旗瓦窑村的新石器时代遗址……308
内蒙古兴和县沟里头匈奴墓……314
内蒙古赤峰地区 1999 年区域性考古调查报告……304
内蒙古库伦旗胡金稿古墓葬清理简报……306
内蒙古呼和浩特市的两座塔……297
内蒙古南宝力皋吐鲜卑墓地发掘简报……307
内蒙古敖汉旗大哈巴齐拉墓地调查……303
内蒙古敖汉旗发现的青铜器及有关遗物……301
内蒙古敖汉旗孟克河上游的遗址调查……298
内蒙古准格尔旗玉隆太的匈奴墓……309
内蒙古凉城县岱海周围古遗址调查……313
内蒙古喀喇沁旗大山前遗址 1996 年发掘简报……304
内蒙古喀喇沁旗大山前遗址 1998 年的发掘……305
内蒙古黑城考古发掘纪要……315
内蒙古新巴尔虎左旗出土青铜镞……311
内蒙古阴山山脉狼山地区岩画……295
内蒙古新巴尔虎右旗哈乌拉石板墓……310
长江中游湖北地区考古调查……647
长杨宫遗址出土的秦汉文物……962
长沙市东北郊古墓葬发掘简报……767
长沙两晋南朝隋墓发掘报告……768
长沙沙湖桥一带古墓发掘报告……766
长沙陈家大山战国、西汉、唐、宋墓清理……767
长沙南郊的两晋南朝隋代墓葬……768
长沙柳家大山古墓葬清理简报……768

长沙树木岭战国墓阿弥岭西汉墓……769
长春市双阳区五家子遗址发掘简报……352
长春市腰红嘴子与北红嘴子遗址发掘简报……351
仁寿县牛角寨摩崖造像……888
介绍几件北京出土的陶瓷器……236
介绍辽宁朝阳出土的几件文物……341
丹东市东沟县新石器时代遗址调查和试掘……334
丹江上游考古调查简报……1010
丹江口市玉皇庙汉晋墓发掘简报……685
丹江口市肖川区战国两汉墓葬发掘简讯……678
丹江口市肖川战国两汉墓葬……679
凤县出土唐宋瓷器……974
凤翔孙家南头墓地宋元明墓葬发掘简报……982
凤翔青渠古瓷窑考察初步收获……980
巴中水宁寺摩崖造像……896
巴中石窟艺术调查简报……896
巴东长江段几处古遗址调查……755
巴东县西瀼口古墓葬 2000 年发掘简报……756
巴东店子头遗址发掘简报……757
双城市同心乡同心村出土的玉斧……375

五画

玉溪窑综合勘查报告……925
邛崃市平乐镇冶铁遗址调查与试掘简报……862
甘肃天水西山坪秦汉墓发掘纪要……1019
甘肃天水西山坪遗址的原始农业遗存……1020
甘肃天水放马滩战国秦汉墓群的发掘……1019
甘肃玉门白土良汉晋墓发掘简报……1028
甘肃玉门蚂蟥河墓群发掘简报……1027
甘肃甘谷毛家坪遗址发掘报告……1018
甘肃白龙江流域古文化遗址调查简报……1016
甘肃西汉水流域考古调查简报……1030
甘肃庆阳、镇原等县发现三处石窟……1029
甘肃灵台县两周墓葬……1023
甘肃环县洪德出土宋、元、明瓷器……1030
甘肃武山县东旱坪战国秦汉墓葬……1020
甘肃肃北马鬃山古玉矿遗址调查简报……1029
甘肃临夏莲台辛店文化墓葬发掘报告……1031
甘肃省高台县汉晋墓葬发掘简报……1022
甘肃省葫芦河流域考古调查……1015
甘肃秦安考古调查记略……1021
甘肃酒泉崔家南湾墓葬发掘简报……1028

甘肃崇信古文化遗址调查……1024
甘肃崇信出土铜镜介绍……1023
甘肃渭河支流南河、榜沙河、漳河考古调查……1013
甘肃嘉峪关市文殊镇汉魏墓的发掘……1017
甘肃嘉峪关黑山古代岩画……1017
甘家坡遗址发掘简报……747
古武关道栈道遗迹调查简报……948
古蔺县出土一面铜鼓……867
本溪地区太子河流域石器至青铜时期遗址……332
龙山石窟考察报告……275
龙泉溪口青瓷窑址调查纪略……457
平顺荐福寺遗址出土的佛教石造像及龙门寺部分造像……283
东沙群岛发现的古代铜钱……827
东周王城战国至汉代陶窑遗址发掘简报……597
北京市发现一批古遗址和窖藏文物……236
北京市拒马河流域考古调查……237
北京西郊出土古代铁口木……236
北京怀柔城北东周两汉墓葬……234
北京昌平白浮村汉、唐、元墓葬发掘……235
北京昌平半截塔村东周和两汉墓……235
北京房山县考古调查简报……234
四川广元瓷窑的调查收获……875
四川木里县娃日瓦村考古调查试掘简报……913
四川什邡市虎头山成汉至东晋时期崖墓群……870
四川什邡市星星村遗址唐宋、明清墓葬发掘简报……871
四川巴塘、雅江的石板墓……902
四川古代的船棺葬……874
四川古代墓葬清理简况……854
四川石棉三星遗址发掘简报……893
四川石棉县考古调查……889
四川乐山地区崖穴悬棺葬调查报告……880
四川汉源大窑石棺葬清理简报……889
四川汉源县大树乡两处古遗址调查……891
四川汉源县龙王庙遗址 2008 年发掘简报……896
四川汉源县麦坪村、麻家山遗址试掘简报……891
四川汉源县麦坪遗址 2006 年第二次发掘简报……894
四川汉源县麦坪遗址 2008 年发掘简报……893
四川汉源县麦坪遗址 B 区 2010 年发掘简报……895
四川汉源桃坪遗址及墓地发掘报告……892
四川出土有关古代养猪的文物……829
四川西昌天王山十号墓清理简报……907
四川西昌市棲木沟遗址 2006 年度发掘简报……911

四川西昌出土的古代农具……908
四川西昌陶家山古墓清理简报……906
四川达成铁路南充东站考古发掘报告……881
四川达州市通川区瓷碗铺瓷窑遗址发掘简报……887
四川成都市北郊战国东汉及宋代墓葬发掘简报……860
四川会理城河下游考古调查报告……912
四川江油市青莲古瓷窑址调查……872
四川奉节老关庙遗址第一、二次发掘……830
四川奉节县新浦遗址发掘报告……829
四川武胜山水岩崖墓群发掘报告……886
四川青神县坛罐窑调查……889
四川牧马山灌溉渠古墓清理简报……857
四川炉霍县呷拉宗遗址发掘简报……903
四川宜宾沙坝墓地 2009 年发掘简报……884
四川南江米仓道调查简报……897
四川南江县太子洞遗址调查简报……897
四川省中江县出土宋元窖藏……870
四川省长江三峡水库考古调查简报……854
四川省汉源县麦坪遗址 2006 年发掘简报……894
四川省奉节县三峡工程库区砖室墓清理报告……830
四川省博物馆藏万佛寺石刻造像整理简报……860
四川昭觉县好谷村古墓群的调查和清理……911
四川叙南崖葬调查纪略……884
四川宣汉罗家坝遗址 1999 年度发掘简报……887
四川盐边县石棺葬发掘简报……866
四川郫县波罗村遗址Ⅱ区汉、唐遗存发掘简报……864
四川凉山冕宁三分屯遗址试掘简报……910
四川理县汶川县考古调查简报……899
四川营山县太蓬山摩崖题刻调查简报……882
四川绵阳出土的古代铜镜……872
四川绵阳碧水寺藏“开元寺石佛”调查……873
四川雅江县呷拉遗址发掘简报……904
四川雅安小山子岩墓出土器物……890
乐山市崖墓墓阙调查记……880
汉阳东城垸纱帽山遗址调查……649
汉阳县发现陈子墩古文化遗址……648
汉源县瀑布沟水库淹没区文物古迹调查简况……890
汉魏洛阳城一号房址和出土的瓦文……589
汉魏洛阳城出土的有文字的瓦……587
汉魏洛阳城初步勘查……589
汉魏洛阳故城金墉城址发掘简报……595
汉魏洛阳故城城垣试掘……593

宁安市渤海镇西安村东遗址发掘简报……402
宁安市路家店墓群与“老君炉”遗迹调查简报……401
宁城小黑石沟石椁墓调查清理报告……302
宁城县南山根的石椁墓……299
宁夏西吉县汉、金墓发掘简报……1041
宁夏回族自治区中卫县古遗址及墓葬调查……1042
宁夏灵武县磁窑堡瓷窑址调查……1039
宁夏贺兰县拜寺口北寺塔群遗址的清理……1040
宁夏盐池县古长城调查与试掘……1041
记我省首次发现的两处古瓷窑址……647
记赣南出土的古代农具……491
辽宁大连市郊区考古调查简报……326
辽宁大连新金县碧流河大石盖墓……324
辽宁开原境内的高句丽城址……338
辽宁瓦房店市马圈子汉魏晋墓地发掘……325
辽宁丹东地区鸭绿江右岸及其支流的新石器时代遗存……334
辽宁北票市大板营子鲜卑墓的清理……344
辽宁抚顺大伙房水库石棺墓……331
辽宁抚顺市前屯、洼浑木高句丽墓发掘简报……328
辽宁抚顺李石开发区四号路墓群发掘简报……332
辽宁抚顺高尔山古城址调查简报……329
辽宁沈阳八家子汉魏墓葬群发掘简报……321
辽宁沈阳市石台子高句丽山城第二次发掘简报……320
辽宁昌图县发现战国、汉代青铜器及铁器……337
辽宁岫岩城南遗址……327
辽宁建平县的青铜时代墓葬及相关遗物……340
辽宁省抚顺市浑河流域石棚调查……337
辽宁桓仁县抽水洞遗址发掘……333
辽宁桓仁浑江流域新石器及青铜时期的遗迹和遗物……333
辽宁铁岭市大山嘴子青铜文化遗址调查……339
辽宁铁岭市邱台遗址试掘简报……338
辽宁凌源安杖子古城址发掘报告……341
辽宁绥中县“姜女石”秦汉建筑群址瓦子地遗址一号窑址……347
辽宁绥中县“姜女石”秦汉建筑群址石碑地遗址的勘探与试掘……346
辽宁绥中县“姜女坟”秦汉建筑遗址发掘简报……344
辽宁绥中县石碑地秦汉宫城遗址 1993 ～ 1995 年发掘简报……345
辽宁绥中县石碑地遗址 1996 年度的发掘……347
辽宁康平县老山头遗址调查报告……320
辽宁康平县赵家店村古遗址及墓地调查……319
辽宁清原县近年发现一批石棺墓……329
辽宁朝阳北朝及唐代墓葬……343
辽宁锦西邰集屯三座古城址考古纪略及相关问题……335

辽宁彰武县考古复查纪略……336

六画

邢台尹郭村商代遗址及战国墓葬试掘简报……259
吉林大安县洮儿河下游右岸新石器时代遗址调查……369
吉林大安渔场古代墓地……368
吉林长白县干沟子墓地发掘简报……366
吉林公主岭市赵油坊遗址发掘简报……355
吉林东丰、海龙县考古调查与试掘简报……349
吉林东丰县南部古遗迹调查……356
吉林市龙潭山鹿场遗址发掘简报……355
吉林市郊二道水库狼头山石棺墓地发掘简报……354
吉林市唐家崴子、西沟江沿石器制造场等遗址调查……354
吉林永吉县乌拉街出土"触角式剑柄"铜剑……353
吉林永吉县学古东山遗址试掘简报……353
吉林辽源市龙首山遗址的调查……357
吉林抚松新安遗址发掘报告……367
吉林汪清考古调查……370
吉林松原市后土木村发现古代墓葬……367
吉林省农安德惠考古调查简报……350
吉林省饮马河沿岸古文化遗存调查简报……351
吉林省图们市下嘎遗址发掘报告……371
吉林省通化市自安山城调查报告……365
吉林省镇赉县后少力古城调查……369
吉林省德惠王家坨子北岭发现的古代遗存……350
吉林洮安县双塔屯原始文化遗址调查……368
吉林珲春新兴洞墓地发掘报告……370
吉林通化市万发拨子遗址21号墓的发掘……364
吉林集安东大坡高句丽墓葬发掘简报……363
吉林集安出土的几方铜印……363
吉林集安出土的古镜……362
吉林集安洞沟三室墓清理记……361
吉林辑安历年出土的古代钱币……360
吉林辑安高句丽建筑遗址的清理……357
吉林辑安高句丽南道和北道上的关隘和城堡……359
吉林辑安高句丽霸王朝山城……360
吉林辑安榆林河流域高句丽古墓调查……359
老河口市付老馆遗址调查发掘简报……670
巩义市北窑湾汉晋唐五代墓葬……575
扬州三元路工地考古调查……429
扬州古城1978年调查发掘简报……428
再现河西农耕生产的珍贵文物——谈高台骆驼城出土彩绘农耕画像砖……1021

西北林学院古墓清理简报……987
西安东郊出土的一批汉唐文物……953
西安东郊秦川机械厂汉唐墓葬发掘简报……957
西安北郊大白杨秦汉墓葬清理简报……954
西安北郊永济电机厂秦汉墓发掘简报……960
西安市湖滨花园小区宋、明、清墓发掘简报……961
西安发现的汉、隋时期陶俑……957
西安地区发现春秋战国秦汉时期的青铜器……957
西安财政干部培训中心汉、后赵墓发掘简报……959
西安南郊三爻村汉唐墓葬清理发掘简报……960
西安南郊曲江池汉唐墓葬清理简报……954
西安洪庆北朝、隋家族迁葬墓地……963
西沙群岛的考古调查……828
西昌东汉、魏晋时期砖室墓葬调查……906
西昌发现宋元时期的茶具……909
西昌坝河堡子大石墓发掘简报……904
西昌坝河堡子大石墓第二次发掘简报……905
西昌河西大石墓群……905
西岳庙考古收获……995
西藏山南拉加里宫殿勘察报告……939
西藏日土县塔康巴岩画的调查……942
西藏札达县皮央·东嘎遗址古墓群试掘简报……941
西藏贡觉县香贝石棺墓葬清理简报……938
西藏穷结青娃达孜山摩崖造像调查简报……937
西藏阿里札达县帕尔宗遗址坛城窟的初步调查……942
西藏阿里札达县象泉河流域卡俄普与西林衮石窟地点的初步调查……943
西藏阿里札达县象泉河流域白东波村早期佛教遗存的考古调查……943
西藏阿里东嘎、皮央石窟考古调查简报……941
西藏阿里地区丁东居住遗址发掘简报……944
西藏阿里象泉河流域卡孜河谷佛教遗存的考古调查与研究……945
西藏纳木错扎西岛洞穴岩壁画调查简报……938
西藏拉萨澎波农场洞穴坑清理简报……936
西藏定结县恰姆石窟……939
西攀高速公路文物遗存调查……855
成都方池街古遗址发掘报告……861
成都市西郊外化成小区唐宋墓葬的清理……862
成都市郫县三观村遗址发掘简报……864
成都金沙遗址雍锦湾地点出土唐宋瓷器……865
成都梁家巷唐宋墓葬发掘简报……859
当阳付家窑两周遗址调查简报……707
当阳沮河下游 1972 年考古调查简报……702
吐鲁番县阿斯塔那——哈拉和卓古墓群发掘简报（1963 ~ 1965）……1048

吐鲁番阿斯塔那古墓群新发现的“桃人木牌” 1051
吐鲁番哈喇和卓古墓群发掘简报 1048
同安发现古代炼铁遗址 479
竹山县霍山遗址调查简报 681
延安地区古塔调查记 1000
延安地区发现一批佛教造像碑 998
延安地区的石窟寺 997
自贡市黄泥土山崖墓群清理简报 865
伊犁河谷新发现的古城堡及相关遗迹 1074
伊犁河流域的文物考古新发现 1075
合肥出土、征集的部分古代铜镜 460
旬邑安仁古瓷窑遗址发掘简报 984
关沮秦汉墓清理简报 697
米仓道考察记 1003
米脂万佛洞石窟 1005
沥尾岛考古调查 822
江西九江神墩遗址发掘简报 497
江西乐安出土汉晋铜钱 510
江西出土地券综述 492
江西吉州窑遗址发掘简报 501
江西吉安市临江窑遗址 502
江西吉安地区唐至明代窑址调查 502
江西进贤县李渡烧酒作坊遗址的发掘 493
江西的汉墓与六朝墓葬 491
江西波阳王家咀遗址调查简报 510
江西宜丰县太平岗遗址调查 506
江西南丰白舍窑调查纪实 509
江西省吉安县发现吉州窑瓷器 502
江西修水出土战国青铜乐器和汉代铁器 496
江西铅山县发现几处古瓷窑址 511
江西高安市华林造纸作坊遗址发掘简报 507
江西萍乡南坑古窑调查 495
江西铜鼓平顶垴遗址发掘简报 509
江西清江县马家寨遗址调查 504
江西清江营盘里遗址发掘报告 504
江西湖田窑址 H 区发掘简报 493
江西瑞昌范镇、高丰发现窖藏铜币 497
江西靖安、奉新的古瓷窑 506
江西新余市拾年山遗址 498
江西新余市渝水区古文化遗址调查 498
江西赣州通天岩石窟调查 499
江西赣州窑址调查 500

江苏丹阳葛城遗址勘探试掘简报 …… 431
江苏丹阳墩头山遗址调查与试掘 …… 430
江苏丹徒镇四脚墩土墩墓第二次发掘简报 …… 430
江苏扬州五台山唐、五代、宋墓发掘简报 …… 427
江苏邳海地区考古调查 …… 412
江苏连云港市九龙口商和战国遗址 …… 423
江苏连云港市清理四座五代、北宋墓葬 …… 424
江苏吴县出土一批周代青铜剑 …… 421
江苏吴县越溪张墓村遗址调查 …… 422
江苏盱眙南窑庄楚汉文物窖藏 …… 425
江苏宜兴石室墓试掘简报 …… 416
江苏盐城市城区唐宋时期的墓葬 …… 427
江苏盐城出土的半两钱 …… 426
江苏射阳湖周围考古调查 …… 412
江苏徐州大庙晋汉画像石墓 …… 418
江苏徐州市徐州卫遗址水井发掘简报 …… 419
江苏淮安山头遗址墓地发掘简报 …… 425
江苏越城遗址的发掘 …… 421
江苏新海连市和东海县新石器时代、商、汉遗址 …… 422
江苏镇江市铁瓮城遗址发掘简报 …… 431
江苏镇江花山湾古城遗址 2010 年发掘简报 …… 433
江苏赣榆新石器时代至汉代遗址和墓葬 …… 423
江陵毛家山发掘记 …… 693
江陵县纪南城摩天岭遗址试掘简报 …… 694
江陵县郢城调查发掘简报 …… 695
江陵张家山遗址的试掘与探索 …… 694
江陵岳山秦汉墓 …… 698
安阳古城勘察记 …… 618
安阳市西高平遗址晋、唐宋遗存发掘报告 …… 620
安阳县古瓷窑遗址考察 …… 617
安陆黄金山墓地发掘报告 …… 736
安岳石窟寺调查记要 …… 898
安康地区汉魏南北朝时期的墓砖 …… 1009
安康地区出土的古代铜镜 …… 1009
安塞县石窟寺调查报告 …… 1000
安塞县出土一批佛教造像 …… 1001
安徽安庆市张四墩遗址试掘简报 …… 466
安徽寿县牛尾岗的古墓和五河濠城镇新石器时代遗址 …… 468
安徽寿县发现汉、唐遗物 …… 471
安徽肥西县发现古代水井 …… 460
安徽郎溪欧墩遗址调查报告 …… 472
安徽郎溪唐宋墓 …… 473

安徽南陵县古铜矿采冶遗址调查与试掘……462
安徽省荣军医院怀远新址建设工地古墓群……462
安徽萧县白土窑……470
安徽铜陵市古代铜矿遗址调查……464
安徽铜陵县师姑墩遗址发掘简报……465
安徽淮北相城战国至汉代大型排水设施发掘简报……463
安徽颍上县出土四件古代铜镜……468
安徽潜山彭岭战国西汉墓……466
安徽潜山薛家岗遗址第六次发掘简报……465
安徽歙县竦口窑调查……467
许昌长葛山孔遗址发掘简报……624
郃阳千佛洞石窟……993
阳新大路铺遗址东区发掘简报……656
阳新枫林镇两处宋、明墓葬发掘简报……655
阴山岩画新发现……311
观台窑址发掘报告……248

七画

寿圣寺塔调查……643
寿州瓷窑址调查记略……470
远安孙家岗古墓发掘简报……714
扶风出土的古代瓷器……974
扶风博物馆藏历代铜镜介绍……950
抚顺地区早晚两类青铜文化遗存……330
赤峰发现鄂尔多斯式铜鍑……303
赤峰蜘蛛山遗址的发掘……299
孝昌古坟岗墓地的发掘……735
孝感、黄陂两县部分古遗址复查简报……725
孝感田家岗东汉南朝及唐墓清理简报……735
孝感市几处古遗址调查简报……728
孝感市草店坊城的调查与勘探……729
孝感永安铺南朝及唐代墓葬清理简报……737
孝感地区博物馆馆藏铜镜简报……729
孝感花园发现战国秦汉墓群……727
芷阳遗址调查简报……953
苏州市瑞光寺塔发现一批五代、北宋文物……420
两个不同类型的铜鼓同穴出土……823
两件制作精美的古代勾杀兵器——青铜戈……571
邺城考古调查和钻探简报……254
邺城调查记……252
牡丹江市郊区熊场遗址清理简报……401
利国驿古代炼铁炉的调查及清理……416

佛山专区的几处古窑址调查简报 …… 800
近年来广西出土的先秦青铜器 …… 817
谷城过山战国西汉墓葬 …… 662
汶川姜维城发掘的初步收获 …… 901
沈阳市石台子山城高句丽墓葬 2002 ~ 2003 年发掘简报 …… 322
沈阳市老城区大舞台工地文物勘探报告 …… 321
沈阳市道义镇郭七遗址发掘简报 …… 322
沈阳伯官屯汉魏墓葬 …… 317
沈阳新乐遗址试掘报告 …… 317
沈阳肇工街和郑家洼子遗址的发掘 …… 318
灵石旌介发现商周及汉代遗迹 …… 280
张飞庙遗址发掘简报 …… 834
张家口市白庙遗址清理简报 …… 267
阿里地区古格王国遗址调查记 …… 940
阿勒泰地区石人墓调查简报 …… 1079
陇县出土的匈奴文物 …… 976

八画

奉节县头堂包遗址 2002 年发掘简报 …… 841
奉节县刘家院坝遗址 2002 年发掘报告 …… 840
奉节宝塔坪遗址 2003 年发掘简报 …… 838
武汉市东西湖柏泉农场古墓群清理简报 …… 651
武汉市江夏区新窑村窑址群的调查与发掘 …… 653
武汉市梁子湖古瓷窑址调查 …… 652
武穴市新石器及商周遗址调查 …… 744
武昌县金口汉晋墓发掘简报 …… 650
武昌青山瓷窑遗址发掘简报 …… 650
武陟县保安庄遗址调查简报 …… 606
青浦县淀山湖新石器时代文物的初步调查 …… 406
青海大通县文物普查简报 …… 1034
青海化隆旦斗岩窟壁画初步调查 …… 1036
青海平安、互助县考古调查简报 …… 1036
青海省哈龙沟、巴哈毛力沟的岩画 …… 1037
青海贵德山坪台卡约文化墓地 …… 1037
青海湖环湖考古调查 …… 1033
青海湟中古代文化调查简报 …… 1034
拉萨查拉路甫石窟调查简报 …… 937
幸福东山城址发现“陶猪群” …… 386
茂汶石棺葬墓出土“青铜短剑” …… 900
茂汶羌族自治县元、明时期的石棺葬 …… 900
林州慈源寺建筑基础清理简报 …… 619
林县峡谷千佛洞造像调查记 …… 616

枝城市博物馆藏青铜器……706
枝城乱葬岗古墓第二次发掘简报……713
杭州水田畈遗址发掘报告……436
杭州西湖发现宋、金、元铜质官印……435
杭州萧山柴岭山土墩墓（D30）发掘简报……438
杭州萧山蜈蚣山土墩墓（D4）发掘简报……437
枣庄市南部地区考古调查纪要……525
呼和浩特市附近出土的外国金银币……298
岩香寺石窟调查报告……276
岷江中下游考古调查简报……856
和林格尔县土城子古墓发掘简报……297
佳木斯市郊凤凰山遗址调查……393
岳池代家坟古墓群发掘简报……886
岳池后山古墓群清理简报……885
金沙遗址强毅汽车贸易有限公司地点发掘简报……863
京九铁路（红安、麻城段）文物调查……741
京珠高速公路孝南段考古发掘简报……736
兖州西吴寺遗址第一、二次发掘简报……540
郑州旭旮王村遗址发掘报告……567
郑州市西北郊区考古调查简报……571
郑州市陈庄遗址发掘简报……570
郑州市站马屯遗址发掘报告……572
郑州西山河南艺术职业学院秦汉墓葬发掘简报……583
郑州高新区贾庄宋金墓葬发掘简报……581
郑州唐宋瓦窑址的发掘……573
河北大厂回族自治县大坨头遗址试掘简报……271
河北玉田县发现新石器和青铜时代遗址……246
河北正定天宁寺凌霄塔地宫出土文物……245
河北石家庄市赵陵铺镇古墓清理简报……244
河北邢台地上文物调查记……259
河北曲阳县考古调查简报……264
河北曲阳县涧磁村定窑遗址调查与试掘……260
河北曲阳县涧磁岭定窑遗址A区发掘简报……266
河北曲阳涧磁村发掘的唐宋墓葬……261
河北邯郸市区古遗址调查简报……253
河北怀来县大古城遗址1999年调查简报……269
河北怀来官厅水库沿岸考古调查简报……268
河北张家口市考古调查简报……268
河北武安县午汲古城中的窑址……250
河北武安洺河流域几处遗址的试掘……255
河北青龙县发现古代官印……248
河北易县龙兴观遗址调查记……262

河北易县发现一批石造像……265
河北易县涞水古遗址试掘报告……263
河北承德县白河口遗址调查……270
河北临城县补要村遗址北区发掘简报……260
河北临漳县邺城遗址北吴庄佛教造像埋藏坑的发现与发掘……258
河北省永年县何庄遗址发掘报告……256
河北省隆化县土城子城址 2005 年试掘简报……270
河北省磁县观台磁州窑遗址发掘简报……255
河北唐山市丰润区施家营遗址考古发掘报告……247
河北唐县南放水遗址 2006 年发掘简报……265
河北涞水北封村遗址试掘简报……264
河北鹿泉市西龙贵墓地唐宋墓葬发掘简报……245
河北滦平县后台子遗址发掘简报……269
河北静海东滩头发现宋金墓……241
河北磁县讲武城古墓清理简报……249
河北磁县讲武城调查简报……250
河北磁县境内牤牛河两岸考古调查……257
河北遵化县出土周、汉遗物……247
河南三门峡市北朝和隋代墓葬清理简报……629
河南三门峡市南家庄遗址的调查与试掘……628
河南上蔡县卧龙岗战国西汉墓发掘简报……645
河南淅川仓房新四队战国、秦墓发掘简报……638
河南淅川县马川遗址发掘简报……637
河南邓州市八里岗遗址 1992 年的发掘与收获……634
河南邓县房山新石器时代遗址及秦汉墓调查……633
河南民权牛牧岗遗址战国西汉墓葬发掘简报……640
河南巩义市仓西战国汉晋墓……575
河南巩义市白河瓷窑遗址调查……576
河南巩义市白河窑遗址发掘简报……582
河南巩县古窑址调查记要……568
河南巩县石家庄古墓葬发掘简报……568
河南伊川县槐庄墓地晋唐墓发掘简报……600
河南汝州市区古代遗址发掘简报……604
河南汝州市东沟瓷窑址发掘简报……605
河南安阳市黄张遗址两周时期文化遗存发掘简报……620
河南安阳西郊唐、宋墓的发掘……615
河南安阳殷墟刘家庄北地殷墓与西周墓……618
河南许昌市仓库路战国和汉代墓葬发掘简报……623
河南杞县鹿台岗遗址发掘简报……584
河南林州市出土古代铜镜……617
河南固始平寨古城遗址发掘报告……642
河南罗山县擂台子遗址发掘简报……642

河南乳香台遗址的发掘……644
河南泌阳县下河湾冶铁遗址调查报告……645
河南宝丰史营遗址战国至汉代墓葬……606
河南荥阳市关帝庙遗址唐、金墓葬发掘简报……580
河南荥阳县阎河遗址的调查与试掘……573
河南荥阳晋墓、唐墓发掘简报……580
河南南召发现古代冶铁遗址……630
河南南阳市邢庄汉、宋墓群发掘报告……636
河南南阳发现一批秦汉铜钱……631
河南临颍小商桥出土的古建筑构件……625
河南省几处石窟简介……563
河南省五县古代铁矿冶遗址调查……565
河南省石刻调查登记情况简报……563
河南省禹州市神垕镇刘家门钧窑遗址发掘简报……623
河南省禹县古窑址调查记略……622
河南省密县、登封唐宋窑址调查简报……569
河南省镇平县楸树湾古铜矿冶遗址的调查……636
河南省鹤壁集瓷窑遗址发掘简报……608
河南信阳三里店遗址发掘报告……640
河南洛阳盆地 2001 ～ 2003 年考古调查简报……599
河南洛阳唐宫路北唐宋遗迹发掘简报……595
河南唐河发现汉、宋墓葬……635
河南郾城县庙岗遗址调查简报……601
河南偃师“滑城”考古调查简报……587
河南偃师灰嘴遗址发掘报告……592
河南偃师灰嘴遗址发掘简报……585
河南偃师仰韶及商代遗址……588
河南偃师伊河南岸考古调查试掘报告……588
河南偃师商城Ⅳ区 1996 年发掘简报……594
河南鹿邑栾台遗址发掘简报……644
河南淅川下王岗遗址的试掘……631
河南渑池石佛寺石窟调查……630
河南淮滨县黄土城地区区域考古调查简报……643
河南密县、登封唐宋古窑址调查……570
河南密县西关瓷窑遗址发掘简报……574
河南辉县古窑址调查简报……610
河南焦作地区的考古调查……607
河南鲁山县薛寨遗址发掘简报……605
河南鲁山段店窑……602
河南鲁山段店窑的新发现……603
河南登封卢店汉、唐墓的发掘……568
河南新乡五陵村战国两汉墓……612

河南新乡市宋金墓……613
河南新乡李大召遗址战国两汉墓发掘简报……614
河南新乡杨岗战国两汉墓发掘简报……612
河南新乡县后高庄遗址发掘报告……614
河南新安县太涧遗址发掘简报——黄河小浪底水库淹没区考古发掘简报之一……594
河南新郑市华阳城遗址的调查简报……583
河南新郑市唐户遗址裴李岗文化遗存2007年发掘简报……581
河南新密曲梁遗址1988年春发掘报告……577
河南舞阳出土的周、汉兵器……625
河南鹤壁市古煤矿遗址调查简报……607
泸县发现大批明、清古桥……867
沮、漳河中游考古调查……701
泥峪北段古道路调查……964
泾阳县博物馆收藏的青铜器……988
宝丰县出土铜质造像……602
宝丰清凉寺汝窑址的调查与试掘……603
宝鸡市附近古遗址调查……974
宝鸡市谭家村春秋及唐代墓……975
宝坻秦城遗址试掘报告……242
宝珠寺水库淹没区文物调查记……876
定鼎门遗址发掘报告……598
宜君县柴家沟煤矿工地出土耀瓷等文物……969
宜昌三家沱遗址发掘报告……712
宜昌市发现一座古代军垒……705
宜昌县艾家河古遗址群调查简报……707
宜昌县朱家台遗址试掘……707
宜昌前坪战国两汉墓……701
宜宾地区悬棺葬调查记……883
宜宾县双龙、横江两区岩穴墓调查记……883
宜黄公路仙江段考古发掘工作取得重大收获……696
房县古城古墓地调查简报……684
房县羊鼻岭遗址再调查……684
房县桃园发掘出一批东周两汉墓……678
房县桃园战国两汉墓葬第三次发掘简讯……680
孟家井瓷窑遗址……274
陕北甘泉县史家湾遗址……1001
陕西千阳尚家岭秦汉建筑遗址发掘简报……979
陕西长安县206基建工地汉、晋墓清理简报……955
陕西长安县王曲地区新石器时代遗址调查……952
陕西长安鄠县调查与试掘简报……951
陕西长安清华山卧佛调查……961
陕西丹凤县巩家湾遗址发掘简报……1011

陕西凤翔、兴平两县考古调查简报……947
陕西凤翔凹里秦汉遗址调查简报……975
陕西凤翔出土的唐、宋、金、元瓷器……973
陕西凤翔西白村秦汉墓葬发掘简报……981
陕西凤翔豆腐村汉唐墓葬发掘简报……981
陕西凤翔县大辛村遗址发掘简报……972
陕西凤翔孟家堡唐、宋、明墓发掘简报……981
陕西凤翔南干河出土战国、汉代窖藏青铜器……975
陕西凤翔路家村墓葬发掘简报……982
陕西华县、扶风和宝鸡古遗址调查简报……949
陕西华县柳子镇考古发掘简报……992
陕西旬邑县崔家河遗址调查记……985
陕西安康专区考古调查简报……1007
陕西安康发现古代窖藏钱币……1008
陕西安康近年发现的几处画像砖……1007
陕西邠县下孟村遗址发掘简报……983
陕西邮电学校北朝、唐墓清理简报……990
陕西陇县店子村汉唐墓葬……977
陕西武功县新石器时代及西周遗址调查……984
陕西周至县八云塔地宫的发掘……964
陕西周原七星河流域2002年考古调查报告……978
陕西府谷县郑则峁遗址发掘简报……1006
陕西宝鸡南湾秦汉遗址调查简报……983
陕西宜君县东部石窟、摩崖造像调查简报……971
陕西城固出土汉晋宋瓷……1002
陕西省甘泉县佛、道石窟调查简报……1001
陕西省地震碑石调查收获……947
陕西省饲料加工厂周、汉墓葬发掘简报……956
陕西省博物馆藏的一批造像……949
陕西神木县石峁龙山文化遗址调查……1003
陕西眉县成山宫遗址的调查……976
陕西眉县两处秦汉“眉邑”遗址的调查……979
陕西眉县秦汉成山宫遗址的新发现……977
陕西秦直道甘泉段发现秦汉建筑遗址……1002
陕西黄龙县古遗址调查……999
陕西彬县水北遗址发掘报告……992
陕西商县紫荆遗址发掘简报……1010
陕西清涧李家崖东周、秦墓发掘简报……1004
陕西韩城秦汉夏阳故城遗址勘查记……993
陕西渭水流域调查简报……946
陕西富县石窟寺勘察报告……999
陕西蓝田泄湖遗址……956

陕西蒲城尧山灵应祠唐宋题刻调查……994
陕西新发现两处古瓷窑遗址……965
陕西耀县药王山摩崖造像调查简报……968
陕西耀县战国、西汉墓葬清理简报……965
陕县西崖村遗址的发掘……627
绍兴上灶官山越窑调查……451

九画

赵家坟石棚发掘简报……331
荆门市子陵岗古墓发掘简报……720
荆门城区古建筑调查……720
荆州城南垣东端发掘报告……699
荆沙铁路考古发掘取得重大收获……695
莒县马鬐山出土南宋、金、元之际有关“红袄忠义军”的文物……548
“南水北调”工程丹江口水库郧西县淹没区考古调查简报……682
南水北调工程丹江口水库郧县淹没区考古调查……682
南阳市十里庙遗址调查……634
南阳市烟草专卖局春秋、西汉墓葬的发掘……635
南阳发现一批窖藏铜钱……632
南阳地区的文物普查工作……632
南京西善桥太岗寺遗址的发掘……414
南京象坊村发现东晋墓和唐墓……414
南漳县几处古文化遗址调查简报……661
药王山发现奇异石刻……969
柏孜克里克千佛洞遗址清理简记……1050
勃利县平安出土单孔石刀……395
咸阳市杨陵区秦、汉墓葬清理简报……989
咸阳市近年发现的一批秦汉遗物……984
咸阳机场高速公路周陵段汉唐墓清理简报……990
咸阳机场陵照导航台基建工地秦汉墓葬清理简报……987
咸阳沙河古木桥遗址 T2 第一次调查简报……986
临洮秦长城、敦煌玉门关、酒泉嘉峪关勘查简记……1013
临潼县博物馆藏北周造像座、唐代造像与经幢……958
临潼原头、邓家庄遗址勘查记……952
临潼康桥石川河发现西汉石羊和仰韶文化遗址……951
贵州万山汞矿遗址调查报告……917
贵州平坝县马场唐宋墓……917
贵州赤水市复兴马鞍山崖墓……916
贵州桐梓宋明墓发掘简报……916
贵州清镇平坝汉至宋墓发掘简报……914
贵州赫章可乐夜郎时期墓葬……918
贵州榕江发现石器……919

郧县三浪滩遗址调查简报……684
钟祥罗山遗址调查简报……721
香港屯门扫管笏遗址发掘简报……1085
香港考古发掘……1083
香港西贡沙下遗址发掘简报……1084
香港南丫岛沙埔新村遗址发掘简报……1085
香港涌浪新石器时代遗址发掘简报……1083
香溪河遗址调查简报……708
秭归卜庄河古墓发掘简报……709
秭归下尾子遗址发掘简报……711
秭归官庄坪遗址试掘简报……703
秭归龚家大沟遗址的调查试掘……703
重庆万州区青龙嘴墓地考古发掘简报……845
重庆万州区梁上墓群发掘简报……848
重庆万州嘴嘴墓群发掘简报……852
重庆丰都玉溪遗址北部新石器时代遗存 2004 年度发掘简报……849
重庆丰都县火地湾、林口墓地发掘简报……850
重庆丰都炼锌遗址群 2004 ~ 2005 年发掘报告……851
重庆云阳乔家院子遗址唐宋时期遗存……833
重庆云阳乔家院子遗址第三次发掘简报……833
重庆云阳县乔家院子遗址六朝及明代窑址的发掘……839
重庆云阳县李家坝遗址 1997 年度发掘简报……835
重庆石柱县观音寺遗址发掘报告……840
重庆市万州区上中坝遗址发掘……831
重庆市万州区中坝子遗址第三次发掘简报……832
重庆市万州区包上秦汉墓地……842
重庆市万州铺垭遗址发掘报告……842
重庆市丰都县汇南墓群 2000 年度发掘简报……853
重庆市丰都县汇南墓群 2001 年度发掘简报……848
重庆市丰都县汇南墓群 2002 年度发掘简报……849
重庆市丰都县汇南墓群 2003 年度发掘简报……852
重庆市云阳县马粪沱墓地 2002 年发掘简报……835
重庆市云阳县明月坝唐宋寺庙遗址发掘简报……839
重庆市奉节县桂井战国秦汉墓地……846
重庆地区元明清佛教摩崖龛像……847
重庆巫山土城坡墓地 2006 年度发掘简报……843
重庆巫山下湾遗址发掘简报……845
重庆巫山水田湾东周、西汉墓发掘简报……836
重庆巫山麦沱古墓群第二次发掘报告……837
重庆巫山县巫峡镇秀峰村墓地发掘简报……836
重庆巫山县神女路秦汉墓葬发掘简报……843
重庆奉节拖板崖墓群 2005 年发掘报告……841

重庆奉节赵家湾墓地 2004 年发掘简报……844
重庆忠州城址调查……831
信阳孙砦遗址发掘简报……641
泉州新发现的两方阿拉伯字墓碑……481
侯马市东阳呈遗址调查简报……287
侯马地区东周、两汉、唐、元墓葬发掘简报……285
叙永县出土铜鼓……868
剑川石窟——1999 年考古调查简报……932
闽南新石器时代遗址的调查……474
洪山放鹰台遗址 97 年度发掘报告……651
洪泽湖周围的考古调查……413
洮河中上游（甘南部分）考古调查简报……1032
洛汭地带商周文化遗存调查……574
洛阳东车站两周墓发掘简报……596
洛阳市一九八四年古文化遗址调查简报……592
洛阳市偃师县高崖遗址发掘报告……592
洛阳邙山陵墓群的文物普查……600
洛阳汉魏故城北垣一号马面的发掘……591
洛阳西高崖遗址试掘简报……590
洛阳近几年来搜集的珍贵历史文物……591
洛阳涧滨古文化遗址及汉墓……585
洛阳涧滨仰韶、殷文化遗址和宋墓清理……586
洛浦县山普拉古墓地出土缂毛裤图案马人考……1060
济南大辛庄龙山、商遗址调查……513
济南市五区古遗址调查报告……516
济南市历城区宋元壁画墓……518

十画

泰安市发现古代文物……544
泰安岱庙出土的汉唐瓦当……545
秦汉广衍故城及其附近的墓葬……308
秦汉骊山汤遗址发掘简报……958
珠海平沙棠下环遗址发掘简报……797
珠海拱北新石器与青铜器遗址的调查与试掘……796
盐湖古墓……1044
盐源近年出土的战国西汉文物……910
晋西南三县市古文化遗址的调查……285
晋西南地区新石器时代和商代遗址的调查与发掘……291
晋阳古城勘察记……272
晋豫鄂三省考古调查简报……233
桂西发现的古代岩画……820
桐柏县几处古文化遗址调查简报……637

夏邑县杨楼春秋两汉墓发掘简报……639
徐州户部山东汉至金代墓葬发掘简报……418
徐州茅村画像石墓……417
徐州高皇庙遗址清理报告……416
高句丽罗通山城调查简报……362
高州县旧城“陈仓米”的初步调查……807
凉山州西昌市棲木沟遗址试掘简报……910
旅大市长海县新石器时代贝丘遗址调查……323
旅大市营城子古墓清理……323
浙江开化龙坦窑址调查……454
浙江玉环岛发现的古文化遗存……456
浙江龙泉县安福龙泉窑址发掘简报……458
浙江东阳象塘窑址调查记……452
浙江宁波天封塔地宫发掘报告……441
浙江宁波市马岭山古代墓葬与窑址的发掘……444
浙江宁波市祖关山冢地的考古调查和发掘……443
浙江宁波出土唐宋医药用具……440
浙江安吉天子岗汉晋墓……450
浙江余姚青瓷窑址调查报告……439
浙江金华铁店村瓷窑的调查……453
浙江绍兴县出土一批窖藏古钱……451
浙江绍兴里木栅晋、唐墓……452
浙江南田海岛发现唐宋遗物……441
浙江省飞云江上游古文化遗址调查……447
浙江省龙泉青瓷窑址调查发掘的主要收获……458
浙江省安吉县出土一罐钱币……449
浙江淳安古墓发掘……435
浙江淳安左口土墩墓……436
浙江越窑寺龙口窑址发掘简报……442
浙江温州五代、北宋瓷制冥器……448
浙江温州市郊正和堂窑址的调查……448
浙江温岭青瓷窑址调查……455
浙江瑞安凤凰山周墓清理简报……447
浙江瑞安桐溪与芦蒲古墓清理……445
浙江鄞县古瓷窑址调查记要……439
浙江慈溪市越窑石马弄窑址的发掘……443
浙江德清原始青瓷窑址调查……449
酒泉、嘉峪关晋墓的发掘……1015
海南东方市荣村遗址试掘简报……826
调查炳灵寺石窟的新收获——第二次调查（1963）简报……1023
调查浙江鄞县窑址的收获……440
通山县高湖乡发现石斧……745

通化市金厂镇出土战国晚期至秦汉时期青铜短剑……365

十一画

聊城、茌平古文化遗址调查简报……557
聊城地区出土部分古代铜镜……555
黄冈地区几处古文化遗址……739
黄冈蕲水流域古遗址调查……742
黄岩秀岭水库古墓发掘报告……455
黄河八里胡同栈道的勘测……596
黄河上游盐锅峡与八盘峡考古调查记……1014
黄河古栈道的新发现与初步研究……292
黄黄公路考古调查……744
萧窑调查记略……469
彬县大佛寺石窟所见正史人物铭记……989
常州南郊戚家村画像砖墓……419
鄂西自治州收藏的元、明铜印……754
鄂西首次发现一批青铜器……754
鄂州市古砖井发掘简报……723
鄂州市吴王城古陶井发掘简报……722
鄂城县发现一处冶炼遗址……722
鄂城楚墓……721
铜川市王家河墓地发掘简报……966
银川附近的汉墓和唐墓……1039
商州市北周、隋代墓葬清理简报……1011
望海屯遗址略记……389
清江高坝洲工程枝城市境内周代遗址调查简报……709
清江筑卫城遗址发掘简报……505
清江樊城堆遗址发掘简报……506
清涧出土两件古代铁犁铧……1005
淇县现存的石窟和造像碑……608
淅川丹江水库区的文物调查与发掘……633
渑池县发现的古代窖藏铁器……626
淮阴地区考古调查……411
淳化县古甘泉山发现秦汉建筑遗址群……986
淳化县出土秦、汉“市”“亭”陶文陶器……985
深圳古墓中的稻谷遗存……795
深圳市考古重要发现……795
深圳屋背岭遗址发掘报告……796
淄博元末明初玻璃作坊遗址……539
随州几处古遗址调查……749
随州市何店镇干堰洼宋明墓葬发掘简报……750
随州安居遗址初次调查简报……748

绵竹县两次出土窖藏古币……868
绵遂高速公路（三台段）东汉至六朝崖墓发掘简报……874

十二画

博尔塔拉自治州石人墓调查简报……1072
博尔塔拉自治州重要古城址和古墓葬……1073
揭阳地都蜈蚣山遗址与油柑山墓葬的发掘……815
彭山发现岩墓与砖墓相结合的墓制……888
朝阳王子坟山墓群 1987、1990 年度考古发掘的主要收获……342
朝阳地区发现的剑柄端加重器及其相关遗物……340
雅砻江二滩电站库区内文物考古调查记……909
景德镇湖田窑 H 区附属主干道发掘简报……494
黑龙江友谊凤林城址 2000 年发掘报告……387
黑龙江友谊县凤林古城址的发掘……384
黑龙江友谊县凤林城址 1998 年发掘简报……383
黑龙江中下游文物普查取得新成果……372
黑龙江水电站淹没区逊克县考古调查……404
黑龙江双鸭山市保安村汉魏城址的试掘……383
黑龙江右岸沿江嘉荫至萝北太平沟文物普查简报……372
黑龙江讷河市二克浅青铜时代至早期铁器时代墓葬……378
黑龙江讷河市库勒浅青铜至早期铁器时代墓地……379
黑龙江抚远县亮子油库遗址调查简报……395
黑龙江拉林河右岸考古调查……374
黑龙江林甸牛尾巴岗发现青铜时代墓葬……388
黑龙江宝清炮台山汉魏城址试掘简报……387
黑龙江省木兰县石头河遗址调查简报……377
黑龙江省五常市砂河子镇西山石棺墓的考古调查……376
黑龙江省乌斯浑河下游考古调查简报……403
黑龙江省巴彦县王八脖子山遗址考古调查简报……376
黑龙江省宁安市东康遗址采集的陶器……403
黑龙江省宁安县石灰场遗址……397
黑龙江省同江市街津口遗址调查报告……393
黑龙江省同江市勤得利古城调查……392
黑龙江省齐齐哈尔市奈门沁遗址发掘简报……380
黑龙江省讷河市红马山遗址调查……378
黑龙江省抚远县出土的水滴形石网坠……393
黑龙江省牡丹江卡路遗址调查……396
黑龙江省佳木斯南郊考古调查报告……394
黑龙江省泰来县佰大街遗址发掘简报……379
黑龙江省莲花、尼尔基、磨盘山库区考古的主要收获……373
黑龙江省海林木兰集东遗址……399
黑龙江省海林东兴遗址 1992 年试掘简报……399

黑龙江省海林市三道河乡东兴遗址 1994 年考古发掘简报 398
黑龙江省海林市望天岭遗址发掘简报 400
黑龙江省海林县振兴遗址发掘简报 400
黑龙江省绥芬河市新石器——商周时代遗址调查报告 404
黑龙江省绥滨县蜿蜒河遗址发掘报告 382
黑龙江省萝北、绥滨县文物普查简报 381
黑龙江省集贤县升昌镇文物遗址调查简报 386
黑龙江省集贤县永红城址一、二、三号灰坑清理简报 385
黑龙江省集贤县沙岗镇文物遗址调查简报 385
黑龙江省富锦市南部考古调查简报 392
黑龙江省嘉荫仁合古城调查简报 391
黑龙江省肇源小拉哈遗址调查简报 389
黑龙江省肇源县小拉哈遗址发掘简报 390
黑龙江桦南县小八浪遗址的发掘 394
黑龙江海林市兴农渤海时期城址的发掘 402
黑龙江海林市河口遗址发掘简报 397
黑龙江海林市渡口遗址的发掘 399
黑龙江宾县庆华遗址发掘简报 375
黑龙江绥滨同仁遗址发掘报告 382
黑龙江萝北县团结墓葬发掘 381
黑龙江肇源白金宝遗址 1986 年发掘简报 390
集安高句丽墓葬发掘简报 361
舒城凤凰嘴发现两座战国西汉墓 471
敦煌莫高窟 53 窟窟前建筑遗址 1024
敦煌莫高窟北区洞窟清理发掘简报 1026
敦煌莫高窟第 72 ~ 76 窟窟前殿堂遗址发掘报告 1027
敦煌莫高窟窟前建筑遗址发掘简记 1025
遂宁发现“佛法僧宝”铜印 879
湖北大冶铜绿山岩阴山脚遗址发掘简报 659
湖北大冶蟹子地遗址 2009 年发掘报告 657
湖北广水四顾台遗址发掘简报 751
湖北天门笑城城址发掘报告 763
湖北云梦龙岗秦汉墓地第二次发掘简报 733
湖北云梦睡虎地秦汉墓发掘简报 724
湖北长阳出土一批青铜器 705
湖北丹江口市八腊庙墓群第二次发掘简报 690
湖北丹江口市金陂墓群的发掘 686
湖北丹江口市莲花池墓地战国秦汉墓 688
湖北巴东义种地墓葬发掘报告 762
湖北巴东任家坪遗址第一、二次发掘 760
湖北巴东县汪家河遗址墓葬发掘简报 761
湖北巴东县雷家坪遗址第二次发掘简报 759

湖北巴东茅寨子湾遗址发掘报告……755
湖北巴东将军滩墓地发掘简报……759
湖北巴东高桅子遗址 2004 年发掘简报……761
湖北巴东楠木园遗址 2001 年夏季发掘简报……758
湖北发现战国西汉的骆驼图像……648
湖北阳新发现一处青铜器窖藏……656
湖北红安金盆遗址的探掘……738
湖北孝昌武家岗墓地第二　四次发掘报告……737
湖北孝感市古文化遗址调查简报……734
湖北孝感地区古文化遗址调查……726
湖北孝感地区两处古城遗址调查简报……731
湖北均县朱家台遗址……679
湖北谷城田家凹秦汉墓发掘简报……677
湖北谷城县肖家营墓地……674
湖北武当山柳树沟墓群 2010 年发掘简报……692
湖北松滋西斋汪家嘴遗址发掘报告……700
湖北枣阳毛狗洞遗址调查……661
湖北宜昌中堡岛遗址发掘简报……706
湖北宜昌白庙遗址 1993 年发掘简报……712
湖北宜昌市鹿角包遗址发掘简报……716
湖北宜昌杨家嘴遗址发掘简报……711
湖北宜昌县下岸遗址发掘简报……713
湖北宜昌县上磨垴周代遗址的发掘……715
湖北宜昌前坪包金头东汉、三国墓……708
湖北宜城郭家岗遗址发掘……664
湖北宜城楚皇城战国秦汉墓……660
湖北宜都发掘三座汉晋墓……705
湖北房县松嘴战国两汉墓地第三、四次发掘报告……683
湖北房县的东汉、六朝墓……677
湖北咸丰县发现的青铜器……746
湖北省大冶市铜绿山古铜矿冶遗址保护区调查简报……658
湖北省云梦珍珠坡 M17、M18 发掘简报……732
湖北省巴东县李家湾遗址发掘简报……757
湖北省汉川县考古调查简报……732
湖北省洪湖市小城濠、大城濠、万铺塌遗址调查……697
湖北省襄樊市邓城遗址试掘简报……673
湖北郧西张家坪遗址发掘简报……687
湖北郧西庹家湾遗址发掘报告……691
湖北郧县上宝盖遗址 2010 年发掘简报……693
湖北郧县中台子遗址发掘报告……689
湖北郧县店子河遗址发掘简报……688
湖北秭归卜庄河古墓群考古发掘收获……718

湖北秭归石门嘴遗址发掘……719
湖北秭归东门头汉墓与宋墓清理简报……717
湖北秭归何家坪遗址发掘简报……717
湖北秭归望江古墓群发掘简报……718
湖北剧场扩建工程中的墓葬和遗迹清理简报……653
湖北通城高冲钱塘山二号墓发掘简报……746
湖北黄冈巴水流域部分古文化遗址……743
湖北黄冈县禹王城出土一批铜蚁鼻钱和其他文物……739
湖北黄冈浠水流域古文化遗址调查……743
湖北黄陂鲁台山两周遗址与墓葬……649
湖北黄梅县考古调查简报……742
湖北黄梅意生寺遗址发掘报告……745
湖北鄂州市五处古窑址的调查……723
湖北麻城栗山岗战国秦汉墓清理简报……740
湖北随州文峰塔墓地考古发掘的主要收获……752
湖北随州市王家台遗址发掘简报……751
湖北随州擂鼓墩战国东汉墓发掘简报……749
湖北随县唐镇汉魏墓清理……748
湖北蒲圻市赤壁山遗址调查……746
湖北襄阳马集、李食店墓葬发掘简报……675
湖北襄阳王家坡墓地考古发掘主要收获……672
湖北襄阳邓城韩岗遗址汉唐墓葬……671
湖北襄阳邓城韩岗遗址发掘报告……671
湖北襄阳刘家埂唐宋墓葬清理简报……663
湖北襄阳岗心与八亩坡墓地发掘简报……670
湖北襄阳法龙付岗墓地发掘简报……672
湖北襄樊市余岗战国至东汉墓葬发掘报告……664
湖北襄樊市韩岗南朝“辽西韩”家族墓的发掘……676
湖北襄樊刘家埂唐宋墓葬清理简报……667
湖北襄樊郑家山战国秦汉墓……666
湖南古窑址调查之一——青瓷……774
湖南古窑址调查之二——彩瓷……770
湖南龙山县里耶战国秦汉城址及秦代简牍……786
湖南耒阳、永兴等地发现古代窑址……766
湖南耒阳白洋渡汉晋南朝墓……773
湖南耒阳城关六朝唐宋墓……772
湖南耒阳磨形、太平窑群调查纪实……771
湖南祁阳长流村出土宋元瓷瓶……783
湖南澧县出土元明地券……777
湖南临澧古遗址普查报告……776
湖南临湘陆城宋元墓清理简报……775
湖南省岳阳市郊毛家堰——阎家山周代遗址发掘简报……775

湖南省新宁县发现商至周初青铜器……773
湖南津市古遗址调查报告……777
湖南津市花山寺战国西汉墓清理简报……779
湖南郴州市马家坪古墓清理……781
湖南郴州先秦时期遗址调查……782
湖南桃源印家岗古墓葬……778
湖南桃源县二里岗战国西汉墓葬发掘报告……778
湖南资兴隋唐五代宋墓……782
湖南益阳市大海圹唐宋墓……781
湖南益阳县羊午岭古窑址调查……780
湖南益阳战国两汉墓……779
湖南湘西自治州境内酉水沿岸古遗址调查……785
湖南溆浦县茅坪坳战国西汉墓……784
湖南靖州县团结村战国西汉墓……784
湖南衡阳、长沙、宁乡、澧县、石门等地调查记……765
湖南衡阳市蒋家窑址的再调查……772
湖南衡阳茶山坳东汉至南朝墓的发掘……771
湖南衡阳南朝至元明水井的调查与清理……769
湘西古丈河战国、汉墓发掘简报……787
渤海湾西岸古文化遗址调查……239
温州地区古窑址调查纪略……446
渭南市区战国、汉墓清理简报……995
渭南市郊古墓葬清理简报……993
富拉尔基老龙头原始社会遗址调查……377
登封白坪钧瓷窑址调查简报……579
登封县雷村发现宋金时期犁镜……570
登封宣化唐宋时期瓷窑遗址调查简报……579

十三画

蓝田出土的一批古代瓷器……953
蒲江飞仙阁摩崖造像……858
蒲江县长秋山摩崖造像调查……859
蒲江摩崖石刻造像的初步调查……861
榆林市境内新发现一段秦汉长城遗址……1006
榆林地区一批馆藏宋、金、元瓷器……1004
蜀道广元段考古调查简报……878
锦州山河营子遗址发掘报告……335
新乡地区文物普查的主要收获……611
新发现的一种印文（符号）……950
新发现的陕西澄城窑及其烧瓷产品……996
新安古窑址的新发现……590
新疆木垒县四道沟遗址……1069

新疆乌鲁木齐萨恩萨依墓地发掘简报……1046
新疆文物调查随笔……1043
新疆巴里坤东黑沟遗址调查……1058
新疆巴里坤红山口遗址 2008 年调查简报……1059
新疆石河子南山古墓葬……1081
新疆布尔津喀纳斯下湖口图瓦新村墓地发掘简报……1080
新疆东部发现的几批铜器……1057
新疆东部的几处新石器时代遗址……1044
新疆且末扎滚鲁克一号墓地发掘报告……1068
新疆且末县加瓦艾日克墓地的发掘……1066
新疆尼勒克乌吐兰墓地发掘简报……1078
新疆尼勒克县加勒克斯卡茵特墓地发掘简报……1077
新疆尼勒克穷科克岩画调查……1077
新疆出土的肖形印介绍……1045
新疆发现的彩陶……1057
新疆吉木萨尔北庭古城调查……1070
新疆吉木萨尔县大龙口古墓葬……1071
新疆考古的发现……1043
新疆吐鲁番市巴达木墓地发掘简报……1056
新疆吐鲁番市台藏塔遗址发掘简报……1056
新疆吐鲁番阿斯塔那北区墓葬发掘简报……1047
新疆伊犁尼勒克汤巴勒萨伊墓地发掘简报……1078
新疆伊犁昭苏县古墓葬出土金银器等珍贵文物……1076
新疆各地发现的一部分历代印章……1045
新疆米泉大草滩发现石堆墓……1046
新疆克尔木齐古墓群发掘简报……1080
新疆克里雅河流域考古调查概述……1061
新疆库木吐喇石窟新发现的几处洞窟……1063
新疆沙雅县出土大陶罐……1062
新疆阿拉沟竖穴木椁墓发掘简报……1049
新疆轮台县群巴克墓葬第二、三次发掘简报……1065
新疆轮台群巴克古墓葬第一次发掘简报……1063
新疆昌吉努尔加墓地 2012 年发掘简报……1071
新疆和静县察吾乎沟口二号墓地发掘简报……1064
新疆和静哈布其罕萨拉墓群 2013 年发掘简报……1069
新疆哈巴河托干拜 2 号墓地发掘简报……1081
新疆哈密焉不拉克墓地……1058
新疆拜城县克孜尔吐尔墓地第一次发掘……1062
新疆特克斯县阔克苏西 2 号墓群的发掘……1078
新疆尉犁县因半古墓调查……1066
新疆尉犁县营盘墓地 1995 年发掘简报……1067
新疆尉犁县营盘墓地 1999 年发掘简报……1067

新疆维吾尔自治区——吐鲁番阿斯塔那北区晋唐墓葬……1047
新疆温泉县阿敦乔鲁遗址与墓地……1074
新疆鄯善三个桥墓葬发掘简报……1053
新疆鄯善苏巴什古墓葬……1050
新疆鄯善县苏贝希考古调查……1052
新疆鄯善县苏巴什古墓群的新发现……1052
新疆鄯善县洋海墓地的考古新收获……1054
新疆鄯善洋海墓地发掘报告……1055
慈溪上林湖荷花芯窑址发掘简报……444
福州洪塘金鸡山古墓葬……477
福州浮村遗址的发掘……475
福州新发现的元明时代伊斯兰教史迹……476
福建云霄县尖子山贝丘遗址调查……484
福建汀州城址勘查……489
福建华安县仙字潭石刻……484
福建连城县姑田镇发现的古代岩画……489
福建建阳古瓷窑址调查简报……486
福建南安发现的青铜器和福建的青铜器文化……482
福建南安县发现成套石锛……483
福建省最近发现的古代窑址……474
福建顺昌发现宋元窑址……487
福建闽侯县昙石山遗址发掘新收获……477
福建闽侯荆山、杜武南朝、唐墓清理记……476
福建莆田古窑址……480
福建浦城三处古遗址调查简报……487
福建浦城石排下遗址试掘……486
福建浦城县管九村土墩墓群……488
福建惠安银厝尾古窑址发掘简报……483
福建福州市新店古城发掘简报……479
福建福清东张新石器时代遗址发掘报告……476
福建漳浦县赤土古窑址调查……485

十四画

嘉陵江郙阁栈道考察记……844
赫家洼遗址的调查简报……704
蔚县考古纪略……267
磁州窑观台遗址出土的瓷枕……257
磁县下七垣遗址发掘报告……253
磁县下潘汪遗址发掘报告……252
鄱阳湖地区的考古收获……492
潍坊市古文化遗址调查……534

十五画及以上

蕲春县近年出土的铜镜……740
樟树吴城遗址第七次发掘简报……507
镇江、句容出土的几件五代、北宋瓷器……429
镇江铁瓮城南门遗址发掘报告……432
德化屈斗宫窑址的调查发现……450
德化屈斗宫窑址的调查发现……481
遵义高坪“播州土司”杨文等四座墓葬发掘记……915
潜江市文物考古调查……762
鹤峰刘家河遗址的房屋遗迹……756
鹤壁市后营古墓群发掘简报……609
鹤壁市故县战国和汉代冶铁遗址出土的铁农具和农具范……610
豫东商丘地区考古调查简报……639
豫北洹水两岸古代遗址调查简报……616
镜泊湖周围山城遗址的调查……396
繁昌县古代炼铁遗址……461
襄阳东津洪山头遗址发掘简报……668
襄阳邹湾遗址发掘简报……665
襄樊王寨许家岗墓群发掘……668
襄樊长虹南路墓地第二次发掘简报……675
襄樊市郑家山古墓清理简报……663
襄樊市高庄墓群发掘报告……667
襄樊市高庄墓群第三次发掘……675
襄樊市博物馆藏铜镜选介……662
襄樊地区出土的几方铜印……662
襄樊杜甫巷东汉、唐墓……669
襄樊余岗战国秦汉墓第二次发掘简报……673
襄樊檀溪隋唐宋墓清理简报……669
濮阳市郊区考古调查简报……621
耀州窑作坊和窑炉遗址发掘简报……966
耀州窑遗址考古收获……970
耀州窑遗址在基建中的新发现……967
耀县新发现的一批造像碑……967
灌县马家古瓷窑遗址试掘记……857